DE BELOFTE AAN RACHEL

Hubert Lampo
De belofte aan Rachel
Roman
Meulenhoff Editie

Meulenhoff Amsterdam

Eerste druk 1964, tiende druk 1972
Copyright © 1964 by Meulenhoff Nederland nv
Omslagtekening Bab Siljée
Druk Van Boekhoven-Bosch nv, Utrecht
ISBN 90 290 4595 7

Broederlijk opgedragen
aan kunstschilder Jan Vaerten
en zijn dubbelganger
Thotmes

1

BENJAMIN GROET DE LEZER

Zo is alles volbracht. Er heerst vrede in mijn hart, zoals er vrede heerst in dit land, waar wij, ondanks Jozefs roem, vreemdelingen zijn en ons door de Boeken een slavernij wordt voorspeld, die vierhonderd jaar duren zal.

Alles geschiede, zoals het geschieden moet, al hecht ik aan de Boeken weinig geloof. Ben ik te oud om nog in opstand te komen tegen het lot, heeft het leven mij onverschillig gemaakt, of mag ik het berusting noemen?

Ik weet het niet.

Misschien is dat voor hem, die inkeert tot zichzelf, de enige druppel wijsheid, die neerslaat uit de nevel, waarin zijn dromen en daden opgaan: te durven erkennen, dat hij het niet weet, laatste antwoord op de vragen, die er de mens toe aanzetten naar eigen wens en inzicht goden of demonen te scheppen.

Verging het Jozef anders? Of heeft hij inderdaad nooit de twijfel gekend?

Als kind in de tijd van Kanaän nog, kon hij zich zonder merkbare redenen van het spel afkeren of de kudde aan haar lot overlaten om als gespannen in de verte te gaan zitten staren, of hij dingen hoorde en zag, niet naar menselijke maat geschapen, welke *onze* zintuigen te boven gingen. Later bracht men het in verband met zijn profetische gaven. *Zijn* waarheid is nooit de mijne geweest. Ik hoor het hem nog duidelijk zeggen tijdens één van zijn mededeelzame buien: 'Jij, Benjamin, zoudt de enige onder mijn tegenstrevers kunnen zijn, die ik werkelijk vrezen moet. Ik tel vele vijanden, doch ondanks hun haat zien ze vol vrees naar mij op, omdat ze weten wie ik ben en wat ze aan mij hebben. Jij daarentegen leeft langs me heen, zonder merkbare hartstocht, of je er je zelf geen rekenschap van geeft, waar het in het leven om gaat, maar hierdoor wellicht tot alles in staat, wie weet?' Ik heb vrij dubbelzinnig geantwoord: 'Ik ben je broeder; wij horen beiden tot hetzelfde bloed.'

Zonder hartstocht. Heb ik zonder hartstocht geleefd? Zonder hartstocht echter is het, dat ik de taak op mij genomen heb de geschiedenis van Jozef te boek te stellen, verzoend met de mensen, met de wereld, met mij zelf en met de herinnering, die op mij weegt als een laatste zachte najaarsavond, — een weemoedig, doch schoon bezit.

Een najaarsavond inderdaad, zoals wij ons de avonden in het land uit onze kindertijd voorstellen, — vervoerende luchtspiegeling van het verloren doch beloofde land, die ons steeds verder zal lokken, als de betoverende fata morgana's in de woestijnlucht de verdwaalde karavanen, daar boven het leven de droom ons lief is.

Het vertrek van mijn bescheiden woning waar ik vertoef, geeft op de tuin, die zacht glooiend naar de stroom afdaalt, doch het licht van de lamp op mijn handen verhindert mij te zien, hoe de nacht de sterrebeelden één voor één aan de glanzende sfeer van de hemel schrijft, raadselachtige getuigen, die de mensheid uit stof hebben zien geboren worden en haar ééns tot stof zullen zien verpulveren. Wel kan ik de wind in de hoogstammige palmen horen en in de broos ruisende papyrus, alsook verder aan de havenkant de geluiden in de taveernen, waar omstreeks deze tijd van de dag bij voorkeur het scheepsvolk huist. Het zijn geruchten, die de stilte niet verstoren. Zij wordt er dieper en vertrouwder door. Slechts aan gindse zijde van het graf heerst de volstrekte stilte, waarin wat uit de leem is opgestaan, weer tot leem vergaat, wat priesters en filosofen ook verkondigen.

Een avond als deze noopt de ziel tot rust. En toch, en toch. Is er diep in mij geen tranenloos en zacht verdriet? Ditmaal zou Jozef gelijk hebben, zo hij beweerde, dat iedere hartstocht mij vreemd is. Lang wachtte ik, vooraleer lucht te geven aan de gevoelens, waarmede de herinnering mij vervult, en aan wat ik, zijn broeder, over hem weet, daar ik er mij steeds rekenschap van gegeven heb, hoe er aan het voorbeschikte bestel der dingen niets kan veranderd worden. In momenten van vervoering (of moeilijk verborgen hoogmoed?) noemde hij zich een mysticus van de daad, alleen verantwoording tegenover de eeuwigheid schatplichtig. Dergelijke uitspraken, waarmee de sterveling de eeuwigheid voor het wagentje van zijn ijdelheid spant, doen mij thans glimlachen. Doch tegelijkertijd vraag ik mij af: waarom vertrouw ik dit alles aan de geduldige papyrusrol toe? Wie zoek ik te bereiken met ons beider levensverhaal, dat mij onder zegel vergezellen zal, wanneer ik ééns de reis naar de velden van de onverstoorbare stilte onderneem? Voel ook ik mij tegenover de eeuwigheid rekenschap verschuldigd? Acht ik het mijn plicht als mens mijn eigen waarheid tegenover de gemeenschappelijke leugen te stellen, zonder kans nochtans, dat er ooit iemand kennis van neme?

Maar terzake. Zowat een half jaar geleden, omstreeks de tijd dat de stroom zich van de velden terugtrekt en de akkers als warme, jonge vrouwen vruchtbaar achterlaat, heeft Nephtali, de laatste overlevende onder mijn broeders en priester van onze stam, zich bij mij aangemeld. Zijn komst verbaasde mij, want jarenlang bleef hij mij tot dusver uit de buurt. Hij beschouwde mij als een godloochenaar, die het ongeluk over ons volk zou brengen door mijn aanstootgevend gedrag in het aanschijn van de Heer. Dus verheugde het mij, dat met het aanbreken van de ouderdom ook de vooroordelen van hem afvielen. Hierin vergiste ik mij. Hij was nog steeds dezelfde van weleer, hard, verbeten en niet bijster verstandig.

'Twintig jaren zijn er verlopen sinds Jozef begraven werd,' begon hij. 'Wie zou het beter weten dan Benjamin?' zei ik glimlachend. 'Hij was een groot man,' voegde ik er na een korte poos aan toe. 'De trots van onze familie en van gans ons volk,' beaamde Nephtali nadrukkelijk, merkbaar opgelucht, dat ik zijn woorden niet in twijfel trok. En opvallend haastig vervolgde hij: 'Ik acht de tijd aangebroken om zijn levensverhaal te boek te stellen, tot stichting van de komende geslachten. Eéns zal het worden toegevoegd aan de heilige geschriften, waarin allen worden opgeroepen, op wie welgevallig de Heer het oog liet rusten.' Er kwam mij een zinspeling op de tong, die verband hield met de sombere dronkemansuitspattingen van schipper Noach. Ook de oude Abraham, die niet zo seniel was, dat hij zijn handen van de dienstmeisjes placht te houden, kwam mij voor de geest en tevens dacht ik aan de wijze, waarop onze eigen vader de argeloze Laban beduveld had, — om er op het stuk van zijn erotische krachtpatserijen maar liefst het zwijgen aan toe te doen. Maar ik hield mijn mond, aanvaardde het tamelijk lijvige manuscript uit zijn handen en verdiepte mij in zijn calligrafie, terwijl ik voelde hoe zijn blik angstvallig speurde naar ieder mogelijk teken op mijn gelaat. Gemis aan zelfbeheersing behoorde op rijpere leeftijd nooit tot mijn meest opvallende zwakheden. Ik las onverstoorbaar tot het mij ten slotte welletjes leek; dan legde ik glimlachend het onthutsende document opzij, maar bleef zwijgen, terwijl ik voor de tweede maal de bekers vulde.

'Wèl?' vroeg de priester na een poos met merkbaar ongeduld, 'wat heb je daar aan toe te voegen?' Ik haalde de schouders op, wat zowat beduiden wou, dat hij er zijn gang mee kon gaan en ik mij bij voorbaat neerlegde bij alles, wat hij in het schild voerde. Maar zulks scheen hem geenszins te bevredigen. 'Van ons allen stond jij Jozef het meeste na, evenals hij uit Rachel geboren...' begon hij op overtuigende toon. Met een ingehouden gebaar van de hand stuitte ik de zich aankondigende woordenvloed. 'Erg hebben wij het met elkander nooit op gehad, Nephtali, doch thans staan wij aan de vooravond van de dood, zonder aarzeling of zonder vrees, zoals het mannen van ons slag betaamt. Noch de overlevering van mijn volk, noch de grappige in eer herstelde goden van het land, waar wij gastvrijheid genieten, halen er mij toe over, geloof te hechten aan de belofte tot beloning of straf na onze dood. Wat *dan* gebeurt voltrekt zich vermoedelijk in een andere cosmische dimensie en in elk geval buiten de bevattingsmogelijkheden van onze menselijke geest, zodat het mij als ijdel voorkomt er ons in te verdiepen.' 'Je praat naast de kwestie,' onderbrak hij, 'het gaat alleen maar om de vorm,

9

waarin wij Jozefs levensgeschiedenis op een zo stichtend mogelijke manier aan het nageslacht doorgeven!' 'Laat me uitpraten,' hernam ik op rustige toon, 'ik wil je slechts duidelijk maken, dat geen enkele metafysische vrees er mij van weerhoudt je medeplichtige te worden en met jou dit verbloemde relaas aan de golfslag der tijden toe te vertrouwen, waarin het overigens vermoedelijk voorgoed verdwijnen zal. Noch in de hemel, noch in de onderwereld zal enig rechter ons vrijspreken of veroordelen. Maar een man, die er naar streeft eerlijk te zijn of het langzamerhand te worden, draagt zijn rechter in het eigen hart. Hoe kan jij, die Jozef haast evengoed hebt gekend, als ik hem kende, jij, die wist waardoor hij gedreven werd en wat zijn geest en zinnen nastreefden, een dergelijk zoeterig en leugenachtig verhaal distilleren uit wat zijn leven geweest is?'
Nephtali is een pathetische natuur en zal het waarschijnlijk blijven tot zijn laatste ademtocht. Er zijn té weinig mensen, die weten hoe nauw het pathetische en het belachelijke met elkander verwant zijn, zo niet zou dit leven ons misschien minder ergernis baren.
Hij keek me doordringend aan, opvallend langer dan nodig om werkelijk indruk op mij te maken. 'Beklagenswaardige,' zei hij, zonder verachting, doch met een grenzeloos medelijden in de stem. Ik bleef hem het antwoord schuldig en glimlachte stil vóór me uit. 'Een man als Jozef, gesneden uit het hout van zieners en profeten,' vervolgde hij (als een toegewijd leermeester, die wel weet, hoe dwaas zijn pupil is, doch het als een eer aanrekent, er zijn geduld niet bij te verliezen), 'wordt niet met de gewone maat gemeten, Benjamin. Een held als hij heeft recht op verering, ontdaan van alle kleine menselijke aspecten.' 'De echte Jozef wordt mij lief naast het pedante lulletje rozewater, dat jij ervan gemaakt hebt!' zei ik, zonder mijn zelfbeheersing prijs te geven. Hij antwoordde: 'Ik ben een godgeleerde uit de klassieke school en handel zoals de Heer het mij ingeeft. *Zijn* waarheid alleen is geldig voor alle tijden. Niemand uit ons volk, ook zij niet, die leefden in Jozefs onmiddellijke omgeving, zullen het betwisten, dat mijn hand door God zelf werd geleid. Maar uiteraard zal men er zich rekenschap van geven, dat de ogen, de oren en het hart onvolmaakte organen zijn en dat de menselijke daden slechts in het licht der eeuwigheid betekenis verwerven, de bedrieglijke uiterlijke schijn ten spijt.'
Ik heb mij niet de moeite getroost verder met Nephtali te redetwisten. Dat hij Jozef op de eeuwigheid loslate, zoals het hem goeddunkt. Ik weet mijn weetje en houd er mij aan. Mijn halfbroeder is een invloedrijk man, — wij behoren nu éénmaal tot een familie van invloedrijke lui –, en het zou mij niet verbazen, zo hij er inderdaad in slaagt zijn versie door de onzen, tuk op dergelijke stichtelijke verhalen, als de officiële te doen aanvaarden.
Doch waar de geest mij onverschilligheid ten opzichte van de menselijke ijdelheid voorschrijft, weigert het hart gehoor en dwingt mij

tot het opstellen van *mijn* gedenkschriften. Wanneer mijn uur aanbreekt, zullen zij mij vergezellen in het graf. Slechts mijn zoon zal ik ze laten lezen. Voor het overige hebben zij niet meer kans om door wie ook ter hand genomen te worden, dan de hiëroglyfen, die een speelse hand voor het uitbreken van een storm in het woestijnzand zou tekenen.

En toch. Misschien komt er ééns een dag, eeuwen ver in een duizelingwekkend verschiet, dat een mens, een man als ik, met al zijn herinneringen en dromen, deze kleine magische beelden ontcijfert. Hij vertrouwe erop, dat ik schrijf zonder haat of zonder wrok, alleen gedreven door de waarheid in mijn hart, die op mijn leeftijd sterker schijnt dan ijdelheid, zelfbedrog en leugen, — wat mij al met al een vrij verbazend verschijnsel lijkt...

Dies groet hem uit de diepte der tijden de Jood Benjamin, zoon van Jacob en Rachel.

2

KINDERSPELEN IN KANAÄN

Ik geloof niet, dat ik tot die soort van lieden behoor, wier ogen wazig worden wanneer zij met mijmerende stem over hun kinderjaren praten. Ik geloof niet aan de door poëten in het leven geroepen gemeenplaats, dat wat het hart in de kinderjaren boeit en tooit eeuwig in het geheugen zou blijven, zoals een populaire dichteres uit onze stam het met zoveel overtuigingskracht geformuleerd heeft.

Mijn eigen jeugd was niet minder gelukkig dan die van enig ander kind in het land van Kanaän. Toch wordt de herinnering aan die tijd voor mij vertroebeld door de bijsmaak van vele uren, met grenzeloze verveling vervuld, een verveling, waartoe mij naderhand de gelegenheid nimmer meer gegund is geworden. Vreemd is het wel, dat nooit enig kunstenaar eraan gedacht heeft, zich hiérdoor te laten inspireren, maar dat ze allen liever een denkbeeldig paradijs, een subtiel vervalst kinderland bezingen, waar ze volkomen serieus in geloven, omdat ze er eigenlijk nooit zeer ernstig hebben over nagedacht. Jozef, wie ik het vermogen tot gevatte formulering allerminst ontzeg, beweerde eens: 'Dichters zijn uiteraard mensen, die nergens grondig over nadenken en bijgevolg over dingen, waaromtrent ze geen enkel duidelijk begrip bezitten, dermate uitgesproken nonsens verkondigen, dat de goêgemeente er na verloop van tijd wel een vonk genie in ontwaart!' Helemaal ongelijk had hij misschien niet, mijn broeder Jozef, die een nauwelijks verholen afkeer aan de dag legde voor al wie iets van de visionair in zich heeft, de artiesten incluis, omdat hij, die zelden of nooit aan iets twijfelde wat hem zelf betrof, precies twijfelde aan de zienersgaven, welke hem waren toegedicht en waarop, althans in den beginne, zijn roem en loopbaan gevestigd werden. Wat er ook van zij (en ik kan mij moeilijk voorstellen, tot de uitzonderingen te behoren), omstreeks mijn dertigste jaar of even daarvoor slechts was het, dat ik het leven enigszins leerde te doorgronden, terugblikkend op mijn jeugd als op de belevenissen van een middelmatig intelligent en anderzijds toch weer onherroepelijk dwaas wezen, dat zeer hoge en zeer idealistische eisen stelde aan het bestaan, doch vooralsnog blind voorbijging, waar het hem zijn gave vruchten bood, zèlf niet rijp genoeg om deze rijpheid, naar waarde te schatten. Zo ben ik onder meer de mening toegedaan, dat de man *vóór* zijn dertigste jaar niet tot de liefde, de ware liefde althans, in staat is. Ik

heb van Horemheb gehoord hoe baardeloze knapen op het slagveld wonderen van dapperheid volbrachten. In de geschiedenis van
mijn volk, hoe volkomen onbetrouwbaar ook te boek gesteld, zijn
woorden van wijsheid gesproken en daden van voorzienigheid gesteld door jongelieden, wier beleid menige vroede grijsaard be-
schaamde. Zo men een zeer oud archiefstuk mag geloven, zou de
architect van de grote piramide, die onthutsende equatie van ma-
thematica, poëzie en eeuwigheidsverlangen, ginds nabij het delta,
op minder dan twintigjarige leeftijd met dit levenswerk een aanvang
hebben gemaakt. Maar inmiddels praat men het mij niet uit het
hoofd, dat de gave der liefde onder alle menselijke neigingen het
laatst van alle tot volledige rijpheid komt, de theorieën van sommige wijsgeren ten spijt, die de zuigeling aan de moederborst reeds zin-
nelijke ervaringen toeschrijven, welke hij volgens mij slechts appre-
ciëren kan, wanneer dertig malen het Nijlslib zijn voeten heeft be-
vuild. Iedereen begrijpe, dat ik hier niet uitsluitend op de paringsdaad zinspeel. In mijn geboorteland, waar de onbarmhartige zo-
merzon, meer dan in het milde Egypte, het bloed zout en gistend
maakt, weet iedere vijftienjarige spring-in-'t-veld dáár wel alles van
en in het avondlijke struikgewas koesteren de jonge meisjes, met alleen de lui kauwende kudde tot getuige, gewoonlijk weinig bezwaren.
Solide, door moraal en kerk welwillend geratificeerde huwelijken
zijn hier doorgaans het gevolg van, zodat niemand enige schade berokkend wordt. De priesters gaan de hoogdagen wel luidruchtig tegen de zonde te keer, maar tragisch vatten zij haar in de grond niet
op, wat overigens de wijste partij is.
Slechts sedert mijn dertigste jaar, kortom, heb ik mij werkelijk een
man gevoeld, bewust van mijn verhouding tot de mij omgevende wereld en bewust ook, van wat er in die wereld zoal te koop is. Dit zou
een reden kunnen zijn om me zelf voor een cynicus te houden, ware
het niet, dat mijn hart overloopt van dankbaarheid voor het goede
dezer aarde, dat ik met mate en beheersing, doch tot de kern toe genoten heb: de wijn, de kunst, de vrouw en (hoewel niemand mij van
liederlijkheid zal beschuldigen in dit land, waar ik door eenieder die
het weten kan als een sober man beschouwd word) vooral van de
vrouw, deelstreep tussen teller en noemer in onze relatie tot tijd en
tijdeloosheid.
En toch, neen ongelukkiger dan een ander kind was ik gedurende
mijn eerste levensjaren niet, tenzij niet de gewone uiterlijke omstandigheden, doch enige mysterieuze trek in mijn wezen mijn jeugd haar
weemoedige toonaard zou verleend hebben, wat ik trouwens op goede gronden betwijfel.

Mijn vader had twaalf zonen. Ik was de laatstgeborene en werd Benjamin geheten. Tegenover onze vader en onze broeders vormden

Jozef en ik een bestendige oppositie. De eensgezindheid, die wij hierbij aan de dag legden, vond waarschijnlijk haar oorsprong in de verwarrende stem van het bloed: in tegenstelling tot de meeste anderen, had éénzelfde moeder ons ter wereld gebracht, een stille, zachte vrouw, Rachel genaamd, aan wie ik terugdenk met grote tederheid in het hart.

Toch geloof ik als jonge knaap over de broeders onrechtvaardig geoordeeld te hebben. Het waren onbehouwen, ruwe kerels, drinkebroers, vechtersbazen en hoerenlopers, alhoewel ook menige fatsoenlijke vrouw moet bezweken zijn voor hun mentaliteit van mannetjesputters. Eraan gewend maandenlang in de eenzaamheid, ver van het vaderhuis de kudden te weiden, uitsluitend op elkaars gezelschap aangewezen, vormden zij op hun beurt een soort van woeste kudde, die angst en vernieling zaaide waar zij ten tonele verscheen. Wanneer zij met zijn allen een kroeg binnenvielen en hun messen neerplantten in de tafels, werd het er eensklaps stil en menige waard krabde op dat kritische moment bedenkelijk in zijn baard. Gebeurde het echter, dat zij goed gemutst waren (en steeds was het goede of het slechte humeur bij hen een collectief verschijnsel, zonder uitzonderingen op de regel, gelijk trouwens al hun gemoedsbewegingen, zodat zij later uitstekend in Jozelfs staatsbestel bleken te passen), dan viel er met hen te praten. Lang duurde het doorgaans niet, vooraleer zij de andere bezoekers tot hun drinkgelag uitnodigden, wat hun een betrekkelijk grote populariteit in onze geboortestreek bezorgde. Kwamen er toevallig geen vrouwen in de buurt, zo bestond er een behoorlijke kans, dat zij tot het morgenkrieken bleven zwetsen en drinken, zonder noemenswaardige gewelddaden. Toch gebeurde het, dat bij een dergelijke gelegenheid Simeon, de stevigste uit de hoop, tot een weddenschap door een kermisworstelaar uitgedaagd, de op alle jaarmarkten bekroonde dekstier van de bordeelhouder in de letterlijke zin des woords om de hals bracht onder de opgewonden en aanmoedigende kreetjes der pensionaires van de eigenaar, die het beest een instinctieve, ofschoon slechts na grondige zielkundige analyse verklaarde antipathie toedroegen. Het geval werd voor de rechtbank gebracht, doch had voor de dader geen verregaande gevolgen, daar het bleek, dat de kroegbaas de verschuldigde belasting op deze lucratieve bijverdienste niet had vereffend en bovendien de rechter ergerde door (nochtans zonder kortswijl) te beweren, dat hij in de waan verkeerde, de prestaties van de stier of althans dezer opbrengst onder de regelmatig door hem vereffende taxe op de publieke vermakelijkheden te mogen rubriceren. Tot Simeons geluk bezat de rechter niet het geringste gevoel voor humor, doch onze vader, die prat ging op zijn rechtvaardigheidszin, vervloekte zijn zoon op oudmodische manier tot in het vierde geslacht, waarna hij een strenge boetepreek hield en hem alles vergaf, vermits hij het, wijze die hij was, niet tot zijn bevoegdheid rekende deze vervloeking persoonlijk te voltrekken.

Erger werd het, wanneer zich een twist om één of andere vrouw ontspon. In nauwelijks een oogwenk schenen dan mijn broeders, die sommigen in andere omstandigheden door hun schijnbaar goedmoedige sloomheid om de tuin zouden hebben kunnen leiden, in baarlijke duivels veranderd. Zolang zij onder elkaar vochten, beperkte alles zich meestal nog tot geplette neuzen, gekloven wenkbrauwen, uitgespuwde tanden of een paar gebroken ribben, waarna doorgaans de buit van hand tot hand ging, zo althans deze uitdrukking de ware is. Bepaald tragisch werd de toestand, wanneer anderen zich in de strijd mengden of van de aanvang af de tegenpartij vormden, wat meermaals gebeurde op de kermissen in de buurt van Sichem, waar eenieder, die niet tot de dorpsgemeenschap behoort, als een vreemde eend in de bijt beschouwd en dienovereenkomstig behandeld wordt, vooral wanneer hij meent zich vrijheden te mogen veroorloven ten opzichte van het lokale vrouwelijke schoon. In dergelijke gevallen vormden mijn broeders een niet te doorbreken front, waardoor iedere aanval afgeslagen werd in de kosmische warrelingen van een tot grondige vernietiging voorbestemd herbergmeubilair en de chaotische verwarring van gekneusde ledematen en hoofden. Ik geloof niet, dat zij ooit het onderspit moesten delven en meermalen bleven er doden op het slagveld achter. Daar dergelijke gebeurtenissen echter officieus tot het vaste programma der openbare feestelijkheden behoorden (veeleer dan het worgen van prijsstieren), kwamen zij door die krachtpatserijen nooit met ons gebrekkig gerechtsapparaat in botsing. Zij hadden trouwens een deugdelijk alibi bij de hand. Geen enkele onder onze wetten legt het verbod op, een meisken uit een vreemd dorp het hof te maken, zodat zij juridisch nooit de uitdagers, doch steeds de uitgedaagden waren en zich bijgevolg in staat van wettige zelfverdediging bevonden, wanneer in een strijd, waarbij onmogelijk de partijen nog van elkander konden onderscheiden worden één of andere boerenkinkel om zeep werd gebracht.

Dergelijke vechtpartijen, de uniformiteit van hun baard- en haardracht, de verfomfaaide lompen en schaapsvellen waarin zij zich, vaders rijkdom ten spijt, doorgaans uitdosten, waren er de oorzaak van, dat ik hen als kind steeds als één uniforme bende woestelingen beschouwde, die mij evenveel ontzag als afkeer inboezemden. Zij zijn het, die mij van jongsaf een weerzin voor alle geweld hebben doen krijgen. Doch toen ik zulks op zekere dag tijdens het spel onder stuntelige bewoordingen aan Jozef toevertrouwde, zweeg hij een poos, alsof hij over iets piekerde en antwoordde ten slotte bedachtzaam: 'Ik geloof, Benjamin, dat een wereld zonder geweld niet denkbaar en zelfs niet wenselijk is. Maar het geweld van spieren en wapens moet door het hoofd geleid worden.' Ik begreep hem niet helemaal en groef zwijgend verder in het zand, waar we op grond van zijn aanduidingen de tijd verdreven door het bouwen van een burcht in miniatuur, omgeven door ingewikkelde, doch ingenieuze versterkingen, waarin zich toen reeds op onthutsende wijze een kenschetsend aspect van zijn persoonlijkheid verried. Later heb ik ingezien, dat hij te dien tijde reeds genoeg diplomaat was om door het woord zijn gedachten te verbergen, die er waarschijnlijk op neerkwamen, dat het geweld slechts vruchten afwerpt, wanneer het rechtstreeks ten dienste van het eigenbelang wordt aangewend, wat alle middelen heiligt. Op dát ogenblik echter verbreedde de niet grondig door mij geassimileerde zienswijze van mijn broeder, die in ruime trekken met de mijne overeenstemde (zo dacht ik althans), het ravijn dat van de aanvang af bestaan had tussen de rabauwse bende en mij, een nest van harige en baardige woestelingen, leeuwen en wolven in mannengedaante, die ik allen over dezelfde kam scheerde, zonder mij in hun subtiele karakterverschillen te verdiepen. Jaren nadien slechts hebben zich voor mij langzamerhand hun afzonderlijke wezenstrekken uit de gemeenschappelijke cocon losgewikkeld en leerde ik hen als mensen zien, mensen die mij weliswaar vaak met afschuw, soms met medelijden vervulden, doch mensen in elk geval: alvorens ik het echter zo ver bracht, moest ik zelf tot rijpheid komen, opdat het leven de gelegenheid zou hebben gehad mij ootmoed en bescheidenheid te leren.

Wanneer sommige lieden hun prilste kindertijd ter sprake brengen, kristalliseren zij gans dit verre verleden rondom de gestalte hunner moeder, een vertrouwde dienstbode die hen verzorgde en liefhad, desnoods rondom de herinneringen aan een zachtzinnig dier, dat hun eerste schreden leidde. Voor mij werd deze rol vervuld door Jozef, naar wie ik met eerbied opzag, doch die mij te zelfder tijd met een vage, diep in mijn wezen wortelende vrees vervulde. Het beeld van hem, dat zich het felst in mijn kinderlijk geheugen prentte, reikt tot de tijd toen ik, aan het toezicht mijner moeder of dit der dienstboden ontsnapt, wankel doch resoluut tot bij de beek nabij ons huis liep, die omstreeks deze tijd van het jaar door de regens vervaarlijk gezwollen was. Het geblaf van de jonge poedel, onze uitverkoren speelkameraad, was het dat mij onweerstaanbaar naar de waterkant dreef. Aan de oever vond ik Jozef, die zich niet om mijn tegenwoordigheid bekommerde, druk in de weer met een dorre tak, die hij een eind in de rivier slingerde, nagezeten door het argeloze dier, dat wanhopig met de stroming worstelde om het hout te rapporteren, wat telkenmale prompt gebeurde. Zoals hij alles rustig en systematisch placht te doen, wierp hij de tak steeds verder, en steeds verder dreef hij af, meegesleept door de vloed. Vol vertrouwen keerde het beestje zwoegend naar de oever terug en kroop deemoedig kwispelstaartend aan wal. Toen zich het toneel een vijftal keren herhaald had weigerde de hond ten slotte te water te gaan, doch Jozef dreigde en schopte hem zo lang, tot hij opnieuw het midden poogde te halen. Zoals het te verwachten was, begaven hem daar zijn krachten. De muil reeds vol water, stiet hij een ijselijk gejank uit en trachtte wanhopig een draaikolk weerstand te bieden. Mijn broeder bleef staan kijken, volkomen onbewogen, of hij rustig de tijd mat, vooraleer het dier zou weggezogen worden. Een ogenblik nog scheen het zich te zullen redden, doch weldra opnieuw verschalkt door de speelse achterbaksheid van het water, verdween onze lievelingshond ten slotte voorgoed in de kolk, die zich onmiddellijk over hem sloot. Toen wreef Jozef zijn handen schoon en liep fluitend huiswaarts, onbegrijpend door mij nagestaard.

Een paar jaar nadien werden wij samen naar school gezonden. Wij ontpopten ons als goede leerlingen, lazen vlot toen de anderen, jongens en meisjes door elkander, nog met de eenlettergrepige woordjes overhoop lagen, hadden gauw de elementen van de aritmetica en de grammatica onder de knie en wisten na verloop van tijd meer dan onze onderwijzer, wiens grootste verdienste erin bestond een braaf man te zijn en die verder meer heil zag in de vlijtig doch rechtvaardig gehanteerde roede, dan in om het even welke vooruitstrevende pedagogische ideeën. Daar ik de anderen derwijze stukken vooruit was, verveelde ik mij dra gruwelijk in de klas, in tegenstelling tot Jozef, die zich dra thuis voelde op school als een vis in het water. De eerste week reeds werd hij door de leerzieke jeugd als haar onbetwiste leider erkend, door de kleinere dank zij zijn drastische hardhandigheid, door de groteren uit hoofde van zijn organisatorische talenten waar het allerhande spelen, benevens het uithalen van baldadig kattekwaad betrof.

Vele uren van verveling, wanneer het voorjaar verleidelijk achter de vensters floot, en de opvoedkundige tekortkomingen van onze goede meester ten spijt, bewaar ik aan mijn schooltijd prettige herinneringen. Met gemengde gevoelens echter roep ik mij de lessen in de godsdienst voor de geest, die iedere morgen door de hulppriester van de plaatselijke tempel gegeven worden. Het was een nog jonge man met een rood gelaat, wijduitstaande oren, fletse spleetogen en vroegtijdige sporen van vetzucht.

Waar de roede van de onderwijzer niet bepaald een diepe indruk op mij maakte, was één blik van hèm voldoende om mij van angst te doen verstijven. Zijn taak bestond er ten dele in, ons te oefenen in het voor de vuist opzeggen van de heilige Boeken, waarbij de minste vergissing ons als een zwaar vergrijp werd aangerekend. Of hij derwijze onze godsdienstzin aanzienlijk verdiept heeft, weet ik niet. Zijn voornaamste zorg inmiddels was, ons te behoeden voor de zonde die ons, kinderen van vijf tot omstreeks tien jaar, volgens zijn gezaghebbend oordeel allerwegen bestendig bedreigde. Aanvankelijk wist ik niet ééns, wat hij met 'de zonde' bedoelde, maar later kwam ik er achter, dat het waarschijnlijk verband hield met het doen van ons gevoeg, zodat ik beschaamd de blik afwendde, als één van de meisjes tijdens het spel langs de weg neerhurkte om een plasje te maken, het lopen met blote benen op hete zomerdagen, het baden in de rivier en blijkbaar ook het geboren worden van kinderen. Slechts later is het mij opgevallen, dat hij ons voor wel uitzonderlijk hardleers gehouden moet hebben, want telkenmale kwam hij erop terug, meestal met dreigende blikken in de richting van de rechterhelft der klas, waar de kleine meisjes zaten. Ik werd dermate door zijn angstwekkende aanwezigheid in de anders zo gezellige groezeligheid van het klaslokaal gebiologeerd, dat zelfs op de huidige dag zijn verschijning mij nog scherp voor de geest staat. Van de eerste dag af heb ik hem verfoeid, instinctief en zonder voorbehoud. Hoe het in die tijd met Jozefs innerlijk precies gesteld was, weet ik niet, doch wat mij betreft, ik was een gezond natuurkind, vertrouwd met de gewassen en de dieren des velds, dat nooit over de zonde had horen praten tenzij dat het 'zonde' was, wanneer ik bij het spel onnadenkend mijn nieuw pak met slijk of wagensmeer besmeurde, of stiekem mijn niet opgegeten middagboterham op weg naar huis langs de grachtenkant achterliet. De hulppriester bevolkte deze argeloosheid met monsters, gedrochtelijker dan de half dierlijke, half menselijke goden, die ik later in Egypte leerde kennen en die, in gesloten gelederen en als met leven bezielde en vraatzuchtige modderspatten doorheen zijn lessen voorbijrukkend, het vieze spoor van hun geklauwde poten in mij achterlieten. Hij was het die de wereld van mijn eerste zuiverheid te gronde richtte, in die zin althans, dat jarenlang nadien mijn zuiverheid er nog slechts een van de vrees en niet langer een van het hart zou zijn. De zon, die over de heiden van Kanaän gloorde, het gegons der muggen in de zomeravond, de zoete welving van de borst mijner moeder, wanneer zij zich in licht huisgewaad over mij boog, het prille leven in de heldere voorjaarsbeken onder het ganzekroos en de bewogen nachten, waarop de koeien ontroerend hulpeloze kalveren ter wereld brachten, een geweldig en groots gebeuren in mijn ogen, — alles werd het zonde, zo scheen het mij toe.

Maar aldus bedoelde deze maniak het natuurlijk niet, de vaagheid zijner woorden ten spijt, ja, ik geloof zelfs, dat hij héél precies wist, wat hij eigenlijk bedoelde en dat hij het bepaald prettig vond ook er ons, zij het met talloze omwegen, over te onderhouden. Zijn oren gingen steeds weer opgewekt gloeien en in zijn ogen kwam een vuil licht, terwijl hij met zijn voortijdig buikje tegen zijn katheder aanwreef. Toén echter begreep ik dat, goddank, nog niet. Maar wel moest ik, telkenmale als ik hem zag, opnieuw denken aan de ossekoppen, die de slagers in onze geboortestreek met een citroen tussen de tanden op een schaal met wat peterselie er omheen in hun uitstalraam te pronk zetten.

Met Jacob, onze vader, had ik weinig contact. Hij betoonde zich tegenover Jozef en mij streng, doch rechtvaardig, zonder dat wij in sterke mate zijn belangstelling schenen op te wekken: beiden verschilden wij té veel in leeftijd en karakter van onze oudere broeders, opdat hij zich nog inspannen zou om tot onze, voor hem reeds gesloten wereld door te dringen. Jozef ergerde zich hierover, doch voor mij betekende de oude Jacob niet zo heel veel meer dan de andere grijsaards uit het dorp die, op stille zomeravonden voor hun woning gezeten, diepzinnige gesprekken voerden over dingen die mij slechts in geringe mate interesseerden, maar waarvan ik mij vaag brokstukken herinnerde, toen ik éénmaal de leeftijd had bereikt, waarop het tot mij doordrong, hoe het tot de zwakheden van mijn volk behoort alledaagse gebeurtenissen door retorische woordenpraal dermate op te schroeven, dat de eenvoudigen van geest er de hand des Heren in onderkennen: de voortplanting van het vee, een sprinkhanenplaag die onverwacht op de velden neerstrijkt en de oogst vernietigt, het vaderschap op hoge leeftijd, wanneer de jonge mannen uit het dorp niet van je jeugdige vrouw zijn weg te slaan, het overspel van een stamvader met één van zijn dienstmaagden, een dijkbreuk die een bepaalde landstreek, maar in de ogen der getroffenen de hele bewoonde aarde blank zet. Onze vader was één onder hen en genoot in het ganse land een onbetwistbaar gezag: men eerde hem als een ongekroond vorst, daar men hem zijn gezegend kroost, doch vooral zijn talrijke en gezonde kudden benijdde.

Mijn moeder was veel jonger dan hij; voor zover ik mij haar beeld nog voor de geest kan roepen, tekende haar een deemoedige onderworpenheid, doch ook een behoefte aan tederheid, die er haar toe dreef ons beiden, zonder dat de oude Jacob het wist, schromelijk te verwennen. Slechts een behoorlijke poos na haar huwelijk had zij Jozef en mij ter wereld gebracht, nadat onze vader zich lange tijd van haar afgekeerd had, daar hij haar onvruchtbaar achtte en bij zijn dienstpersoneel een welig, doch onbehouwen nageslacht met bootwerkersallures had geteeld. De verwaarlozing, die haar gedurende jaren tot de rang van de geringste onder de dienstmaagden had verlaagd, zou haar voor haar verdere leven tekenen, er voorgoed aan gewend door de andere vrouwen in huis met krenkend medelijden behandeld, zoniet geplaagd en gesard te worden. Haar rol van Jacobs huisvrouw, eens haar vruchtbaarheid bewezen, viel haar te zwaar om te dragen en moeizaam torsten haar smalle schouders een gezag, waaraan niemand geloof hechtte. Maar Jacob, die zijn wereld kende, wilde het zo en aldus geschiedde het.

Rachel, onze moeder, was nauwelijks vijftien toen hij haar tot bruid nam. Enkele maanden later reeds verweet hij haar bitter haar vermeende onvruchtbaarheid, zonder met de mogelijkheid rekening te houden, dat zij vooralsnog meer kind dan vrouw was. In de keuze tussen het respect voor mijn vader en mijn eerbied voor de waarheid in het algemeen, verleen ik deze laatste de voorrang en voeg er ter verduidelijking aan toe, dat hij ondertussen onomwonden gevolg had gegeven aan de drieste avances van Rachels oudere zuster, onze tante Lea, een vrij cultuurloos doch uitermate zinnelijk schepsel, mooi als de nacht, doch even duister. Toen uit deze verhouding mijn halfbroer Ruben geboren werd en Lea zich beijverde om Jacobs vaderschap met niet moeilijk te raden bedoelingen aan de klokzeel te hangen, maakte hij van de nood een deugd en wierp Rachel voor de voeten, dat haar dorre schoot en zijn zorg om het nakomelingschap (zonder welk een man niet méér waard is dan een eunuch, de anderen tot spot), hem met haar zuster tot deze buitenissige daad gedreven had. Mijn moeder, een jong meisje nog, voelde zich onder de stroom van zijn welsprekendheid (wij zijn immers een volk van dichters!), schuldiger dan hij zelf en aanvaardde het kind in haar woning. Dat hetzelfde achteraf in ons huis met menige andere vrouw is geschied, dienstbaren zowel van Lea als van Rachel, wordt duidelijk genoeg in Nephtali's relaas beschreven, wat tot op zekere hoogte te begrijpen is, niet uit hoofde van diens waarheidsliefde, doch als gevolg hiervan, dat hij ons geslacht als dermate superieur heeft afgeschilderd, dat het onder zijn schrijfstift en in zijn laatdunkende verbeelding onfeilbaar werd, ook in zijn uitspattingen en zwakheden, terwijl hij overigens zelf zijn eigen zo geliefkoosde bestaan aan vaders buitenechtelijk gestoei met Bilha dankt, het roodharige kamermeisje mijner moeder. Voorlopig zal ik de namen mijner nog niet genoemde halfbroers achterwege laten: naarmate zij een rol spelen in dit verhaal, zullen zij te gepasten tijde uit het duister van het verleden naar voren treden. Om wat thans volgt echter volledig te begrijpen, moet vermeld worden, dat Ruben omstreeks vijfentwintig, Jozef en ik veertien en elf jaar waren toen aldus geschiedde op een zwoele nazomeravond, geheel doorgeurd van het haast pijnlijke aroma der in de zon geblaakte olijven en de weeë geur der dadelpalmen.

Vader was voor enige dagen op reis, de broeders weidden onze kudden in de streek van Dothan en Ruben had de opdracht gekregen als Jacobs plaatsvervanger over huis en have te waken. Wij zelf werden er met een paar honderd schapen op uit gestuurd naar de weilanden nabij de rivier, een uur van onze woning en zouden aldaar bij de dieren in de kooi overnachten. Op het ogenblik dat wij ons ter ruste wilden begeven, stak er een aanvankelijk nauwelijks merkbare bries op, doch de wolken, die zich aan de horizon opstapelden, wezen weldra onmiskenbaar op een nakend onweder. Daar de kooi onmogelijk al de ons toevertrouwde dieren kon herbergen, dreven wij de kudde haastig samen en begaven ons huiswaarts. De wind gierde in de boomkruinen en de eerste druppels pletsten op onze halfnaakte lijven, toen wij, omwarreld door hoge zandhozen, het dorp bereikten. Regen en stof vermengden zich met elkander tot een vreemde, beklemmende geur. Eenmaal ter bestemming vonden de dieren, door het driftig geblaf der honden opgejaagd, zonder moeite het vertrouwde onderdak en onder de thans striemende regenvlaag vluchtten Jozef en ik onze woning binnen, op de hielen door het onheilspellend geknetter van de donder gevolgd.

Binnen was alles in de diepste stilte gehuld en, beangstigd door de bliksem die onze gerokken schaduwen als groteske gedaanten tegen de gekalkte wanden sloeg, vluchtten wij naar moeders kamer, waar een vreemd schouwspel ons in het licht der olielamp op de drempel deed verstijven, — mij onbegrijpend, Jozef met een bleke verbetenheid om de ogen. Wij zagen, hoe Ruben onze moeder in de armen drukte en haar trachtte te kussen, terwijl zij zich zwijgend, doch krampachtig verweerde. Ofschoon ze hem verwoed op afstand poogde te houden, dreef hij haar in de richting van het bed en ging er klaarblijkend in slagen haar daar neder te drukken, toen Jozef hem met een verschrikkelijke kreet op de nek vloog als een meerkat, die haar prooi bespringt, en de smalle vingers om zijn hals strengelde. Het zou de stevige Ruben weinig moeite hebben gekost om de tengere aanvaller van zich af te schudden. Hij voelde zich evenwel zo verrast, dat hij Rachel losliet en met de knaap als een hardnekkig roofdier op de rug verdwaasd in het ronde bleef staren. Ondertussen braakte Jozef al de vloeken en verwensingen, die behoren tot het vocabularium van elke schooljongen die zichzelf respecteert, over Rubens onthutst hoofd uit en onmiddellijk vatte ik diepe eerbied op voor krachttermen als 'smeerlap' en 'hoerejong', die ik mij goed in het geheugen prentte, terwijl ik mij voornam bij de eerste gelegenheid ze met evenveel oratorische luister te berde te brengen. Ondertussen begreep ik niets van wat ik gezien had. Dat de oudere broeders tegen Rachel een grote mond opzetten, had ik meermalen bijgewoond, doch nooit zou één onder hen het gewaagd hebben de hand naar haar op te heffen. Ten slotte scheen Ruben het nu zelf al welletjes te vinden, wierp de andere zo resoluut van zich af, dat hij in zijn volle lengte tegen de lemen vloer neersmakte en liep de kamer uit, de deur nijdig achter zich dichtklappend.

Tijdens de daaropvolgende dagen bleef hij ons opzettelijk uit de weg, wat Jozef in mijn ogen een enorm prestige verleende, te meer daar ik voelde, dat *hij* wel degelijk meer zag in het incident, dan *ik* er van verwerkt had. Sterker dan ooit voorheen voelde ik me aan hem gebonden en week geen schrede meer van zijn zijde, tot hij mij op zekere dag ontsnapte, doch na een half uur met een triomfantelijke trek om de mond weer te voorschijn kwam. Aan de overzijde van het erf zag ik Ruben met gebelgde gebaren de zwijnen de weg op jagen, waar ze zich vergenoegd in het slijk wentelden. Toen de oudste de rug naar ons toekeerde, stak ik uitdagend de tong naar hem uit. Jozef grinnikte en zei, op een toon, die hij van de oude Jacob afgeluisterd had: 'Láát dat, Benjamin, hem treft geen schuld. Ik heb een onderhoud met hem gehad.' Deze plechtige manier van spreken maakte slechts geringe indruk op mij. 'En nou ben jij natuurlijk vreselijk nieuwsgierig, wat?' vervolgde hij. Ik was hoegenaamd niet nieuwsgierig, want ik wist niet ééns, wat 'een onderhoud' betekende en het boezemde mij bovendien niet de geringste belangstelling in. Mijn houding ontgoochelde Jozef klaarblijkend, doch hoewel ik ongeduld in zijn stem vermoedde, scheen hij zich in te spannen om zijn academische toon niet te laten varen. 'Ruben wou zich aan moeder vergrijpen,' verklaarde hij, 'weet jij wat dat betekent?' 'Neen,' zei ik, 'ik weet niet wat dat betekent.' 'Je bent een stommeling,' vervolgde hij, 'maar dat komt omdat je nog zo jong bent.' Zijn toon klonk al minder academisch en ik kon er mij aan verwachten grondig ingelicht te worden. 'Ik zal het je vertellen,' ging hij inderdaad voort, 'maar niemand hoeft te weten, dat je het voor het eerst van mij gehoord hebt.' 'Nee,' zei ik nieuwsgierig, 'niemand hoeft het te weten!'

Vooraleer er tien minuten verlopen waren wist ik, wat ik weten moest, een mengsel van fantastische straatgootfysiologie en scabreuze realistische bijzonderheden. 'O,' stamelde ik onthutst, 'en doen zonen dat altijd met hun moeder?' 'Neen,' repliceerde hij prompt, 'alleen maar met andere vrouwen. Ik heb wel vrienden die beweren, dat ze met hun zuster... Maar wij hebben geen zuster,' onderbrak hij zich zelf op spijtige toon. 'Neen,' zei ik, 'wij hebben geen zuster,' doch daar hij de draad van het gesprek bij die gedachte kwijt dreigde te geraken, voegde ik er onmiddellijk aan toe: 'Maar wat wilde Ruben dan met...?' 'Daar gaat het hem precies om,' viel hij mij nors in de rede en ik zag hoe hij zijn voorhoofd fronste, 'onze moeder is zijn moeder niet en daarom is het heel gewoon, wat hij wilde doen. Alleen wij beiden zijn èchte zonen van onze moeder, maar de hele andere rotzooi zijn vreemden voor haar, door Lea, die oude feeks, en de meiden Bilha en Zilpa ter wereld gebracht. Daarom is het, dat die de hele dag mogen rondluieren, zonder er uitgesmeten te worden. Wij hebben niets met ze te maken, het zijn indringers en bedriegers en Jacob, onze vader, is de grootste bedrieger van allemaal. Stinkende bastaards zijn het, die ons de les zullen spellen als de oude er niet meer is en zich toeëigenen, wat uitsluitend ons tweeën, zijn wettige erfgenamen, toekomt.'

Stilzwijgend spande ik er mij toe in om het nieuwe te verwerken, doch eigenlijk maakte het een veel geringere indruk op me, dan Jozef wel scheen te verwachten. Om hem echter niet in zijn vertrouwen te beschamen, trachtte ik mijn gelaat een zo verontwaardigd mogelijke uitdrukking te verlenen, spuwde in het zand, zoals ik het de ouderen vaak had zien doen, en zei: 'De rotzakken, godverdomme.' Wat *hij* naar waarde schatte en *mij* ten slotte slechts een geringe inspanning vergde. En goed klonk het ook!

Aan mijn eigen kinderleven zou dit alles weinig veranderd hebben, want in mijn ogen bleef Jacob hetzelfde half menselijk, half mythische wezen, dat hij steeds geweest was. Een zekere schroom en waarschijnlijk ook een op die leeftijd verklaarbaar gebrek aan plastische verbeeldingskracht, maakten het mij volstrekt onmogelijk hem voor te stellen bij de toepassing der vreemdsoortige oefeningen, waarvan mijn broeder mij zo bereidwillig op de hoogte had gebracht. De gedachte hieraan alleen reeds vervulde mij met een onuitsprekelijke schaamte, die zowat dezelfde moet geweest zijn als deze, welke Noachs zonen beving, toen zij hun vader naakt en dronken aantroffen in zijn tent, — een gebeurtenis uit onze vaderlandse geschiedenis, waarvan ik nog steeds de diepzinnige betekenis niet heb achterhaald. Sedert die onzalige dag echter veranderde er veel in Jozefs gedragswijze. Mij kwam deze verandering ten goede, daar hij zich meer om mij bekommerde dan hij het ooit voordien gedaan had en vaak nam hij mij in bescherming tegen plagerijen van de ouderen, waaraan Ruben niet langer meedeed. Deze liep als onder een vreemd leed gebogen. Tijdens de daaropvolgende jaren heb ik hem met rasse schreden zien vergrijzen. Slechts thans, nu ik weet, dat zelfs een vrouw van veertig nog heerlijk jong kan zijn, vraag ik mij af, of hij op zijn manier werkelijk niet van Rachel, onze moeder, gehouden heeft.
Het verhaal van Rubens vergrijp was ook aan de oren van onze vader gekomen. Wij hebben nooit geweten, of hij zijn oudste zoon hiervoor onder handen genomen heeft, doch wel heb ik het bijgewoond, hoe Jozef volkomen argeloos een toevallig gesprek met Jacob in die richting dreef, derwijze met vraag en antwoord als met de stukken op een schaakbord spelend, dat de oude hem ten slotte vroeg: 'Wat dreef je ertoe, mijn jongen, die dag zo plots huiswaarts te keren, terwijl ik je opgedragen had de schapen bij de rivier te weiden?' Ik verwachtte mij aan het verhaal over het onweder en desnoods een opgedirkt verslag over onze bezorgdheid om de kudde, doch tot mijn verbazing antwoordde Jozef op een dromerige toon, die ik niet van hem kende: 'Ik weet het niet...' en schijnbaar verlegen zijn kleed verfrommelend, voegde hij er zacht aan toe: 'Er scheen een stem mij te gebieden naar huis te gaan.' Ik zelf was niet gewiekst genoeg om te beamen, dat het inderdaad de stem van de donder was geweest. Jacob wendde zich tot mij en informeerde: 'En jij, Benjamin, heb jij ook die stem gehoord?' 'Neen,' luidde mijn waarheidsgetrouw antwoord, 'ik ben maar met hem meegelopen.' 'Hij hoort nooit stemmen,' voegde

Jozef er als overbodige verduidelijking aan toe, 'hij is me maar na-gelopen.' 'Ja,' zei ik, 'omdat ik bang was voor het onweder en...' maar slikte dadelijk het overige weer in, daar mijn broeder mij achter-baks en moorddadig in de arm kneep. Onze vader lette echter nauwe-lijks nog op mij en liep ten slotte nadenkend verder met Jozef, ter-wijl hij mompelde: 'Hij had een stem gehoord, hij had een stem ge-hoord...,' daarbij betekenisvol met het hoofd schuddend. Zijn gestalte stond enorm afgetekend tegen de zonsondergang op de heuveltop, leunend op zijn hoge staf, zijn rechterarm teder om de schouder van zijn wonderlijk begaafde zoon geslagen. Ik voelde mij verdrietig en veronachtzaamd.

Toen ik Jozef weerzag, had hij iets triomfantelijks in de oogopslag; voortaan behandelde hij Jacob opnieuw met de verschuldigde eerbied en noemde hem geen ouwe bedrieger meer. Toch twijfelde ik, hoe jong ik ook was en verstoken van iedere mensenkennis, aan zijn oprecht-heid en van dit ogenblik af kon ik nimmer de indruk nog van me af-zetten, dat hij voortdurend iets in het schild voerde. Jarenlang heeft hij het volgehouden, zonder tegenover onze vader uit zijn rol te val-len; er is aan hem een groot toneelspeler verloren gegaan, ofschoon hij tijdens zijn leven meer komedie heeft gespeeld, dan welk acteur ook, — en met tastbaarder resultaten. Nooit heb ik hem later nog ho-ren zinspelen op het incident met Ruben, doch soms kon hij door een woord, dat er trouwens zelden rechtstreeks verband mee hield of door een wazige blik, zijn toehoorder er plots aan herinneren, dat hij ééns van wonderlijke begaafdheden blijken gegeven had en nog steeds bij machte was het onzichtbare te zien, indien hij er zich de gewenste moeite toe getroostte. Zo worden reputaties in het leven geroepen.

Werd Jozef aldus de geliefkoosde zoon zijns vaders, ik, de jongste, bleek het uitverkoren kind onzer moeder te zijn, ofschoon mijn ge-boorte haar tengere lichaam te zwaar gebleken was, zoals een oude dienstmeid mij vele jaren later vertelde. Nooit was zij hiervan geheel hersteld en het gebeurde dat zij wekenlang te bed moest blijven, ge-makkelijk vatbaar voor allerhande kwalen, die haar verzwakten, zon-der evenwel haar ietwat exotische schoonheid aan te tasten. Terwijl de anderen in het dorp bij wijntje en Trijntje verstrooiing zochten, of ver van huis met de beesten over de schrale heidevelden van Kanaän zwierven en Jozef onder de lommerrijke bomen voor onze woning Ja-cobs gezelschap zocht en op voet van gelijkheid met hem over het be-drijf keuvelde, de in te voeren verbeteringen en de verwachtingen in verband met de oogst, zat ik, Benjamin, liefst bij haar ledikant.

Op zekere avond (traag en bedwelmend dreef de zoete geur der moei-zaam uitbloeiende linden van het erf door het geopende venster haar kamer binnen), zag zij mij ontroerd met haar klare ogen aan. Onwillekeurig legde ik mijn boek terzijde. 'Benjamin, mijn kind,' zei ze befloerst, 'ik geloof niet, dat we nog veel zo samen zullen zitten.' Ik bleef haar het antwoord schuldig, doch voelde tranen over mijn wangen stromen. Zij streelde troostend mijn hand. Naast mijn nameloos verdriet, was er een heldere bereidheid in mij. 'Ik geloof,' vervolgde zij, 'dat ik nu spoedig sterven zal. Neen, je hoeft niet te schrikken, — het vreemde is, dat ik het gevoel heb, ook dán nog steeds bij je te zullen zijn...' Een poos keek ze verdroomd voor zich uit naar de eerste sterren in het vierkant van het venster boven het voeteneinde van het ledikant. 'Om jou maak ik me geen zorgen,' voegde zij eraan toe. 'Misschien zul jij het soms moeilijk hebben om je er doorheen te slaan, want nooit zul jij tot hen behoren, die de eerste in de rij staan, waar er voordelen en eerbetoon in de wacht gesleept worden. Maar dat geeft niet. Jij lijkt bestemd tot een hoger en onverstoorbaar evenwicht, ook wanneer je niet tegen het leven op zult schijnen te kunnen: in laatste instantie zal het je toch steeds weer goed gaan, — naar de geest bedoel ik. Daarom moet je mij iets héél belangrijks beloven.' Ik knikte en veegde met de rug van mijn hand mijn aangezicht droog. Nooit had ik haar zo innig en vol eerbied liefgehad. 'Alleen om Jozef ben ik bekommerd... Hij zal altijd wel in de eerste rij staan, doch in de voorste rijen is het, dat de slagen vallen. Zijn roekeloosheid beangstigt mij en ook hij is mijn kind. Hij droomt ervan het leven naar zijn wil te dwingen... Men dwingt het leven slechts in schijn naar de eigen wil, tot men aan het leven te gronde gaat. Benjamin, mijn jongen, beloof je mij over hem te waken, wat er ook gebeure en wat hij je ook moge aandoen?...' Zij zonk vermoeid terug in de kussens. Haar gelaat was ongemeen bleek. Ik beloofde haar, wat zij me vroeg, ofschoon ik toén reeds wist, dat het een belofte was, zwaar van zin en angstwekkende verantwoordelijkheden. Op dit moment zou ik haar in alle oprechtheid des gemoeds immers wat dan ook beloofd hebben? Zij kuste mij vertederd. 'Ik reken op je,' murmelde zij aan mijn oor.

Gebroken, maar toch met in mijn hart een vreemd en haast pijnlijk, geluk, verliet ik haar die avond. Tijdens de daaropvolgende dagen scheen er beterschap in haar toestand in te treden en ik sterkte mij aan de gedachte, dat haar kommer aan een moment van tijdelijke verzwakking toe te schrijven was geweest. Maar op zekere morgen vonden wij haar roerloos te bed. De inderhaast ontboden geneesheer kon nog slechts machteloos de handen heffen. Ik ben het, die in een opwelling van grenzeloze barmhartigheid haar ogen gesloten heb. Dit eenvoudige gebaar, doorheen vele geslachten overgedragen van vader op zoon en derwijze tot een brok natuur geworden, maakte mij innerlijk vele jaren ouder. Niemand kende de zware levenstaak, die voortaan op mij rustte.

Wij groeiden beiden verder op tot stevige knapen, die nog steeds niets met hun halfbroeders gemeen hadden. Onze kameraden waren de zoons van de andere dorpsnotabelen, die vooral Jozef met een zekere eerbied behandelden, ofschoon hij zich slechts waarachtig in zijn element voelde, wanneer hij in de buurt van jonge meisjes kwam. Toch vermeed hij meestal ieder rechtstreeks contact met haar want, vertrouwde hij me toe, voor niets ter wereld wilde hij zich binden. Maar haar bewondering en de verstolen blikken, die zij hem toewierpen streelden zijn eigenliefde en maakten hem spraakzaam, briljant en geestig. Vaders voorzorgen ten spijt, was er wel één en ander uitgelekt omtrent Rubens schromelijk gedrag tegenover Rachel, doch de op gepaste wijze aangedikte bijzonderheden in verband met het pijnlijke verhaal, verdwenen in de schaduw van de blijken van helderziendheid, welke Jozef te dier gelegenheid gegeven had. Ondertussen schiet het mij te binnen dat hij, ofschoon op zijn hoede voor de landelijke maagden, die hem als echtgenoot lang niet versmaad zouden hebben, toch het vrouwelijk schoon en de geneugten der bedstede, desnoods in het hooi beoefend, lang niet misprees. Zijn praktische inwijding tot de genoegens des vlezes moet hij op dezelfde wijze als de meesten onder ons genoten hebben, wanneer ik hem op regenachtige namiddagen met één of meer van vaders jonge of desnoods rijpere dienstmaagden in onze donkere graanschuur zag verdwijnen. Daar hij er echter prat op ging een man van eer te zijn, bewaarde hij in dit verband steeds het diepste stilzwijgen. Jacob, die ten slotte ook geen blinde was, ofschoon mettertijd tot de verblindheid toe ingenomen met zijn helderziende zoon, zag zijn amoureuze zijsprongen dermate door de vingers, dat hij Jozefs gelegenheidsminnaressen slechts doorstuurde, wanneer zij onloochenbare tekenen van zwangerschap vertoonden, — kordaat en zonder overtollige woordenomhaal.

Tot daar dan het belangrijkste, wat ik mij uit onze kinder- en knapentijd herinner. Bijzonderheden, die hoofdzakelijk op mij zelf betrekking hebben, zag ik meestal met opzet over het hoofd, doch eigenlijk heeft geen enkele daarvan veel belang. Slechts mijn broeder was het, die de schaal onzer alledaagse belevenissen van plattelandskinderen uit Kanaän doorbrak en voor een poos het leven een ander aanzien gaf. Hij was het dynamische en regelende, soms demonische principe mijner jeugd, welke in die ene naam kan samengevat worden: de naam van Jozef, Jacobs uitverkoren zoon.

3

DE PUT IN DOTHAN

Jonger en argelozer dan Jozef, schreef ik destijds veel aan toeval en omstandigheden toe, wat ik slechts later doorgrondde als het gevolg van zijn subtiel beleid, dat hem ééns tot de meest duizelingwekkende toppen van roem en gezag voeren zou. Mochten de enkele gebeurtenissen, die ik tot dusver aangehaald heb, menigeen in de waan doen verkeren, dat hij een vermetel en geslepen kereltje was, weerzinwekkend door zelfingenomenheid, berekening en in één enkel geval door wreedheid zelfs, zo moet ik hieraan nochtans onmiddellijk een correctief toevoegen.

Op het eerste gezicht kon er bezwaarlijk een verontschuldiging gevonden worden voor wat ik aanschouwde, toen hij bij de beek de poedel met het volle besef van de hieraan verbonden gevolgen het water in dreef, maar toch wil ik daar terloops nog even bij stilstaan. Verre van mij hem wit te wassen (of spreekt mijn broederhart luider, dan ik het zelf besef?), doch de wreedheid om haar zelfs wille behoorde niet tot de hem als knaap kenschetsende karaktertrekken. Wat er aan de rivier gebeurd is en wat mijn kleuterogen niet begrepen, moest voor hem een soort van superieur experiment geweest zijn, waarbij hij zelf, zowel als het hulpeloze beestje, als proefobject betrokken was. Ik acht het volstrekt onmogelijk thans nog elk van zijn vreemde drijfveren te achterhalen, doch uitgesloten is het niet, dat het er die keer voor hem in de eerste plaats (onbewust?) op aankwam te weten, hoe lang hij de geraffineerde zelfkwelling zou doorstaan.

Deze toelichting leek mij onontbeerlijk, vooraleer het mij mogelijk bleek hem thans weer af te schilderen als een uitermate innemend jong man, wat trouwens bevestigd werd door zijn succes bij de schone sexe. Hij bezat een ingeboren voornaamheid, die hem gunstig van onze oudere broers onderscheidde. Hij versmaadde hun wilde haardracht, de bronstige stalgeur, die hen omwalmde maakte hem misselijk, beweerde hij, en hij minachtte hen om de viesheid van hun ruwe kleding, die het ook mij inderdaad soms moeilijk maakte hen te onderscheiden van de al niet veel hariger kudde, aan hun hoede toevertrouwd. Nooit was er iets, waardoor hij hun zulks door woord of daad, zelfs door een afkeurende blik liet merken, maar toch voelden zij het allen en lieten niet na hem een verwaande aap, soms in ietwat folkloristische bewoordingen een stuk stront te noemen. Deze animositeit hield minder verband met zijn grotere cultuur en zijn geestelijke verfijning (voor dergelijke imponderabiliën waren ze nu éénmaal onherroepelijk gesloten), dan wel met enkele uiterlijkheden, waarop zich hun wrok naar hartelust kon toespitsen. Zo herinner ik mij nog terdege de dag, toen hij in ons midden verscheen, gehuld in een veelkleurig gewaad van Assyrische snit, dat op voordelige wijze zijn prachtig gevormde, slanke gestalte luister bijzette en voortreffelijk harmonieerde met zijn baardeloos gelaat, zijn hoge benen en zijn golvend haar. Grijnzend vormden zij een kring om hem heen en ik bewonderde de natuurlijkheid, op het eerste gezicht van iedere aanstellerigheid verstoken, waarmede hij de sarrende blikken van de woeste bende tartte. 'Mooie meid,' ginnegapte Dan gemelijk, waarop Levi er met een plastisch gebaar boven zijn maagstreek aan toevoegde: 'Maar ik zie er liever, waaraan je de handen vol hebt,' wat een daverende schaterlach deed opgaan. Ik kende Jozef genoeg om te weten, dat hij snedige antwoorden bij bosjes op zak had, doch in de onberekenbare korte tijdspanne, die hij zichzelf voor de keuze gunde, moet het door zijn hoofd geflitst zijn, dat het de voorkeur verdiende de eigen subtiliteit de kans niet te laten op hun botheid en luidkeels misbaar af te stuiten. Bliksemsnel schoot zijn blanke, doch door bestendige oefening gespierde linkerarm vooruit tot een maagstoot, waaronder Levi vooroverknakte, meteen opgevangen door Jozefs rechtervuist, die met een droge en secure mokerslag zijn onderkaak dichtklapte en hem als een afgeslacht rund in het stof deed neertuimelen. Rustig vervolgde hij daarna zijn weg, of er niets gebeurd ware. Ik was op dit moment met gans mijn hart bij hem. Wanneer zijn zonen met de runderen niet ál te ver van huis zwierven, stelde Jacob het op prijs zijn ganse kroost onder de lamp met hem om de avonddis geschaard te zien. Het was het ogenblik, waarop hij zijn vaderlijk gezag deed gelden door het uitdelen van bevelen, soms door het verstrekken van vermaningen en wijze raadgevingen die, hoewel zelden of nooit ingevolgd, een veel diepere indruk maakten op de ouderen dan op Jozef en mij, die het door onze houding of gelaatsuitdrukking steeds zo wisten voor te stellen, of het uitsluitend de anderen en nooit ons betrof. Ofschoon van nature op afstand en zoals de meeste grijsaards van zijn generatie veeleer aan de plechtige kant, was Jacob in wezen niet wars van familiale gezelligheid. Hij had beslist geschikte momenten, waarop hij ongedwongen kout en gemoedelijke scherts naar waarde schatte. De zin voor de metafysica is één van de kenschetsende eigenschappen van ons ras en onze vader bezat hem in hoge mate. De magische loop der sterren bekoorde hem zeer, orakelspreuken vonden in hem een vindingrijk commentator, doch het meest boeiden hem de droomvisioenen, waarmede een overladen maag of geprikkelde zenuwen soms de slaap van de meest evenwichtige natuur vergallen. Hij beschouwde ze als de boden van het bovenaardse, waarin zich door duistere symbolen ons menselijk lot, verleden, heden en toekomst weerspiegelden. Jozefs vermeende helderziendheid had bij hem in de afgelopen jaren deze voorkeur toegespitst en hij stelde er bijzonder prijs op te horen, welke mysterieuze gedaanten en gebeurtenissen onze nachtrust bevolkten. Ik zelf droomde zelden of nooit en wat de oudere broeders te berde brachten, scheen mij heel weinig geschikt om stof tot wijsgerige bespiegelingen op te leveren, ofschoon ik toch steeds weer opkeek bij het vernemen van de vergaande fantasmagorieën, die Jacob opriep uit simpele verhalen over afgedwaalde en onvindbare runderen, naakte wandelingen door de dorpsstraat, waaronder de dromer zich diep schaamde, maar die nauwelijks de verwondering der voorbijgangers opwekten, of eensklaps verlamde ledematen bij het naderen van een dreigend gevaar. Sceptisch als ik stond tegenover de magische betekenis, die door gelovige of veeleer bijgelovige naturen als onze vader werd gehecht aan een verschijnsel, dat blijkbaar uitsluitend verband houdt met het feit, dat ook slapend onze zenuwen zich niet kunnen losmaken van overdag opgedane indrukken, verzwegen bekommernissen of normale menselijke driften en begeerten, die zich doorheen de rust van de slaap een uitweg banen, besteedde ik weinig aandacht aan al die praatjes, waarvan de anderen echter soms diep onder de indruk kwamen, wat hen ertoe aanzette elkander te overtroeven door het oproepen van de meest ongeloofwaardige nachtmerries, waaronder vooral deze, welke zij zelf verzonnen, door een pijnlijk gebrek aan verbeelding uitmuntten en als kenschetsend mogen beschouwd voor de geestelijke minderwaardigheid der zonen van Lea, Bilha en Zilpa.

Tijdens onze maaltijden, waaraan Jacob zo graag de luister van wijsgerige colleges verleende, bewaarde Jozef meestal een onverschillige terughoudendheid, welke ik veruit verkoos boven de vernietigende opmerkingen, die hij er soms bij de meest onbelangrijke conversatie tussen kon werpen en die (vreemde kracht, welke inderdaad van hem uitstraalde) plots elk wederzijds begrip onmogelijk maakten. Die dag echter (ik herinner het mij, of het pas gisteren gebeurde), luisterde hij met belangstelling naar de stuntelige verhalen, waarmede onze broeders elkander zochten te overtroeven en, ogenschijnlijk vol goede bedoelingen, liet hij het niet na, door gevatte opmerkingen een duit in het zakje te doen, tot grote tevredenheid van Jacob, doch tot mijn niet geringe onrust, daar ik mijn jongste broeder genoeg dóór had om te merken, dat hij iets in het schild voerde, iets ondoorzichtigs en boosaardigs tevens, dat waarschijnlijk de broeders in het harnas zou jagen. Zo handig wist hij ook ditmaal weer het gesprek in de door hem gewenste richting te drijven, dat de oude eensklaps vroeg: 'En jij, mijn jongen, jij die op zulke overtuigende wijze van je helderziendheid blijken hebt gegeven (onder zijn borstelige wenkbrauwen keek hij Ruben even aan), heb jij ons niets ten beste te geven, dat ons inzicht in de eigen ziel en de toekomst van ons volk zou kunnen verhelderen?' Jozef haalde de schouders op en antwoordde: 'Ach, veel heeft het ten slotte niet om het lijf... Het overkomt eenieder wel, wanneer het hoofd heet blijft na een warme dag en ik geloof niet, dat iemand er wat aan hebben zou.' 'Integendeel, integendeel,' onderbrak Jacob hem, 'jij, de meest begaafde onder mijn zonen, zou hier het stilzwijgen bewaren? Spreek, het is je vader die het je gebiedt! 'Nou, als het dan moét,' zei Jozef, schijnbaar balorig, 'maar het heeft niets te betekenen, oordeel zelf maar... Zie hier wat ik verleden nacht gedroomd heb... Vader had ons met zijn allen naar het veld gezonden om de schoven te binden, zoals het ieder jaar omstreeks deze tijd gebeurt. Wat er juist geschied is, herinner ik me niet zo precies, doch plots stond mijn schoof rechtop, terwijl die van de anderen er zich rondschaarden en eerbiedig bogen...' Er steeg een zacht, doch ontevreden gemompel op. Vader deed de anderen door een handgebaar begrijpen, dat ze hun mond moesten houden en Jozef laten uitspreken. 'Daarna waren plots de schoven verdwenen en ik had de indruk op een hoge bergtop te staan. Aan mijn voeten zag ik de zon, de maan en elf sterren, die mij net als de schoven van daarstraks, eerbied betuigen... Ziezo. Dat is alles.' Nephtali keerde zich geërgerd naar Jozef, wijdbeens op zijn stoel gezeten en zei met zware, gemeten stem, of hij een diepzinnige waarheid op het spoor was gekomen: 'Heb je me ooit zo'n praatjesmaker gehoord?' De oude keek zijn lievelingsspruit somber en onderzoekend aan. 'Zou dat betekenen mijn jongen, dat jij je voorstelt eens over ons allen te heersen, en dat wij met zijn allen voor jou in het stof zouden knielen?' Jozef sloeg zijn meest onschuldige blik naar Jacob op en antwoordde, de argeloosheid zelf: 'Ik vreesde bij voorbaat, dat jullie een dergelijke aanstootgevende betekenis aan mijn verhaal zouden hechten. Daarom zou ik gezwegen hebben, ware het niet, dat ik zelf hoegenaamd niet het geringste belang aan dergelijke dingen hecht en er ook nimmer enige verklaring voor zoek. Als ze werkelijk een betekenis bezitten dan moet de Heer, dunkt mij, deze veel dieper verschuilen dan de uiterlijke zin, die men op het eerste gezicht aan dergelijke vage visioenen kan hechten...' Het gelaat van Jacob klaarde zichtbaar op. Jozef, die bemerkte, dat hij zijn slag had thuisgehaald, vervolgde dan ook op zelfverzekerde toon: 'Moest ik bij voorbeeld een verklaring zoeken voor die dwaze geschiedenis met de korenschoven, dan zou ik zeggen, dat er gevaar bestaat op één of andere dag een hagelbui de oogst te zien vernielen, waarbij slechts één op twaalf schoven stand tegen de ontketende elementen houdt.' Jacob streelde glunderend zijn baard bij zoveel doorzicht, doch de broeders bezaten niet genoeg zin voor abstractie om Jozefs redenering te volgen en verdwenen één na één met donkere gezichten van de dis, hun mond afvegend met de achterzijde van de hand, om duidelijk te tonen, dat zij genoeg hadden van zijn verwaandheid.

Ik, die mij van langsom meer als een toeschouwer voelde bij al wat er in huis gebeurde, bemerkte tijdens de daaropvolgende dagen duidelijk, welke de gevolgen van deze op zichzelf nogal dwaze geschiedenis waren. In diep gepeins verzonken, wanneer hij langs de velden dwaalde om de vorderingen der gewassen gade te slaan, herkauwde de grijsaard de woorden van zijn zoon, zijn kleine ziener, zoals hij hem vroeger soms vertederd had genoemd, en scheen langzamerhand tot de slotsom te komen, dat hij de bescheidenheid op prijs moest stellen, waarmede de jongeling zelf een aanvaardbare verklaring voor zijn visioenen voorop had gezet, doch dat deze niettemin op een hoge bestemming wezen. De broeders daarentegen gingen Jozef gebelgd uit de weg. Liefst nog zouden ze hem een stevig pak slaag gegeven hebben, doch zij ontzagen hem uit vrees voor vaders toorn.

Wat mij betreft, voor mij stond het vast, dat Jozef helemaal niet over korenschoven of uit hun baan geslingerde hemellichamen gedroomd had, doch zijn halfbroers om onverklaarbare redenen zocht te ergeren, zonder hierbij het gevaar van een hartige ranseling te ontzien. De wijze waarop hij welbewust, hierop verwed ik mijn hoofd, een berisping had gezocht en hieruit stof tot een des te overtuigender overwinning geput, deed het mij echter met de oude ééns zijn over het feit, dat hij grootse dingen in het leven zou verrichten. Hij stootte mij af en tevens trok hij mij aan: deze pijnlijke verhouding is voorgoed de grondslag gebleven tot alles wat ons ooit verbonden, doch ook gescheiden heeft. Het vreemde is, dat wij elkaar in wezen hierdoor toch innig nabij zijn geweest, want later heb ik sublieme liefdesverhoudingen tussen mannen en vrouwen gekend, die uitsluitend op deze polariteit van aantrekking en afstoting bleken te berusten.

Op zekere dag riep Jacob ons, de beide jongsten, bij zich en droeg ons op ons bij de broeders te voegen, die nabij de stad Sichem de kudden hoedden, hun te vragen hoe zij het stelden en er vooral op te letten, of met het vee wel terdege alles in orde was. Ik zelf voelde mij met deze opdracht niet bepaald ingenomen, daar de taak van politie-inspecteur weinig in mijn aard ligt, doch Jozef was opvallend in zijn nopjes. Niettemin trok de tocht mij wel aan, zodat wij ons beiden welgemoed op reis begaven. Het was een koele ochtend in het voorjaar, doch vooraleer wij op de middag in de schaduw van het schaarse struikgewas langsheen de weg het sobere maal gebruikten, gloeiden de van de hitte gebarsten wegen onder een onbarmhartige zon. De leem van het pad vertoonde gelijkvormige geometrische breuken als de tekening der cellen in een enorme bijenkorf.

Met misprijzen blikte mijn gezel neder op de boerendorpen, die hier en daar, liefelijk in het groen ener naburige oase verscholen, in de vallei aan onze linkerhand lagen. 'Rotland, rotdorpen, rotmensen,' zei hij sarcastisch, toen wij langs een nederzetting kwamen, waar de bevolking zich om de kooplui op het intiem beschaduwde marktplein verdrong. Ik schrok van de haat in zijn stem. 'Sinds wanneer heb je zo'n hekel aan het land van je vaderen?' vroeg ik verontrust, doch trachtte tevens door een schertsende toon mijn woorden zo luchtig mogelijk te doen klinken. 'Sinds de schepping van de wereld,' zei hij scherp, pal voor zich uit. 'Voel jij dan niet, hoe je je hier niet bewegen, niet leven, niet ademen kunt? Dat alles erop gericht is je te verstikken, zoals het woestijnzand deze planten langzamerhand, doch onherroepelijk verstikt? Dat er door mannen als wij geen toekomst, geen menswaardig bestaan kan worden opgebouwd in deze verpeste atmosfeer?' 'Je bent onrechtvaardig,' viel ik hem in de rede, hartstochtelijker dan het mijn gewoonte was, 'er ligt een schitterende toekomst op jou te wachten. Wat je ook maar aanpakt, het zal door welslagen bekroond worden.' En plots ingetogen, vertederd door ik weet niet welke ingeving, vervolgde ik op zachte toon: 'Ik ben het niet steeds in alles met je ééns, Jozef, laat mij maar openhartig bekennen, dat ik het meestal helemaal niét met je ééns ben.' Ik kreeg tranen in de ogen van louter openhartigheid. 'Maar ondertussen ben ik er innig van overtuigd, dat de schoonste deugden van ons ras in jou hun hoogste bevestiging vinden. Je kan een groot jurist, een groot staatsman, een groot geleerde of een groot legeraanvoerder worden, — de keuze ligt voor het grijpen!' Mijn broeder grijnsde. 'Groot, zeg je... Groot? Weet jij wel, wat in Kanaän een dergelijk woord betekent? Een groot rechtsgeleerde en ergens in een boerengat kippendieven in de nor draaien of burentwisten bijleggen? Een groot staatsman en met een volk van een paar honderdduizend zielen of veeleer een paar honderdduizend warhoofden achter je aan de kop te pletter lopen op gebruik en overlevering, die dit ras reeds duizend jaar aan zijn verdorde velden en zoute weiden kluisteren? Een groot geleerde en bestendig het gevaar trotseren als ketter gebrandmerkt te worden, wanneer je de schreef van een paar honderd bladzijden godsdienstige wartaal, wetenschappelijke nonsensialia en geschiedkundige krompraterij te buiten gaat? Een groot legeraanvoerder, zeg je, een groot legeraanvoerder met een handvol afgestompte boeren met zeisen, rieken en spaden gewapend als soldeniers wellicht?' Ik hield krampachtig voet bij stuk: 'Afgezien zelfs van dit alles, Jozef, zul je rijk genoeg zijn om desnoods geen enkel beroep uit te oefenen, je zonen en je knechts met de zorgen van het vee of de akkers te belasten en een beschouwend leven te leiden, aan niemand gebonden en niemand rekenschap verschuldigd, doch door je vernuft en wijsheid het ganse volk ten bate, als zovelen onder onze vaderen.' Hij hield halt, leunend op zijn staf en keek me spottend aan, terwijl hij het zweet van zijn hoog voorhoofd wiste. In de trillende hitte zag hij er op het staalblauw van de hemel als een engel of een jonge godsgezant uit. 'Heb je er ooit over nagedacht, wat een dergelijk beschouwend leven eigenlijk inhoudt? In het gunstigste geval betekent het hereboer te spelen als de oude Jacob, van tijd tot tijd je runderen te tellen, de huur te incasseren, die je als opbrengst van een paar honderdtallen stinkende stulpen opstrijkt, de regeringsambtenaren ten gepasten tijde de nodige steekpenningen toe te stoppen, je meiden wandelen te zenden, wanneer ze niet langer loochenen kunnen dat ze zwanger zijn, een vrouw te hebben, die je reeds dertig of meer jaren hartsgrondig verfoeit, van tijd tot tijd een paar van je dienstboden in het hooi te drukken en je voor de rest kapot te vervelen in een nest, waar je de portemonnee en de lijfreuk van al je buren kent. Ik dank je feestelijk voor het aanbod!' 'De wijzen uit ons volk waren mensen als jij en ik, Jozef, onderhevig aan menselijke gebreken, gesierd door menselijke deugden en gebonden door de alledaagse menselijke verplichtingen. Maar wanneer de Heer zich genadevol tot hen nederboog' (ik geloofde zelf maar half, wat ik vertelde, doch wilde hem verder uit zijn tent lokken) 'werden zij geroepenen, wier woord en voorbeeld het pad der ganse volksgemeenschap verlichtte. Onze eigen vader...' Wij hadden onze weg hernomen; Jozef legde niet zonder enige pathetiek zijn hand op mijn schouder, als wilde hij aldus zijn woorden nog nadrukkelijker beklemtonen. 'Jij bent een idealist, Benjamin. Ik ben het ook, maar op mijn manier. Ik weet wat ik wil en verlies de werkelijkheid niet uit het oog. Geloof jij heus in de goddelijke bestemming van al die ietwat komieke lui, of ze nu Noach, Abraham of zelfs Jacob heten? Heb jij er ooit iets van kunnen achterhalen, buiten de herhaaldelijke verzekeringen, die onze folklore met grotere ijver dan overredingskracht van zogenaamde goddelijke tussenkomsten geeft, wanneer zij toevallig een verstandige daad stelden, of, wat erger is, domheden begingen, waarvoor zij achteraf de verantwoordelijkheid niet op zich dorsten te nemen? De eenzaamheid van de lange avonden bij hun hoornvee of 's winters in hun bedompte krotten bij de haard, deed hun geen goed, mijn beste, en als een reiziger, die voor anderen zijn avonturen met allerhande bijzonderheden opdirkt om er meer succes mee te oogsten, tot hij er ten slotte zelf in gelooft, zo maakten zij zichzelf wijs, dat de blik van de Heer op hen rustte, tot niemand het hun nog uit het hoofd wist te praten. Een middelmatig volk met middelmatige uitverkorenen, éénogen als koning in het rijk der blinden, — dàt en nog zoveel anders is het, wat hiér het leven van een man te gronde richt.' 'Het leven is, wat je er zelf van maakt,' trachtte ik te weerleggen, 'niet buiten, maar in je zelf, moet je het geluk en de vrede vinden.' Deze gemeenplaats deed mij innerlijk grinniken, doch ik wilde hem aan de praat houden en trouwens, — iedere filosoof in Kanaän zou ze volmondig als een superieure wijsheid hebben beaamd. 'Je kan slechts wat van je leven maken, wanneer hiertoe de voorwaarden aanwezig zijn, Benjamin! Ontneem de pottenbakker zijn leem en vertel mij, waarin je voortaan de olijven bewaren zult, ruk de zanger de tong uit de mond en ik vraag mij af, in hoeverre zijn lied je nog in vervoering kan brengen! In gans mijn lichaam voel ik de kracht, voldoende om daden te verrichten, waarbij al de antieke zieners en wijzen van louter afgunst van kleur zouden verschieten. Het borrelt door mijn bloed, het tintelt in mijn vingers, het zingt in mijn oren, maar hier lopen wij, jij en ik. We gaan schapen, koeien, kalveren en ossen tellen, iedere maal vier schreefjes in het zand en doorhalen, en een bende stommelingen op de vingers kijken. En zo is alles hier klein en benepen, onze godsdienst, onze wijsbegeerte, die er een belachelijk aanhangsel van is, evenals onze literatuur, ons rechtswezen, onze politiek, noem maar op, je weet het net zo goed als ik. Zelfs van de liefde heeft men in dit land geen verstand, verlaagd als ze is tot een vunzige zonde in onfrisse bedsteden, waar de één zich nauwelijks om de ander bekommert, iets dat onmiddellijk de stank oproept van zweet en ongewassen vrouwen, nou, je weet wel.' Ik antwoordde niet meer, omdat ik hem geen gelijk *kon*, hem geen gelijk *wilde* geven, doch ergens in mijn achterhoofd rees twijfel op, wat mij onbehaaglijk stemde. Ook door zijn vertrouwelijkheid, en meer dan anders nog door die vertrouwelijkheid, verwarde hij me, daar zijn woorden de echo in me opwekten van ongekende dromen en verlangens, die nooit tot mijn volle bewustzijn waren doorgedrongen, maar die onloochenbaar tot de diepste en meest verborgen kernen van ook *mijn* wezen behoorden.

De avond viel toen wij de stadsrand van Sichem bereikten, zonder dat wij onze broeders gevonden hadden. In de afspanning echter, waar wij een kamer huurden voor de nacht en de waard eerbiedig boog wanneer hij hoorde dat wij de jongste zonen waren van Jacob, de wijze, vernamen wij, dat de aanhoudende hitte de weiden in deze streek dermate placht te verschroeien, dat zij de kudden naar het koelere Dothan gedreven hadden. Daar vonden wij hen de volgende dag inderdaad aan de rand van een eenzame oase, in de schemering gezeten als ruige gestalten uit een voorwereldlijk gebeuren. Wij werden met onverschilligheid, ofschoon zonder opvallende vijandschap ontvangen, zodat de eerste dagen op vreedzame wijze verliepen. Ik zelf kon mij wonderwel aanpassen bij het meditatieve herdersleven, dat weinig van je gedachten vergt, maar ze rustig de vrije loop laat. Het vooruitzicht, dat ik mij misschien tot het einde mijner dagen als veehoeder zou moeten tevreden stellen, had mij nooit afgeschrikt: ik ben steeds een voorbeeldige luiaard geweest, die in het nietsdoen op zichzelf een volmaakt behagen kon scheppen en soms buien had, waarbij iedere geestelijke en vooral lichamelijke inspanning mij als een gruwel voorkwam, waar ik tegenop zag of het een gebergte ware. Geheel anders was het met Jozef gesteld; ofschoon hij zich beheerste (in zoverre kende ik hem thans wel, dat ik zien kon, wanneer hij zich tegen zijn rusteloosheid teweer moest stellen, ook als de anderen er niets van merkten), was ik ervan overtuigd, dat de wijze, waarop wij onze dagen sleten, hem bestendig op de zenuwen werkte en deze ten slotte onder hoogspanning zou brengen. Steeds heb ik hem gekend als een man van de daad. Niet zelden deden stilzitten en gedwongen werkeloosheid in zijn brein plannen rijpen, die mij, rustige natuur, doorgaans met angst vervulden. Daarom voelde ik mij nog het meest in mijn schik, wanneer hij mij aan mijn lot overliet om in de beweeglijke schaduw der palmen met de lui van de karavanen vriendschap aan te knopen en hen uit te horen over verre streken, waarin hij een bijzonder genoegen bleek te scheppen. Over het algemeen echter schenen de rust, het schrale landschap buiten de nederzetting, het stomme grazende vee en de vreedzame gang der dagen zijn anders zo ruteloze geest tot dorheid te nopen. De door mij gevreesde uitbarsting liet vooralsnog op zich wachten, ofschoon ook de vertrouwelijkheid van tijdens onze reis geweken was en ik niet helemaal raad wist met de luie blik, die hij soms van onder zijn lange wimpers naar mij opsloeg wanneer hij, de handen achter het hoofd gevouwen, schijnbaar zo maar wat lag te suffen. Wij wisselden op een ganse dag ternauwernood enkele woorden en ik kon wel voorgoed een kruis maken over de ijdele hoop, dat wij nader tot elkander zouden gekomen zijn na zijn felle ontboezemingen over de beperktheid van het menselijke bestel in het land onzer vaderen. Ik ging naar een fikse ruzie of heibel met de anderen verlangen, toen er eindelijk, als op mijn wens, leven in de brouwerij kwam.

De tweede avond reeds was het mij opgevallen, dat de broeders er na het invallen der duisternis tussenuit knepen, doch aanvankelijk werd mijn nieuwsgierigheid hierdoor niet geprikkeld: ik ben trouwens nooit bijzonder nieuwsgierig van nature geweest. Er was een dorp vlakbij en zoals er in ieder dorp van mijn land een tempel verrijst, van waaruit de priester met bronzen vuist, zij het in een schaapsvachten handschoen gehuld, zijn gemeenschap regeert, zo heeft ook iedere nederzetting haar huizen, waar de dorst gelaafd en desgevallend andere behoeften dan die van de ziel gestild worden, zodat het niet veel verbeelding vergde om mij voor te stellen, hoe de anderen na de dagtaak hun tijd wel mochten doden.

Op zekere keer, toen wij weer met zijn beiden achtergebleven waren en ik me behaaglijk in het schijnsel van het vuur had gevleid, porde Jozef mij tussen de ribben: 'Vooruit, luilak, word wakker! We gaan achter de anderen aan. Ik wil uitzoeken, wat ze in het dorp wel mogen uitspoken. Maak voort!' Tegen mijn zin ging ik slaperig rechtop zitten en gaapte luidruchtig. 'Je hebt weinig verbeelding,' sputterde ik balorig doorheen mijn gesmoorde geeuw. 'Ze gaan zuipen en de vrouwen nazitten, dat weet je net zo goed als ik! Wat kan het ons schelen? Ga achter ze aan, als je er zin in hebt, maar laat mij met rust! Wie zal er anders op de beesten letten?' 'Maak je vooral geen zorgen over de beesten. Hoe minder bewakers, hoe lekkerder die zich schijnen te voelen. Heb jij dan helemaal niets gemerkt, idioot?' 'Neen,' zei ik, 'wat wil je, dat ik zou gemerkt hebben?' 'Je moest beter je ogen open trekken. Er ontbreken op zijn minst twintig stuks en van rovers is er in deze streek geen schijn of gedachte. Ik wil weten, waar het kalf gebonden ligt, daarvoor zijn we toch hier, of niet?' ik haalde de schouders op en mompelde, dat de kalveren dan wel helemaal niet gebonden schenen te liggen. Het was een zoele nacht met een lage, dwaze maan, die traag de sterren tegemoet zeilde, aarzelend om met haar taak serieus een aanvang te maken. Het vee sluimerde rustig waar wij voorbij kwamen en kreunde soms in zijn slaap; er kwaakten kikkers ergens in een poel en helemaal ver weg blafte een kettinghond.

De nachtlucht deed mijn geest opklaren en zo kreeg ik de smaak van het onverwachte avontuur te pakken. In het dorp, knooppunt van een paar belangrijke karavaanwegen, bleek alles in een onverstoorbare rust gehuld. Nergens brandde er nog licht, afgezien van de lantaren met rode glaasjes voor een nogal indrukwekkend huis, dat ik op zijn minst voor de woning van de burgemeester of de priester hield. Jozef ging er echter zonder aarzelen op af en bonsde luidruchtig op de deur. Tot mijn verbazing werd er zeer spoedig opengemaakt en op de drempel verscheen een dik lodderwijf, van boven tot onder met namaakjuwelen behangen. Zij inspecteerde ons grondig, doch wij schenen haar hoegenaamd niet te bevallen, want de deur zou voor onze neus dichtgeklapt zijn geworden, had Jozef er niet behendig zijn voet tussengeschoven. 'Wel, liefje,' grijnsde hij, 'is niet iedereen welkom in jouw beroemde instelling?' 'Ik ken jullie niet. In de kroeg komen jullie terecht. Niet in mijn eerzaam huis!' 'O,' zei Jozef, 'neem ons niet kwalijk. Wij zijn de jongste zonen van Jacob, de wijze. Onze broeders gaven ons dit adres, waar men op koele avonden de voeten warmen kan. Nou, dan hebben we ons maar vergist. Nàcht hoor, snoetebol!' De deur ging helemaal open, zo ook de mond van de weldoorvoede engel der duisternis, die zich tot een brede glimlach plooide. 'Komt binnen heren, komt toch binnen! Waarom niet eerder gezegd, wie jullie waren? Beschouwt mijn nederig huis als je eigendom... Maar, als ik vragen mag, hebben jullie?...' en zij wreef duim en wijsvinger betekenisvol over elkander. 'Tja,' zei Jozef, 'daar zitten wij precies mee in de knoei. We kunnen bezwaarlijk met het achterkwartier van een os of een kalfskop betalen, wel?' 'O, als het dat maar is,' zei de snoetebol, 'doe dan maar net als jullie broers. De meisjes vinden het heerlijk nu en dan een schaap of een rund ten geschenke te krijgen. Zij zijn nu éénmaal dol op dieren,' voegde zij er knipogend aan toe, waaruit ik concludeerde dat ze zin voor humor bezat, wat ik bij mijn medemensen steeds op prijs stel. Mijn broeder kneep haar in de wangen, of hij zijn leven lang bordeelmatrones het hof had gemaakt, wat zij zich kirrend liet welgevallen en besloot: 'Goed zo, liefje, dat komt voor elkaar. En laat nou de zusters van liefde maar aanrukken.' Wij volgden haar door een vrij lange gang, waar een schemerige duisternis heerste en stonden dan opeens te knipperen tegen het licht van wat ik gemakkelijkheidshalve de gelagzaal zal noemen, hoe eigenaardig ook dit gelag.

Van verre had ik de luidruchtige stemmen van mijn broeders, gruwel van mijn ingetogen kindertijd, reeds gehoord en ik verwachtte mij bijgevolg aan een wild dronkemanstafereel. Het liederlijke toneel, dat zich evenwel voor mijn ontzette blikken ontrolde, overtrof al mijn beschikbare verbeeldingskracht. Ik zal mij niet aan een beschrijving van de bacchanale te buiten gaan; té zinnelijk van nature ben ik, om mijn verheven gedachten over de erotiek te schenden aan de beestigheid van deze gemeenschappelijke paring, waarnaast de koppeling van bokken en geiten mij een idyllisch prentje voor een jonge-meisjesalbum toescheen. Alleen Ruben lag ergens in een hoek toegewijd over te geven, het gelaat van de anderen afgewend. Ik keek Jozef van terzijde aan, die met opengesperde neusvleugels gespannen stond als de snaar van een boog, vooraleer de pijl de hoogte inschiet. Zijn vuisten klemden zich witgebald om het uiteinde van de in leder gevlochten hondezweep, waarmee hij in de laatste tijd (uit opschepperij, had ik steeds gedacht) gewapend liep.

Dit alles nam minder dan een ogenblik in beslag, want nog hadden de liederlijke belhamels of hun op onze veestapel beluste vriendinnetjes ons beiden niet opgemerkt, toen hij zich onder het uitbraken van de meest godslasterlijke vloeken in hun kring wierp. De zweep gierde door de lucht en in hun eerste verbouwereerdheid bleken de broeders al hun aandacht nodig te hebben, om met handen en armen het gelaat te beschermen. Het viel mij echter op, dat Jozef met bewonderenswaardige behendigheid bij voorkeur de roze achterwerkjes van de naarstige meisjes uitkoos, wat aanleiding gaf tot luid gegil en wat mij in verband met zijn ingrijpen ten bate van het zieleheil en de stoffelijke belangen onzer familie even nadenkend stemde, ofschoon er mij tot nadenken weinig tijd overbleef. Terwijl ik mij discreet in de schaduw terugtrok, scheen het langzamerhand tot de broeders door te dringen, wat er eigenlijk aan de hand was. Gestoord in een bedrijf dat, spijts zijn aangename aspecten, een behoorlijke hoeveelheid kracht opeist en blind gehoorzamend aan de oude natuurwet, dat niets verloren gaat en niets geboren wordt, baande de aldus vrijgekomen energie zich een uitweg tot een aanval in de regel, waarvan inderdaad Jozef aanvankelijk het voorwerp was. Een paar pronte meiden echter, die in hem een mogelijke rijke klant zagen, ja, misschien zelfs een viriele godsgezant, die haar allen voor zich alléén wilde opeisen, schaarden zich rondom hem en zochten hem ieder langs haar kant naar haar toe te halen, zodat de vuisten slechts toevallig en in hun kracht gebroken op Jozef neerkwamen. De meiskens op haar beurt waren niet van zins zich te laten maltraîteren en beten en krabden gedecideerd van zich af, terwijl de strijd bovendien gecompliceerd werd door het feit, dat de ene broeder nog wel primitieve ridderlijkheid genoeg bezat om niet te dulden, dat de andere thans zijn liefje mishandelde. Het werd een onontwarbare kluwen, waarin alleen Jozef het hoofd niet scheen te verliezen en er zich systematisch op toelegde om er twee gelijktijdig bij de haren te grijpen en hun koppen met het doffe geluid van in het zand vallende kokosnoten tegen elkander aan te bonzen. In mijn schuilhoek bekroop mij de indruk, dat het gevecht minutenlang duurde, ofschoon er nauwelijks een paar ogenblikken kunnen mee gemoeid zijn geweest. Verschillenden hadden er elkander nog bij de keel, terwijl de vrouwen er zich op toelegden elkander de ogen uit het hoofd te halen, toen Jozef met vijf treden tegelijk de stenen trap opstormde, die naar een hoger gelegen galerij leidde, om van daaruit de volgende kernachtige redevoering te houden, waarschijnlijk de kortste, welke ik ooit van hem gehoord heb: 'Trekt wijd je oren open, honden die jullie zijn, en knoopt er stevig in vast wat ik jullie zeg! Dat jullie bij de hoeren zitten is voor je eigen rekening en onze vader is waarschijnlijk zelf genoeg door de wol geverfd, om er geen graten in te zien. Ten slotte zijn jullie maar een nest stinkende bastaards. Maar jullie zullen verdomme de dieren, die ons allemaal toebehoren, niet langer verkwanselen. Morgenvroeg tellen we, hoeveel beesten er tekort zijn en jullie zorgen ervoor, dat de ontbrekende terugkomen waar ze horen. Houdt het jullie voor gezegd!' Ik maakte van de algemene verwarring gebruik om er stilletjes tussenuit te knijpen, waarbij ik ertoe genoopt werd in de gang de toesnellende vrouw des huizes onder de voet te lopen. Zo ik het goed voorheb, trapte ik op haar buik, maar ik weet niet, of het haar opviel, want ze was klaarblijkelijk een beroerte nabij. Hoe Jozef het huis uitraakte zonder kleerscheuren, behoort tot de vele raadselen, die mij door zijn leven nog steeds gesteld worden; als bij afspraak vonden wij elkander evenwel in de duistere dorpsstraat weder en sloegen stilzwijgend de terugweg in. Het maanlicht was thans helder genoeg, opdat ik zou kunnen zien, hoe hij boosaardig vóór zich uit grijnsde, doch ik wist zeer goed, dat hij slechts ergernis voorwendde en in werkelijkheid liep te spinnen van onbedaarlijke binnenpret. Nochtans gunde ik hem het genoegen niet, mij nieuwsgierig te horen vragen, wàt hij eigenlijk in het schild voerde, doch was er in elk geval innig van overtuigd, dat zomin als het losbandig gedrag onzer broeders, de ter bekostiging dezer losbandigheid opgeofferde runderen hem wat schelen konden.

Ik voelde mij niet helemaal op mijn gemak, toen ik mij aan zijn zijde uitstrekte bij het kampvuur, waarvan nog steeds de as intiem en weldadig smeulde in de thans koelere nacht, ofschoon ik wel begreep, waaraan het volstrekte gemis aan voorzorgen toe te schrijven, waarmede hij zich zelfvoldaan te slapen legde. De kans leek mij betrekkelijk gering, dat de broeders na ons vertrek ontnuchterd de vermakelijkheden zouden staken; slechts bij het morgenkrieken zouden zij zich stomdronken bij ons voegen en eens de roes uitgeslapen, zou hun sloomheid en de gedachte aan Jacobs gestrengheid hen er waarschijnlijk wel van weerhouden, mogelijke wraakplannen ten uitvoer te brengen. Zij waren er langzamerhand aan gewend geraakt Jozef als de sterkste te aanvaarden en er kwam weinig mensenkennis bij te pas, om thans reeds te voorzien, dat inderdaad ééns de korenschoven voor de uitverkorene in het stof zouden buigen. De rol, die ik *mijn* schoof bij deze vertoning toebedacht, kwam mij betrekkelijk vaag voor, zo ongeveer als die van een matig belangstellend en enigszins sip toekijkend toeschouwer, veronderstel ik thans.

Reeds had ik hem een poos zwaar horen liggen ademen (kon hij zelfs de slaap naar zijn wil dwingen?), toen ik mij nog steeds helder wakker onder de mantel van de ene op de andere zijde wentelde, gehinderd door allerhande kleinigheden, zoals het zachte knetteren van het dovende vuur, een oneffenheid van de grond of het zoemen van een mug rond mijn oren, waarop ik anders nooit lette. Was het wel de gedachte aan Jozefs driestheid, die mij de nachtrust bleef ontzeggen? Ik heb in mijn leven nimmer door moed, noch door zielegrootheid uitgemunt, ja, waar de nood mij dwong heb ik zelfs de waarheid niet steeds ontzien, doch wel heb ik er mij steeds op toegelegd eerlijk tegenover mij zelf te zijn, wat altijd nog veel beter meevalt, dan tegenover anderen, ofschoon de moralisten het omgekeerde beweren. Zonder het te willen, maar anderzijds toch weer zonder ernstig verzet, riep ik in mijn geest nogmaals het zedeloze tafereel op, dat mij daarstraks blozend van schaamte de blikken had doen afwenden. Mijn verstand en de opvoeding, die vooral mijn moeder mij gegeven heeft, deden het mij afschuwelijk vinden, maar niettemin klopte mijn hart haast pijnlijk fel in mijn borst bij de herinnering, hoé fraai sommige van die zondige vrouwenlichamen geweest waren naast de vieze harigheid der broeders in het bedrieglijke licht der kleurige lampen, zodat in mijn hart begeerte en afkeer om de bovenhand dongen. Vroeger was het mij niet onwelgevallig geweest de jonge vrouwen van op afstand gade te slaan, wanneer zij baadden in de rivier, gefascineerd door de mystieke driehoek van borsten en schoot, zodat Jozef mij soms in het harnas joeg door het verwijt, dat ik maar een stiekemerd was, doch nooit had de begeerte mij zo schroeiend aangeraakt als juist die onzalige nacht, ofschoon ik niet vlug genoeg de plaats der verleiding had kunnen vluchten. Nooit had ik een vrouw bezeten, wat mij in de eigen ogen bespottelijk deed schijnen, maar wat tevens veel in mij aan droom ongerept gehouden had. Had ik niet steeds de vrouwen als wezens van een hogere orde beschouwd, volkomen met de opvattingen en gebruiken van mijn volk in strijd? In het land van Kanaän geldt de vrouw (het staat nergens geboekstaafd, maar hierop komt het nochtans neer) als een veredeld huisdier, waarvan de echtgenoot alleen verlangt, dat het zekere stoffelijke en fysiologische plichten naar behoren vervult: het eten koken, het huis min of meer schoon maken, de kleren verstellen, zich plooien naar de nachtelijke grillen van haar echtgenoot en hem bij voorkeur een nest zonen baren. Met haar ziel en haar geest wordt er in ons land van schapen- en rapenteelt geen rekening gehouden; hieraan is het waarschijnlijk toe te schrijven, dat de kunst der liefde er op zulk een barbaars peil staat. Een vrouw, die zich ook met ziel en hersenen aan de liefde wijdt en niet alleen met stille onderdanigheid, starre onverschilligheid, ja, bij voorkeur met panische angst het geweld des mans ondergaat, voorgewend of echt, wekt dra verdenkingen in het smalle brein van haar echtgenoot op en loopt ten slotte het gevaar door de volledig samengestroomde dorpsgemeenschap als een liederlijke deerne of een echtbreekster uitgestoten te worden. Het beeld, dat ik mij bijgevolg tijdens mijn jongelingsjaren langzamerhand van de vrouw vormde, beantwoordde hoegenaamd niet aan het matrimoniaal of erotische ideaal dier duistere dagen, waaraan het wellicht moet worden toegeschreven, dat het zo lang duurde, vooraleer ik het ware aangezicht der liefde in Egypte leerde kennen.

Toen ten slotte de broeders in het holst van de nacht kwamen opdagen, voelde ik mij bepaald onlekker, temeer daar ze niet als naar gewoonte dronken om de resten van het kampvuur neertolden, doch een eind verder in de schaduw van het geboomte in een kring gingen zitten smoezen of ze krijgsraad hielden. Hoewel ik de oren spitste, kon ik onmogelijk het verloop van de conversatie volgen, zodat slechts nu en dan een woord tot me doordrong. Wat ik wèl bemerkte was, dat er een meningsverschil tussen de klaarblijkend ontnuchterde Ruben en de overigen scheen op te rijzen, want herhaaldelijk hoorde ik de oudste tegen het opgewonden gefluister der anderen optornen, soms op zakelijke, dan weer op dreigende of pleitende toon. Onwillekeurig en zonder dat ik precies wist waarom, voelde ik een diepe sympathie voor hem, vermengd met medelijden om het gezicht van geslagen hond, dat hem de laatste jaren eigen was geworden. Lange tijd werd me echter niet gelaten om me in dergelijke menslievende beschouwingen te verdiepen. Zij stonden op en ik hoopte, dat ze zich te slapen zouden leggen, toen ik eensklaps vastgegrepen, een prop in mijn mond gestopt werd en, als bij een geslacht kalf, een strak spannend touw tegelijkertijd mijn polsen en enkels omklemde, zodat het volkomen onmogelijk bleek mij ook maar een duimbreed te verroeren. Aan het gestommel vlak in de buurt merkte ik, dat Jozef op dezelfde manier verrast en overrompeld werd. 'En nu zoals afgesproken,' hoorde ik Ruben op bevelende toon en tamelijk luidop zeggen, wat mij, waarom weet ik niet, plots met een vaag vertrouwen vervulde, 'hij gaat de put in en zijn mantel besmeuren we met bokkebloed, opdat de oude er zou intrappen, wanneer we hem vertellen, dat zijn oogappel door een leeuw opgevreten is.' 'Ben je zeker, dat er nog genoeg water?...' hoorde ik Zabulon achterdochtig vragen, dadelijk door de oudste onderbroken: 'Natuurlijk, hou je me soms voor gek? Drie voet volstaat opdat hij direct verzuipen zou, gebonden als hij is. Morgen bepraten we, wat we met de ander aanvangen. Waarschijnlijk is hij voor rede vatbaar, zoals ik jullie zei, en houdt hij wel zijn bek.' Er bromde er een iets op een toon, die mij niet bepaald geruststelde in verband met zijn geloof aan mijn redelijkheid. Jozef, die ondanks de touwen heftig weerstand bood en gesmoorde keelklanken uitstiet, werd opgetild en ik zag hen verdwijnen in de richting van één der vele bronputten uit de buurt, waarvan ik me duidelijk meende te herinneren, dat hij sedert onze komst volledig droog stond. Zelfvoldaan grinnikend verscheen het groepje, dat zich over Jozef ontfermd had, spoedig weer ten tonele, waarop allen zich te slapen legden, mij ruimschoots de tijd gunnend om me te verdiepen in de wisselvalligheden van het lot, de aardse sterveling beschoren en de ondankbaarheid, die te beurt valt aan hen, die zich om de reinheid der zeden bekommeren. De stijf gespannen touwen kneusden mijn enkels, schaafden mijn polsen, de prop in mijn mond bezorgde mij krampen in de kaakspieren en deed me wanhopig slikken, om het zich overvloedig vormende speeksel de baas te blijven. Toch had ik niet durven hopen, dat deze weinig comfortabele toestand slechts zo korte tijd zou duren. Eensklaps daagde uit de schaduw een silhouet naast me op, waarin ik Ruben meende te herkennen, wat bevestigd werd, toen hij geheel in mijn gezichtsveld verscheen. Terwijl hij me 'Bek dicht!' toebeet, trok hij de prop tussen mijn kiezen uit en sneed de koorden door met het vervaarlijke slachtersmes, dat nooit zijn gordelriem verliet. 'Volg mij,' zei hij kort, zonder me de tijd te gunnen hem voor zijn tussenkomst te danken, en sloeg het pad naar de bron in. Daar gekomen ontrolde hij een touw, dat hij in een tros over de schouder droeg en liet het neer over de met rotsstenen gebouwde rand van de waterput. 'Ik houd het koord vast,' legde hij zakelijk uit, 'klauter jij naar beneden en maak de handen en voeten van die verwaande stommeling los.' Ik liet me langzaam naar beneden glijden en haalde de knieën en ellebogen deerlijk open aan de randen van de put, die inderdaad geheel droog stond, wat geenszins de mogelijkheid uitsloot, dat Jozef de nek gebroken zou hebben. Mijn vrees werd echter niet bewaarheid en nauwelijks een paar minuten later hadden we beiden weer de begane grond onder de voeten. De klauterpartij was Jozef voldoende geweest om volkomen zijn flegma terug te vinden en hij klopte Ruben joviaal op de schouder. 'Je bent een fidele vent, weet je,' zei hij. 'Ik heb altijd wel geweten, dat je een fidele vent was.' 'Geen praatjes nou,' repliceerde de ander stug. 'Deze maal hebben jullie het voorgoed verkorven. Als de anderen straks ontwaken en ze vinden je in de buurt, word je onherroepelijk om zeep gebracht, daar kan je opaan. Zijn de vogels echter éénmaal gevlogen, en niet naar de ouwe toe, dan lieg ik ze wel wat voor. Jullie hebben de keus. Het ga je goed.' Nog even aarzelde hij en ik had de indruk, dat hij tersluiks en ontroerd het gelaat afwendde. Toen verdween hij onhoorbaar in de schaduw der bosschages.

Jozef rekte traag de leden, de armen opwaarts naar het firmament geheven, als in extatische overgave. Ik achtte een dergelijke demonstratie misplaatst en knoeide wat aan de riem van mijn sandaal, tot hij klaar was met die lichaamsoefeningen. Toen begaven we ons zwijgend op weg, in de richting van een vallende ster, die wij over het karavaanpad zagen verschieten, ieder vervuld met zijn eigen gedachten, ééns temeer als vreemden voor elkaar.

Stilzwijgend liepen wij in zuidelijke richting, geleid door de sterren die voor ons, kinderen van een herdersvolk, geen geheimen bezitten, tenzij dit ene grote geheim van hun bestaan en betekenis. Gebukt onder zware zorgen en Jozefs driestheid vervloekend, die mij de weg van het avontuur opdreef, waar ik nimmer naar verlangd had, stapte ik nukkig voort, het hoofd voorovergebogen en in moedeloos gepeins verzonken. Na een poos kwam ik eensklaps in opstand en besloot opnieuw mijn lot in eigen handen te nemen. 'Nabij gindse bomenpartij zeg ik hem, dat hij naar de duivel kan lopen,' nam ik me voor, doch reeds tekenden de kruinen der palmen zich achter ons tegen de maanverlichte hemel af, toen ik nog steeds geen woord gesproken had. In zoverre ik zijn gelaat kon onderscheiden, stonden Jozefs trekken scherp gesneden en vastberaden, doch onder de uiterlijke beheersing bevroedde ik zijn triomf, hoewel er voor mijn part weinig triomfelijks was aan deze vlucht. Het meest ergerde mij het besef, dat ik hem volgen zou, waar hij ook gaan en waarin hij mij ook betrekken mocht. Het was of ik hem doorheen Rachels handen mijn ziel in onderpand had afgestaan; tranen van machteloze woede sprongen in mijn ogen, doch ik schreed niettemin voort aan zijn zijde. Later heb ik hem daden zien stellen, die ieder rechtschapen man zouden doen opspringen van verontwaardiging en ergernis en heb hem in verhouding verafschuwd, doch zelden heb ik hem gehaat als die nacht in het troosteloze uur, waarop zich door een plotse koelte de nakende morgenschemering aankondigt. Ik begreep, dat er slechts twee mogelijkheden bestonden: hem doden of mijn lot aan het zijne verbinden. Tevens wist ik, hoe iedere daad van geweld mijn diepste afschuw opwekte en ik dus gekozen had, onherroepelijk.

Het duurde lang, vooraleer ik me er zelf toe overhalen kon, het woord tot hem te richten, want ik wist, dat hij hierop wachtte. Ik ben nooit een stijfkop geweest en ten slotte vroeg ik droog: 'En nu? 'O,' zei hij, op een toon, waarvan ik weliswaar de waarachtigheid niet waarborgen kon, doch die niettemin mijn verzet brak, omdat ik bij hem evenmin de behoefte weer goed met me te zijn kon loochenen, 'ik dacht, dat je boos op me was, ik wilde je niet lastig vallen, vooraleer ik wist, dat je niet boos op me bent.' 'Draai niet om de pot,' antwoordde ik, misschien nurkser dan ik het bedoelde, 'en kom voor de dag met je plannen. Ik bewonder de manier waarop je dit alles voor elkaar hebt gekregen, als je tenminste van me aannemen wilt, dat er zo iets kan bestaan als bewondering zonder waardering!' 'Je vergist je in me,' klonk het verzoenend, 'je hebt je reeds vaak in mij vergist. Wat thans gebeurt, kwam volkomen onvoorzien voor me. Ik had me er helemaal niet aan verwacht, dat ze zo plotseling een besluit zouden nemen, de schoften. Ik wou ze alleen maar een lesje geven...'
'En je ééns temeer de gunsten van vader verzekeren?' 'Als je het zo noemen wil. Mij om het even.' 'Je bent een bewonderenswaardige pedagoog, dàt moet ik bekennen. Dank zij jouw opvoedkundige ambities lopen we hier zonder have of goed, zonder een steen om het hoofd op te leggen door de nacht, met vóór ons de woestijn, de dorst, de honger en de gevaren.' 'Maak je geen zorgen en dramatiseer de gebeurtenissen niet,' zei hij luchtig. 'Ziedaar ons heil!' vervolgde hij, en wees met zijn staf naar de kamelendrek, die het mulle en schier onbegaanbare pad bovendien nog onzindelijk maakte. 'In elke karavaan komt men steeds handen tekort, zodat iedere koopman het als een buitenkansje zal beschouwen ons te ontmoeten, geloof me!' 'Een fijne kameeldrijver zul jij zijn,' merkte ik schamper op, 'jij die niets dan misprijzen over had voor de kudden, die de onmetelijke rijkdom van je vader uitmaken en je een rustige toekomst verzekerden!' 'Hoevaak zal ik het je nog moeten herhalen, mijn goede Benjamin,' viel hij me op meewarige toon in de rede, 'dat jij, noch ik kerels zijn, die rustig het leven ondergaan en in laffe tevredenheid op het einde onzer dagen wachten? Wij zijn geroepen tot daden, Benjamin, alleen de daad schenkt het leven inhoud, en van dit leven zullen wij de smeders zijn. De hele wereld ligt voor ons open, met al wat mannen van ons slag aan rijkdom en macht geboden wordt.' Ik wilde antwoorden, dat ik noch in de daad, noch in de macht, noch in de rijkdom geloofde en alleen het streven naar wijsheid als waardig levensdoel kon aanvaarden. Doch ik klemde de kaken op elkander, daar ik de spot vreesde, waarmede hij de wijsheid onzer vroede vaderen, de dorps- en herbergfilosofen zoals hij ze placht te noemen, over de hekel zou halen, terwijl ik niet bij machte zou blijken hem van antwoord te dienen, daar mijn waardering voor de wijsheid van het voorgeslacht al niet veel groter was dan de zijne en ik mij op het stuk der innerlijk ver-

overde waarheid niet in staat achtte mijn gevoelens onder woorden te brengen, gevoelens die in die tijd nog zeer vaag, ofschoon voor mij zelf evident waren, meer door de intuïtie dan door de rede ingegeven. Wij beklommen thans een licht glooiende duinsikkel, waarvan de mulle flanken door de wind in rimpels getrokken waren, als de golfjes van een rustig water onder een argeloze bries. Op de kam hield Jozef halt, legde zijn hand op mijn schouder en wees met een weids gebaar naar de horizon (dit ietwat slome en toch dynamische gebaar van hem, dat ééns de groten dezer aarde zowel als de massa's in vervoering zou brengen, zonder dat ze zouden weten waarom, en dat — ik geef het toe — onmiskenbaar iets koninklijks bezat, doelbewust en als met de kosmos verbonden). Achter de halfmaanvormige duinen begon de einder in een smalle streep te gloeien, of ginds een stroom van lava zich uit een smalle bedding wrong. Dan braken de stralen van de traag opgaande zon open als een paarsrode pauwestaart. Jozef staarde zwijgend voor zich uit. Ik had er veel voor over gehad om zijn gedachten te raden. Het was zeer koud geworden en ik rilde. Maar de herinnering aan wat ik ééns onze moeder op een zwoele voorjaarsavond plechtig beloofd had, kwam mij verwarmen. 'Kom,' zei hij stil, 'wij moeten voort. Voor het weer nacht wordt is ons geen rust gegund.' Zo schreden wij, half met elkander verzoend, de morgen en een onzekere toekomst tegemoet.

4

HET BEKLAG EENS KRIJGSMANS

Indien ik er mij om bekommerde waarachtig een verhaal te vervaardigen, zoals kunstenaars dat doen, zou ik van de gelegenheid gebruik maken om uitvoerig en met uitgelezen woorden onze tocht doorheen de woestijn te schilderen. Tijdens deze reis geschiedde evenwel niets, dat essentieel kan genoemd in het licht van Jozefs levensloop, zodat ik er bij voorkeur het zwijgen zou aan toedoen, en zelfs nauwelijks gewagen van de zandstorm, die ons de dood voor ogen deed schemeren. Omwille van de volledigheid dezer gedenkschriften acht ik het niettemin noodzakelijk, in brede trekken te vertellen, wat er gebeurde na onze strategische aftocht, om over het hazenpad maar liefst te zwijgen.

Een paar uur na zonsopgang, toen ik me begon af te vragen, of ons inderdaad het lot beschoren zou zijn langzaam om te komen, onze uitgeputte lichamen de aasgieren tot prooi, kwam er uit noordelijke richting een karavaan opdagen, op reis van Babylon naar het land van Egypte. Het karavaanvolk stemt in jovialiteit en goedhartigheid met de zeelui overeen, en zoals er geen enkel varensgezel de schipbreukeling aan zijn lot zou overlaten, zo koesterde ook geen enkele onder deze kooplui, die de oneindigheid der woestijnen bevaren, er bezwaar tegen dat wij ons bij hen aansloten, wanneer wij hen in ruil voor onze arbeid om wat voedsel en bij nacht een onderdak in hun kleine tenten verzochten.

Terwijl ik schommelend op één van de kamelen zat te mediteren over de geringe bestendigheid van het menselijk lot, legde Jozef een onthutsende bedrijvigheid aan de dag, en zeer bewonderde ik de wijze, waarop hij initiatieven wist te nemen, welke steeds één schrede vóór waren op de wensen van onze meesters, die zijn schranderheid en zijn vlijt hoog naar waarde schatten, zodat hij weldra op vriendschappelijke voet met hen stond.

Wekenlang zwierven wij doorheen de woestijn, geblaakt door de zon en met geschaafde huid wanneer de wind het zand opjoeg, tot het ons in neus, mond en oren drong. Doorgaans voelde ik mij uitgeput door de eindeloze stilte waardoorheen wij waadden of niet de mulle bodem de gang der dieren belemmerde, doch wel de stilte, waarop onze stemmen verloren dreven, het trage schrijden dier zachtaardige lobbesen bemoeilijkte. En niet alleen de stilte dreigde mijn weerstandsvermogen ten gronde richten, doch ook het gevoel van oneindigheid waarmee de golvende grijze vlakte met daarboven de zwaar drukkende hemel mij vervulde. Er is iets uithollends, iets wanhopig stemmends aan een horizon die almaar door wijkt naarmate je vordert. Soms dacht ik: 'Thans kàn het niet meer. Achter deze laatste kim zal het einde van de wereld liggen, de bodemloze afgronden die tijd en leven verslinden, want waar zou anders blijven wat ééns geweest maar thans voorbij is?' En wanneer ik mij door de slaap aan deze ruimtevrees zocht te onttrekken, kwelden mij dromen, die slechts een verlengenis der werkelijkheid schenen te zijn, en waarin een loden zon zonder kracht in een dofpaars firmament boven een als uitgegloeide vlakte stond, waaruit hier en daar dorre bomen met geknotte takken oprezen en de puinen van dode steden de onbereikbare einders aflijnden, dit alles overspannen door de dunne, naargeestige melodie van een zeer hoog, mij onbekend muziekinstrument, waarvan de klank na een poos iedere modulatie verloor en in een wankelbare, macabere zoemtoon overging.

Ik herademde toen wij een gebied van moerassen bereikten, dat de grens van het land van Egypte uitmaakt, een grens zonder versterkingen of garnizoenen, meer nog door legeraanvoerders dan door karavanen gevreesd om haar zompige bodem, die er de oorzaak van is, dat niet alleen slijk en drijfzand, doch ook allerhande kruipend, zwemmend en vliegend gedierte de reiziger naar het leven staat. Waar de anderen echter kloegen, dat de giftige uitwasemingen hun borst beklemden, voelde ik mij weer opleven.

De woestijnen welke wij naderhand doortrokken, putten mij niet meer uit als tevoren en Jozef spotte met de manier, waarop ik als een kind verheerlijkt zat te staren, als in de verte de piramiden hun hoek in het zwerk sneden, alsof reuzen zich in ruimtemeetkundige problemen verdiept en daarna hun spullen achtergelaten hadden. Mijn broeder gaf toe, de energie te bewonderen, die eraan gespendeerd was geworden, doch smaalde tegelijkertijd op deze dode molshopen voor ondergrondse olifanten, zoals hij ze noemde, bouwsels van krankzinnigen, waar niemand wat aan had en die hij graag ruilen zou voor een straatweg doorheen het gebied van de moerassen, de handel en de daaruit voortspruitende voorspoed ten bate. Ook mijn genoegen was weliswaar niet onvermengd bij de gedachte aan het bloed van generaties, dat aan elk van de huizenhoge klompen bruine steen moest kleven, doch desondanks rilde ik van vervoering door het besef, dat hier de menselijke geest een bres had geslagen doorheen de schaal van zijn eigen beperktheid.

Het laatste deel van onze reis was even kleurig als liefelijk. Stroomopwaarts een brede, lome rivier tussen blonde oevers, die de Nijl bleek te heten, ging de tocht verder in zuidelijke richting langsheen drukke, welvarende steden, groter dan enige nederzetting in Kanaän, doch klein naar het heette in vergelijking met de koninklijke residentie, waarover het karavaanvolk wonderen vertelde. Voor het overige strekten zich overal malse weiden uit, — koeien lagen rustig te herkauwen —, afgewisseld door weelderige velden, waarop de stengels van het graan doorbogen onder de enorme aren. Tweemaal 's jaars werd hier geoogst, deelde men ons mede. Jozef werd minder geboeid door het idyllische landschap, dan door de vernuftige wijze waarop smalle kanalen met ingewikkelde sluizen en pompinstallaties voor de watertoevoer zorgden en ganse dagen liep hij geestdriftig te betogen, dat hij het altijd wel gezegd had, welke stommelingen er in Kanaän woonden en in dit achterlijke deel van de wereld zonder enig methodisch inzicht de landbouw en de veeteelt beoefenden, omdat het er nu éénmaal niet oirbaar werd geacht, dat men wat om het even ook aan de voorvaderlijke geplogendheden en het voorvaderlijk geknoei veranderde.

Zo kwam ook de dag, waarop het volk van de karavaan omstreeks zonsondergang, toen de tenten werden opgezet, met luidruchtige opgetogenheid van onder de hand naar de horizon stond te turen, waar het profiel van Thebe, navel der beschaafde wereld, zich in grillige kartelingen tegen de fluwelige hemel aftekende. Nog diezelfde avond kregen de kamelen en hun getuig een extra-beurt en, diep onder de indruk van het rondom ons bruisende gewoel, reden wij 's anderendaags de hoofdstad des lands binnen.

Weldra brak het ogenblik aan, waarop wij van onze beschermers afscheid moesten nemen. Vooraleer opnieuw de avond viel — de hoeveelste reeds sedert Kanaän? —, was de wekenlange reis van het ene eind van de aarde naar het andere nog slechts een herinnering. Ofschoon de hoofdman van de karavaan ons mild had betaald voor onze diensten en de angst voor honger en dorst rustig een paar maanden kon uitgesteld worden, voelde ik mij lang niet op mijn gemak, toen wij samen door de straten slenterden, Jozef het hoofd rechtop, vrank en vrij in het rond kijkend, ik daarentegen schuchter, beschroomd om mijn boers uiterlijk, mijn naakte, vereelte voeten en het grove kleed, dat mij bedekte. Een grote drukte of het gezelschap van vreemde mensen oefende in die tijd steeds een vernietigende invloed op mij uit. Slechts in de wonderlijke stilte bij onze kudden of bij de melancholische kamelen kwam ik geheel tot mij zelf; een paar minuten echter volstonden, opdat de rustige eigengereidheid van sommige lui, die ik in diepste wezen misprees, mijn zelfvertrouwen volledig zou schokken. Ook thans bekroop mij het gevoel, dat iedere voorbijganger zich afvroeg, wat voor een stel schooiers het wel mocht zijn, dat hen hier voor de voeten liep. Vooral onder het oog der vrouwen voelde ik mij als het ware tot stof verpulveren van verlegenheid. Later heb ik er mij rekenschap van gegeven, dat deze schaamte van jongelui zonder ervaring als een soort van averechtse reactie op haar begerenswaardigheid moet worden opgevat en zij de noodzakelijke rem is, door de natuur voorzien, om ons ervan te weerhouden er in de jeugdige felheid van de pas ontwaakte instincten al te overmoedig op los te gaan. Wat er ook van zij, die eerste dag reeds heb ik er mij, alle schroom ten spijt, rekenschap van gegeven, dat de Thebaanse vrouwen tot de heerlijkste en wellicht ook de felste in de beschaafde wereld behoren, tenzij deze indruk zou toe te schrijven zijn aan de zorgen, die ze aan haar uiterlijk besteden, wat op hetzelfde neerkomt, Jozefs opvatting indachtig, dat niet het middel, doch wel het resultaat van betekenis is. Zou ooit een vrouw uit mijn volk mij nog kunnen boeien? Met de onaanraakbaarheid van hiëratische danseressen liepen zij ons voorbij, het bovenlijf (afgezien van de ritmische deining der kleine scherpe borsten) schier onbeweeglijk en het hoofd trots gedragen op de hoge hals. Alsof hij mijn gedachten raden kon (of was het zijn helderziendheid?), porde Jozef mij tussen de ribben en grinnikte: 'Let op de beweging van haar heupen en haar billen! En stel je voor wat zo'n vrouw in bed moet zijn! Zelfs onder het lopen geven ze de indruk onder de man te liggen en flink haar devoren te doen ook nog!' Even boeiend als haar lichamen leken mij de ogen der Egyptischen, van nature reeds groot en amandelvormig en nog vergroot door de koolstift met een geraffineerde, spits uitlopende lijn aan de buitenhoeken, wat ze een gazelleachtige uitdrukking verleende, terwijl blauw kleursel op de wimperharen deze onwaarschijnlijk lang en beweeglijk maakte. Mettertijd ben ik erachter gekomen, dat de meeste vrouwen inderdaad de naam van sfinxen zonder geheim verdienen, doch niettemin treed ik de mannen bij, die met deze sfinxen vrede nemen en voor het overige het geheim aan hun verbeelding overlaten.

Toen de schemering intrad, waarin roomgeel de olielampen brandden in de diepte van straten en pleinen, besloten wij naar een logement uit te kijken. Een poos reeds kwelde ons de honger en onze voetzolen brandden van de blaren. Het geld in de herdersbuidel die Jozef over de schouder droeg, schonk ons een veilig gevoel. Ik wist dat ik voorlopig op mijn broeder rekenen kon en veronderstel, dat ook hij zich tevreden achtte de onderworpen Benjamin aan zijn zijde te weten. Zonder zijn grenzeloze ambitie zou het tussen ons beiden altijd wel goed geweest zijn, dunkt mij.
Een Egyptenaar uit het karavaanpersoneel, een dichter aan lager wal, die ook het Hebreeuws behoorlijk machtig was, had ons een mondjevol van zijn moedertaal bijgebracht en ons tevens de meest voorkomende schrifttekens geleerd, ze voor ons met zijn grote teen in het zand uittekenend. Het stelde ons thans in de gelegenheid met vereende krachten de tekst op een uithangbord te spellen, wat ons deed belanden in de afspanning 'de Scharlaken Krokodil', logement te voet,

per muilezel en op de kameel. Ik zelf voelde me prettig gestemd door de gezonde fantasie, die uit deze benaming sprak. Jozef haalde er nochtans de schouders voor op en beweerde, dat het hem niet kon schelen, of het hier de scharlaken krokodil, de groene olifant of de pimpelpaarse baviaan was, maar dat hij verrekte van honger en dorst. Ook mijn verhemelte werd aangenaam geprikkeld door de diverse geuren, die ons tegemoet kwamen terwijl we de zandstenen trap naar de gelagzaal afdaalden en ik zou de waarheid tekort doen, als ik beweerde, dat zij mij minder boeiden dan de literaire bespiegelingen, waartoe de verbeelding van een Thebaans taveernehouder aanleiding vermocht te geven.

Het bleek 'de Scharlaken Krokodil' niet aan clientèle te ontbreken. Slechts na lang zoeken vonden we voor ons beiden een plaats aan de hoek van één der morsige tafels. Nadat Jozef, die zijn kennis van het Egyptisch voorlopig niet al te drastisch op de proef wilde stellen, naar zijn maag gewezen en op zijn geldtas geklapt had, zodat het daarbinnen liefelijk rinkelde, werd ons een eenvoudig doch stevig maal voorgezet, met een rondbuikige wijnkruik voor ons samen, versierd met nogal gewaagde witte en zware bordeeltafereeltjes op bruinrode achtergrond. Gewend aan de olijven, dadels en gedroogde vruchten allerhande, die het dagelijks menu van de woestijnreiziger uitmaken, voelden we ons de koning te rijk, te meer daar het wijntje, hoewel onschuldig op de tong, ons in een minimum van tijd naar het hoofd steeg, daar de gekruide kost er ons toe noopte stevig te drinken. Terwijl Jozef de schalen vulde en opzettelijk de drank van op een zekere hoogte liet vloeien, zodat het licht er geestig in flikkerde, merkte hij wijsgerig op: 'Is het niet wonderbaar hoeveel volmaakte dingen de zogenaamde God onzer vaderen geschapen heeft, en dat onder al deze dingen precies de mens het minst volmaakt moest zijn?' 'Ja,' opperde ik langs mijn neus weg, 'en het gekst van al is, dunkt mij, dat jij je, onder die met driegdraad in elkaar gedraaide mensen, nog de best geslaagde acht!' Hij bleek te goed gemutst om boos te worden en grinnikte maar, als wou hij me doen begrijpen, dat ik nog wel zien zou. In feite is het verbazend, hoe weinig een mens nodig heeft om de wereld in andere perspectieven te zien. Op het ogenblik, dat wij onze tweede kruik Nijlse wijn aanspraken, verkeerde ik in een toestand van volmaakte euforie. Ten opzichte van al de aanwezigen voelde ik mij met warme vriendschap vervuld, wat niet alleen aan de drank moest toegeschreven worden doch tevens aan de vriendelijke aard der Thebanen, die ons met welgevallen gadesloegen en het naar waarde schatten, dat wij geestdriftig keuken en kelder op prijs stelden. Zo prettig voelden wij ons, dat wij bij elke teug kameraadschappelijk de beker hieven naar onze naaste buren, waarvan de ene naar zijn uiterlijk te oordelen een soldaat bleek, terwijl het eenvoudige voorkomen van de andere, doch vooral diens naakte armen, waarop de spieren koordige knobbels vormden, en zijn reusachtige handen, de ambachtsman deden vermoeden. Toen wij hun voor de vierde of vijfde keer gezondheid toedronken, schoven zij dichterbij en wij lieten nieuwe kruiken aanrukken, ons om beurten uitputtend in hoffelijkheden, waaruit *hun* gastvrijheid ten opzichte van vreemde reizigers en *onze* waardering voor de schoonheid en de rijkdommen van Egypte duidelijk bleken. Ten slotte stelde de soldaat voor, de rest van de avond in een plezieriger kroeg te slijten, wat wij allen een uitstekende inval vonden. Slechts toen hij opstond, kon ik rustig zijn atletische gestalte bewonderen. Thans viel me ook de staalharde helderheid van zijn heersersblik op, betrekkelijk gering door de wijn beneveld. Hij vormde een vreemd contrast met zijn gezel, wiens kogelronde gestalte de kracht van zijn bicepsen en kolenschophanden scheen tegen te spreken en in wiens hoofd twee pientere, half onder zware wenkbrauwen verborgen oogjes lichtten, die je doordringend aankeken. Instinctief voelde ik me méér tot hem aangetrokken dan tot de soldaat, daar ik een eerlijke, vierkante natuur in hem vermoedde, die een kat een kat placht te noemen, zonder zich trouwens tot deze huisdieren te beperken. Hij bleek minder tegen de wijn bestand dan de soldaat, want deze moest hem ondersteunen toen wij de trap opklauterden en ééns op straat, begon hij met schorre bas luidkeels te zingen, dat we nog niet naar huis gingen, nog lange niet, want moeder was niet thuis. Plots echter onderbrak hij zijn lied, klapte mij op de schouder, scheen even in diep gepeins verzonken en constateerde dan, dat wij nog niet aan elkander voorgesteld waren, wat hij een onvergeeflijke tekortkoming noemde. Ik maakte een wankele buiging en verklaarde, dat ik zelf Benjamin heette en dat de naam van mijn broeder Jozef luidde, beiden Joden uit het land van Kanaän. De dikkerd, hoewel insgelijks groot gevaar lopend slagzij te maken, volgde mijn voorbeeld, want de beleefdheid is één der fraaiste Egyptische deugden. 'Mijn naam, vrienden, luidt Thotmes. Ik beoefen de beeldhouwkunst en acht mij gelukkig, dat sedert enige tijd het oog van onze jonge farao op mij rust. Zulks geldt insgelijks voor mijn vriend Horemheb, officier bij de koninklijke garde, wiens grootse toekomst door iedere sterrenwichelaar in het rijk voorspeld wordt. Horemheb en Thotmes heten jullie welkom en bieden de vreemdelingen hun vriendschap in ruil voor de hunne.' 'Zo zij het,' antwoordden wij als uit één mond en innig gearmd vervolgden wij onze weg, deels om ons verbond te bezegelen, deels ook omdat wij ten onrechte de illusie koesterden, dat acht voeten stabieler zouden blijken dan twee. Thotmes zette een artiestenliedje in, waarvan wij slechts gedeeltelijk de woorden begrepen, maar dat erg gewaagd klonk, Horemheb floot de melodie, halsstarrig in de maat en wij deden ons best om bij het refrein telkenmale in te vallen, ofschoon Jozef beweerde, dat het volstrekt onmogelijk was in hiëroglyfen te zingen. Wij strompelden doorheen een doolhof van stegen en sloppen, een enkele maal vrij bars opgehouden door de nachtwacht, die echter stram groette toen zij in het licht van een hoog opgehouden olielantaarn Horemhebs uniform zag. Het was een zwoele nacht. In de nauwe straatjes heerste een schier ondraaglijke hitte.

Ik hoopte in stilte, dat we niet weer in een bedompte kelder zouden terecht komen. Deze hoop werd bewaarheid toen Thotmes ons 'de Nijlnimf' binnenloodste. 'Een selecte keet!' fluisterde hij heftig boerend in de schemerige gang, die toegang verleende tot een door fonteinen heerlijk koel gehouden binnenplaats. 'Uitsluitend hoge wereld. Maar Horemheb is een geziene gast en artiesten durven ze er in de laatste tijd niet te weigeren, daar de farao hun de hand boven het hoofd houdt en desnoods hun schulden betaalt. Zeggen jullie, dat je architecten op studiereis bent of iets dergelijks, als jullie wat gevraagd wordt. Er zal overigens niemand het wagen de meest populaire officier in Thebe en zijn vrienden dwars te zitten!'

Het leek inderdaad een selecte toestand waar wij in terecht gekomen waren, doch de nachtlucht was niet bij machte gebleken mij in zoverre te ontnuchteren, dat ik mij erg geïntimideerd voelde en ik overwoog grinnikend, dat we in Kanaän een soortgelijke instelling een kieteltuin noemen. Ik hoorde, terwijl zich de bedienden te onzer intentie aan ingewikkelde strijkages te buiten gingen, in de buurt wel iets als 'vies soldaten- en artiestenvolkje' fluisteren, maar vond het nog grappig ook. Ondertussen nam ik als doorheen een beminnelijk waas de omgeving op. De witte muren waren grotendeels met klimgewassen overdekt, die onaanraakbare bonte bloemen droegen, mat glanzend in het onwezenlijke licht der toortsen. De gasten zaten op kussens onder paarse baldakijnen, rustend op zuiltjes, versierd met lotusbloemen. Horemheb, die zijn wereld kende en geen spoor van dronkenschap meer vertoonde, bestelde een wijntje, waarvan de naam diepe indruk op de toegesnelde gedienstigen maakte. Terwijl wij een nieuwe reeks heildronken op onze onverwoestbare vriendschap inzetten, dwaalden mijn blikken geïnteresseerd langsheen de aanwezigen, wat de beeldhouwer, zoals te verwachten was, tot de nodige commentaar aanzette. 'De hogere wereld, mijn beste Benjamin, ik zei het je reeds, al wat chic is in Thebe, — dat betekent natuurlijk, al wat duiten heeft. Ginds zie je Hori, de pachter van de Nationale Belastingen met zijn liefje,' vervolgde de ambachtsman, oneerbiedig zijn woorden toelichtend met een gestrekte wijsvinger als een vereelte braadworst. 'Het liefje zit er zo maar wat bij, als prestigekwestie, want iedereen weet dat Hori volslagen impotent is. Precies vóór hem heb je Tanutaton, de opperrechter van Thebe, een zeer gestreng heerschap, waarmee het geen lichte karwei is kersen te eten. Hij heeft de naam tienmaal minder omkoopbaar dan zijn collega's te zijn, want telkenmale hij één oog dichtknijpt kost dat je vijf-, en wanneer hij ze alle twee sluit tienmaal meer dan bij de anderen... Dat Egypte inderdaad het land der onbeperkte mogelijkheden is, bewijst Schabaka, ja, die met zijn nijlpaardenhoofd bedoel ik, voor de laatste oorlog nog een spekslagertje van niemendal... Het zijn allemaal gedistingeerde, fijne lui, — de meisjes van de vlakte horen er nu éénmaal bij —, en het is een eer voor ons allen, jongeman, in hun tegenwoordigheid geduld te worden...' Thotmes' oneerbiedigheden ten spijt, vervulde het gezelschap mij met waarachtige bewondering. Ofschoon ook ik niet blind bleef voor de verwaande opgeblazenheid, de versteende schraapzucht en de verzuurde geslepenheid, die ik van sommige gezichten als uit een open boek aflas, bleek het toch een zeer voornaam milieu te zijn, hoewel geheel door Horemhebs koninklijke verschijning beheerst.

Wat mij daarstraks bij de vrouwen in dit land reeds zo sterk getroffen had, viel mij ook thans weer op en ik feliciteerde me zelf om de geestelijke helderheid die ik, ondanks de wijn, had weten te bewaren, maar zulks op zich zelf was natuurlijk een overtuigend bewijs, dat ik meer op had, dan ik gevoeglijk hebben kon. Of bestaat er inderdaad een graad van dronkenschap, waardoor we afstand doen van alle intellectuele remmen en atavistische verblindheid, om alleen nog de algemene lijn waar te nemen en derwijze de grens van de helderziendheid te bereiken, weliswaar niet de helderziendheid waarop magische taboe's allerhande rusten, doch de onvolprezen innerlijke klaarheid, waarvan slechts spraak zijn kan, wanneer we uit onze menselijke beperktheid losbreken door van alle ballast afstand te doen?... Maar ter zake. Meer nog dan de wijn deed het overwegend vrouwelijk gezelschap een haast vergeestelijkte dronkenschap naar mijn hoofd stijgen, wat mij een gevoel van onbeperkte kracht en volmaakt geluk verleende. Deze vrouwen konden voor mijn part in het leven geslaagde hetaeren of luxe-kippetjes van geringe afkomst zijn, zoals Thotmes beweerde, doch in elk geval waren zij verrukkelijk van gelaat en lichaam, wat al veel is, wanneer je tegen ze aan moet kijken. Ofschoon ik anders, zoals reeds gezegd, dadelijk aan het blozen ging in de buurt van vertegenwoordigsters der andere sexe, voelde ik me thans volstrekt zeker van mijn stuk, geenszins geïntimideerd door de vrij demonstratieve uitstalling harer charmes, waarvan de naaktheid door allerhande transparante gevallen niet zozeer gedekt als wel geaccentueerd werd, wat een heel andere indruk op me maakte dan de dorpsmeisjes van weleer bij het bad. Ik bewonderde de wijze waarop alles aan haar uiterlijk erop gericht scheen om de lijn van een slanke dij of de ontroerende moulure van een enkel, gevat in de smalle riemen van een goudleren sandaal, meer luister bij te zetten en gaf mijn ogen gretig de kost, ofschoon Thotmes meesmuilde in zijn stoppelbaard, dat ik wel spoedig de belangstelling verliezen zou voor dit hoerengebroed, want om de lieve duiten ging het, om anders niet, beweerde hij, en om de lieve duiten lieten ze zich desnoods voor haar blote achterwerk slaan, als je dat lekker vond. 'Let maar op,' voegde hij er schoolmeesterend aan toe en wees met een hoofdbeweging naar de vrij gebleven vierkante vloerruimte in donkergroen marmer in het midden tussen de fonteinen. Vier zwaargesluierde danseressen waren ten tonele verschenen en de muzikanten hadden een broze, voor mijn gevoel zeer serene melodie ingezet, die weldra tot sterk geritmeerde cadansen overging. Spoedig vergewiste ik er mij van, dat de gebaren van de precies even grote en zelfs naar gelaat en lichaam als zusjes op elkander gelijkende donkerkleurige meisjes een vrij uitgesproken erotische betekenis bezaten, die er opvallend op gericht bleek de reeds sensueel geladen atmosfeer tot hoogspanning op te drijven. Het slot van de dans bestond erin dat zij, zonder beweging of gebaar te versnellen, één voor één haar kledingstukken lieten vallen, tot zij in haar onthutsende geëpileerde naaktheid in de klaarte van speciaal met het oog hierop aangestoken toortsen stonden. Wat mij naderhand verbazen zou en mede tot inzicht brengen in de complexiteit der menselijke natuur, hield verband met het feit, dat overal in de populaire badplaatsen langsheen de Nijl de vrouwen gans uitgekleed te water gaan, zonder dat er iemand aanstoot aan neemt, terwijl hier, in de promiscuïteit van zoveel halfdronken mannen en vrouwen, wier collectieve belangstelling op een liever niet nader te noemen plaats beneden de navel scheen geconcentreerd, en in de dwarreling van sluiers en intiem lijfslinnen allerhande, de naaktheid der dansende meisjes een inderdaad zeer welsprekende betekenis verwierf. Jozef zat gespannen, Horemheb met superieure aandacht toe te kijken, terwijl de beeldhouwer te dronken scheen om het schouwspel op prijs te stellen. Wat mij zelf betreft, ik reageerde zoals een gezond jongmens zonder noemenswaardige erotische ervaring op een dergelijk schouwspel hoort te reageren, en trok zuinig mijn kleed om de knieën.

Thotmes bleek nochtans minder buiten westen dan ik aanvankelijk vermoedde, want zich ten dele tot ons, ten dele tot zijn kameraad wendend, zei hij gemelijk: 'Als men in Egypte op de ingeslagen weg voortgaat, zullen ons eerlang zelfs dergelijke onschuldige pretjes niet meer gegund worden!' Horemheb haalde stuurs de schouders op en beperkte zich tot een korzelig 'Ach, wàt...' 'Nou ja,' vervolgde Thotmes heftiger, 'stop jij maar je kop als een struisvogel in het zand. Maar ik zeg je, dat het in dit land slecht gesteld is sedert de farao het in zijn hoofd heeft gehaald hemel en onderwereld te slopen als een bouwvallig huis. Wacht maar tot wij er nog een ministerie voor de bijslaap bij krijgen, wanneer zulks éénmaal Aton tot grotere glorie zal strekken!' voegde hij eraan toe en lachte dat zijn buik er van wiebelde en naderhand een hele poos nodig had om weer tot rust te komen. 'Je bederft mijn humeur, stommeling,' zei de soldaat somber, 'weet je niet, dat je mijn humeur bederft door er over te praten?' 'Je vooral niet opwinden, mijn beste Horemheb,' suste Thotmes, 'het zou niet aardig zijn tegenover onze vrienden! Laten we liever drinken, — prosit!' Wij dronken. Inmiddels hadden de danseressen zich onder het publiek begeven en lieten zich zonder bezwaren door de aanwezige mannen zoenen op de mond en overal elders waar de kans zich voordeed, doch toen één van haar bevallig vooroverbuigend de armen om Horemhebs hals sloeg en hem haar schattebout of iets dergelijks noemde, weerde hij haar onverschillig af, wat Thotmes aanzette tot handtastelijkheden, die vermoedelijk de geoorloofde uitersten te buiten gingen, want het meisje maakte zich kirrend los uit zijn greep en belandde een end verder op de schoot van een stokoud man, die haar geestdriftig in de armen sloot, wat wel het summum van zijn mogelijkheden moet geweest zijn, dunkt mij, want ik verwachtte ieder ogenblik zijn botten als dor brandhout te horen knappen. 'Rotmeid!' gromde de beeldhouwer, 'de duivel hale je! Of nee, want die is ook al afgeschaft verdomme!' 'Wat praten jullie toch?' informeerde Jozef, 'of liever, wat verzwijgen jullie?' 'Kijk,' antwoordde Thotmes hulpvaardig, terwijl hij zich schurkte en een comfortabele houding aannam, doch 'Hou je mond' viel de officier hem in de rede, 'als het dan toch moet, zal ik het hun vertellen! Het Egypte, vrienden, dat jullie zo op prijs schijnen te stellen, is zelfs de schaduw niet meer van wat het ééns geweest is...' 'Nou, reken maar,' onderbrak de kunstenaar hem tussen twee teugen in, 'een jaar of wat geleden zou je hier stellig dertig danseressen gezien hebben, één voor elke stamgast, waar je àl mee doen mocht waar je zin in had!' en hij smekte in zijn baard bij de gedachte aan al dit verzwonden heerlijks. 'En nou jij weer,' ruimde hij de baan voor de meer academische uiteenzetting van de officier. 'Op dit moment heerst er langsheen de Nijl een zeer troebele atmosfeer, waar alleen zij, die er voordeel bij hebben, klaar in beweren te zien,' vervolgde Horemheb. 'Geen ogenblik is de gedachte in ons opgekomen, dat dit heerlijke land door revolutie bedreigd wordt,' opperde Jozef, 'zo rustig en welvarend ziet alles eruit.' 'De welvaart is slechts schijn en de rust gezichtsbedrog. De revolutie dreigt helaas niet, doch zij heeft volop gewoed en woedt nog steeds voort.' 'Ja,' stamelde Thotmes, die middelerwijl onophoudelijk gedronken had, 'anders... op zijn minst dertig danseressen... zo bloot als pasgeboren zuigelingen...' 'Ik vrees te mogen besluiten,' vervolgde Jozef, zonder nog acht op de beeldenmaker te slaan, 'dat de huidige koning zich dus op onrechtmatige wijze de troon heeft toegeëigend en van zijn gezag misbruik maakt...' 'Je vergist je, mijn beste... Het is alles veel ingewikkelder, dan het op het eerste gezicht voorkomt,' zei de militair mat, of het hem moeite kostte zich nog in de kwestie te verdiepen. 'Een zwak koning dan,' kwam ik tussenbeide, 'wiens zieleadel dermate groot is, dat men hem om zijn zwakheid niet haten kan?' Jozefs lippen krulden lichtjes bij het woord zieleadel, maar hij keek Horemheb vragend aan. 'Helaas, neen,' klonk het nogmaals op ontmoedigde toon. 'Een zwakkeling, een tiran, dàt ware zo erg niet, doch een filosoof, ja, een dichter op de troon, dáár schuilt de ellende! Tot nog toe hadden onze koningen zich nooit met de godsdienst ingelaten,' vervolgde de militair, 'zij beperkten er zich toe volgens de overlevering als mensgeworden zoon der goden te worden beschouwd, doch lieten voor de rest de cultus aan de priesters over. Het moet gezegd, dat de meesten onder deze laatsten de hun toegewezen plaats kenden en door de mysteriën, die ze met tact hanteerden, het volk in toom hielden en zelfs tot op zekere hoogte tevreden stelden; schone woorden en een mirakeltje hier of daar en ten gepaste tijde, wat wil je meer van ze verlangen als je op orde en overlevering gesteld bent?' 'Kortom, als overal ter wereld,' grinnikte ik, overmoedig door de wijn, vooraleer Horemheb vervolgde: 'Toen stierf de oude vorst en besteeg Amenhotep de troon, de vierde van die naam, schier een kind nog en ziekelijk bovendien. Hij was altijd een eenzelvige knaap geweest, waarop dichters, kunstenaars, ketterse filosofen, piskijkers en andere warhoofden grote vat hadden. Op één of andere wijze was hij erachter gekomen, dat de goden een handig, maar doorzichtig bedenksel van de priesters zijn, waarmee natuurlijk ieder verstandig man zich akkoord kan verklaren, zonder het daarom dadelijk van de daken te schreeuwen. De jonge vorst schreeuwde het wèl van de daken. Dat was zijn grote fout. Niet de uitvindsels van de geestelijkheid waarvan de eeuwenoude beeltenissen de tempels sieren zijn de bron van alle leven, verkondigde hij zijn omgeving en, helaas, ook het volk. Er bestaat slechts één god, de schepper van aarde en hemel.' Ik knikte vlijtig. Het verhaal boeide mij zeer en ik voelde een plotse sympathie in me opstaan voor de jeugdige vorst. 'Deze enige god, bron van alle kracht, noemde de farao Aton en zijn eigen naam wijzigde hij tot Ichnaton...' Als gebelgd door zijn eigen uiteenzetting schonk de officier opnieuw zijn beker vol, dronk hem in één teug leeg en liet zijn blik vernietigend glijden over de menigte, die thans gespannen naar de exhibities van een slangenbezweerder zat te gapen. Ik gaf er mij eensklaps rekenschap van, dat het diens rieten fluit was, die al een hele tijd de vreemde, archaïsche achtergrond van Horemhebs verhaal vormde, zonder dat het zeurende neusgeluid op zichzelf tot me doordrong. Jozef bracht de andere weer op dreef door langs zijn neus weg op te merken: 'Tot nog toe begrijp ik nog steeds niet, welke vèrstrekkende invloed dit alles kan hebben. De koning voert een nieuwe godsdienst in, de priesterklasse spartelt een poos tegen, verdedigt haar oude voorrechten, tracht er nieuwe in de wacht te slepen en ten slotte komt alles weer op zijn pootjes.' Doch onze nieuwe vriend schudde het hoofd: 'Zolang alles zich tot het abstracte vlak beperkte, hoefden we ons geen zorgen te maken. Maar Ichnaton, onze heer, predikt ook een praktische moraal. Zijn god is er een van de liefde, een god van het leven en niet van de dood. Aan het leger en de politiemacht werd het bloedvergieten verboden, wat iedere handhaving der orde onmogelijk maakt, terwijl dit verbod bij onze vijanden natuurlijk niet in dovemansoren is gevallen. De grenzen worden regelmatig afgestroopt, doch onze belagers in het buitenland zitten voor het overige rustig met de duimen te draaien en wachten tot Egypte hun als een rijpe vrucht in de schoot valt, rijp doch door binnenlandse twisten uitgehold, want onophoudelijk stookt de oude priesterkaste tegen de vorst, zonder dat wij, soldaten, het gekuip de kop kunnen indrukken, want, je kan er toch niet met bezemstelen en wijwaterkwasten op los gaan!' Jozef erkende, dat hij thans de ernst van de toestand inzag en ik knikte ook maar mee. Het verhaal van de jonge monarch en zijn god der liefde vervulde mij met innige gemoedswarmte. Hij moest zijn onderdanen immers wel met een diepe genegenheid vervullen, overlegde ik bij me zelf, want ik merkte duidelijk, dat iedere wrok uit de stem van Horemheb was geweken en alleen de legeraanvoerder, wie weet, misschien de staatsman in hem in opstand kwam tegen een beleid, dat hij als een dwaling kenschetste, maar dat niettemin zijn hart met broederlijke sympathie vervuld was voor hem, die hij als een verlicht zwakkeling beschouwde en voor wie hij zich met overtuiging op het slagveld in de pan zou laten hakken, werd hem hiertoe althans de kans gegund... 'Je begrijpt het overige,' besloot de soldaat zijn verhaal, terwijl wij aanstalten maakten om te vertrekken, 'met een bedreigde binnen- en buitenlandse veiligheid, zal ook weldra een einde komen aan Egyptes welstand. Het volk betreurt zijn oude goden, de vroegere priesterkaste, grotendeels aan de dijk gezet, de voordelen die eraan vastzaten, de handelaars kankeren om de geslonken afzet en de rijken om de gedaalde rentevoet...'

Er heerste een serene atmosfeer van vriendschap en wederzijds begrijpen toen wij ons door de nachtelijke stilte op weg begaven naar het atelier van de beeldhouwer, die ons een onderkomen had aangeboden, thans geheel nuchter, want tijdens de uiteenzetting van zijn kameraad had hij op het laatst rustig zijn roes uitgeslapen, tot ergernis van de muzikanten in 'de Nijlnimf', die er nauwelijks in slaagden zijn gesnurk met hun instrumenten te overstemmen. De laatste nevelen van de Nijlse wijn waren ook bij mij door de nachtelijke koelte opgelost, toen hij de deur openmaakte, die toegang verleende tot een reusachtig vertrek, een zaal haast, waar als in een panopticum tientallen beelden van allerhande vorm, doch haast alle levensgroot, voor ons oprezen. 'Je bent hier thuis,' sprak onze gastheer innemend, 'doch kijkt uit waar je loopt en maakt geen brokken!'

Eensklaps bleef ik getroffen staan, als voor een verschijning en legde mijn hand op Jozefs voorarm. Op een voetstuk, vlak nabij het raam, waar de stralen van de maan als gebundeld zilver vrij binnenstroomden, stond een beeld, kleiner dan de anderen en alleen maar een vrouwenhoofd voorstellend op een uitermate slanke en voorwaarts reikende hals. Niet de kleuren, door de kunstenaar aangebracht, waren het die deze beeltenis in het bedrieglijke licht zulk een onthutsend leven schonken, doch wel de vergeestelijkte schoonheid van dit serene vrouwengelaat met de weemoedige, onnatuurlijk grote ogen en de rustige, doch ietwat smartelijke mond, waarachter werelden van vreugde en leed verdroomd en los van de stoffelijke verschijnselen sluimerden. 'Alle duivels,' zei Jozef, 'hoe heb je dàt klaargespeeld?' 'Niet mijn kunst moet hier hulde gebracht worden, waarde vriend,' antwoordde de beeldhouwer bescheiden, doch ik hoorde zijn stem trillen van geluk. 'Hier was het model zo inspirerend, dat de kunstenaar zich nog slechts als een medium voelt en nauwelijks bij de schepping betrokken is.' 'En wie was de engel, die jou tot model gediend heeft?' informeerde Jozef. Ik voelde, dat de ruige Thotmes, in wie ik hoegenaamd niet het genie gezien had, dat hij achteraf bleek te bezitten, dromerig en liefdevol naar zijn schepping staarde. Horemheb antwoordde in zijn plaats en er was een onverwachte tederheid in zijn stem, die beantwoordde aan de geheimzinnige eerbied, die ons vervulde. 'Deze engel,' zei hij, 'is onze koningin Nefertete, de uitgelezen bruid van Ichnaton.' Ik wendde het gelaat af en dacht, waarom weet ik niet, aan onze moeder.

5

HET DAGBOEK VAN TJENUNA

Eerste dag
Dit is geen leven meer. Ik had er nooit moeten in toestemmen Potifars vrouw te worden. Maar wat heeft een meisje van zestien in het midden te brengen, wanneer de koop door haar ouders gesloten wordt? Ik had halsstarrig moeten weigeren. Ik ben echter steeds een onderworpen kind geweest, maar deze onderworpenheid liet mij een onbeperkte ruimte voor dromen en verlangens, mijn enig onvervreemdbaar eigendom. Ik had van me af moeten bijten, me opsluiten in mijn kamer, me dagenlang opsluiten, eten weigeren en me in een vijandige stilte hullen. Of ik had kunnen gillen en flauwvallen. Doch ik heb me lijdzaam, als een onnozel schaap aan de man laten brengen. Natuurlijk heeft ook mijn ijdelheid een rol gespeeld. Vond eenieder het geen eer, dat de aanvoerder van de koninklijke wacht naar mijn hand dong en liet ik me hierdoor het hoofd niet op hol brengen? Gedane zaken nemen geen keer. Noodgedwongen trek ik me voorgoed terug in de verveling.

Tweede dag
Niet dat ik Potifar haat of... reeds haat. Alles zou veel eenvoudiger zijn, indien ik hem haten kon. Maar ik haat hem niet. Men haat geen schildpad die zich in het zand van je tuinvijver koestert en een slablaadje uit je hand knabbelt, geen hond, die zich gedwee aan je voeten te slapen legt. Haat zowel als liefde moet bestendig gevoed worden en Potifar voedt noch mijn liefde, noch mijn haat. Ten hoogste kan ik zeggen, dat hij me op de zenuwen werkt. Zulks was de reden, dat ik hem eens mijn sandalen naar het hoofd geslingerd heb en hem voor slome schaapskop uitgescholden. Het kwam helemaal vanzelf. Daarom kon ik er geen spijt over hebben, hoewel ik geloof, dat het hem verdriet deed, want die avond is hij niet meer in mijn slaapkamer verschenen. En nu heb je daar weer de geschiedenis met die Hebreeuwen. Gisteren aan het ontbijt zegt hij, zonder enige inleiding: 'Ik heb twee Hebreeuwen in dienst genomen. Ze werden me aanbevolen door Horemheb.' Ik vraag me af, wat ik met die twee Hebreeuwen van Horemheb ga uitrichten, maar daar denkt hij niet aan, hoewel hij reeds duizendmaal gehoord heeft, dat ik dringend een tweede kamermeisje nodig heb. Het ergst van al is, dat hij me best dat twee-

de kamermeisje gunt en het betalen kan ook. Maar op een jaar tijds is het nog niet tot zijn geest doorgedrongen, dat mijn wens zonder de minste moeite kan ingewilligd worden. Daar denkt hij gewoon niet over na. Ik vraag me trouwens af, of hij soms wel over iéts nadenkt. Twee Hebreeuwen. Ik heb een hekel aan Hebreeuwen, want in zoverre ik er ooit op jaarmarkten, als slaven in militaire parades of als kameeldrijvers in karavanen gezien heb, waren het ruwe, onbetrouwbare, luizige kwanten met lange baarden en veel overtollige gebaren onder het praten.

Derde dag

Ik heb de halve nacht wakker gelegen. Naast mij sliep Potifar de slaap der onschuldigen, zoals men dat noemt. Ik was ontwaakt door zijn licht gesnurk. Een man, die ik lief zou hebben en me mijn recht als vrouw liet wedervaren, zou voor mijn part mogen snurken als een sleepslosser. Maar dat zachte ademgeschurk tussen mond en neus deed me van louter ergernis kippevel krijgen. Zo snurkt geen commandant van de koninklijke wacht. Eéns te meer werd ik mij huiveringwekkend scherp bewust van de diepe lichamelijke afkeer, die ik voor hem koester. Nooit heb ik een andere man gekend dan hij en dus is het mij onmogelijk vergelijkingen te maken. Maar waar ik geestelijk reeds weinig contact met hem heb, kan het ook de veelgeprezen vleselijke liefde niet zijn, wat tussen ons bestaat. Hij neemt me niet. Hij bedelt om me. De avond van onze bruiloft is het reeds begonnen. De gasten waren vertrokken, de lampen gedoofd en alleen in mijn kamer brandde licht. Zo had mijn moeder het mij aanbevolen. Ik kleedde mij uit voor de spiegel, parfumeerde mijn oren en oksels en legde mij te bed. Na een poos kwam hij het vertrek binnen en strekte zich naast mij uit. Hij begon mij te strelen, zoals men een poes aait. Ik vroeg me af, of ik moest gaan spinnen en kopjes geven. Ik wachtte. Hij kuste mij op het voorhoofd. Wist hij wel, wat hij in dergelijke omstandigheden met een vrouw beginnen zou?... Toen het er dan ten slotte toch scheen van te komen, weerde ik hem door hem op de vingers te tikken voor de vorm af, zoals moeder het mij insgelijks geraden had. Hij schrok hiervan zo erg, dat hij aan het stamelen ging: 'Vergeef mij, Tjenuna, ik bedoel helemaal niets kwaads...' Heel dat malle gedoe had me zo over mijn zenuwen gebracht, dat ik eensklaps in hartstochtelijk snikken losbarstte. Hij wist niet beter dan aan de haal te gaan en de andere dag niet onder mijn ogen te komen. Hoe een man als hij in de militaire hiërarchie tot de rang is opgeklommen, die hij thans bekleedt, mag de duivel weten. Klaarblijkend heeft de farao, die alle geweld haat, de zwakste, de meest deemoedige en de meest onderworpene uit zijn onderhorigen gekozen, anders begrijp ik er niets van. Maar dat *ik* precies dezelfde kiezen moest, dáár zit de ellende. Een man als Horemheb, ja...

Over Horemheb gesproken: de twee door hem aanbevolen Joodse bedienden zijn deze morgen in dienst getreden. De oudste, die Jozef heet, schijnt nogal veel praats te hebben, maar de andere, een stille blonde knaap met blauwe ogen lijkt me erg geschikt. Geen van beiden dragen ze een baard, ze zien er erg netjes uit en gek is dat blonde haar van de jongste. Ik wist alleen maar van horen zeggen, dat er mensen leefden met blond haar. Het staat hem erg goed.

Vierde dag

Ik heb weer iets naar Potifars hoofd geslingerd, maar ditmaal geen sandalen. Een vaas, in het duurste aardewerk, een huwelijksgeschenk nog! Natuurlijk miste ik hem. Het dwaze van de toestand is, dat net op hetzelfde moment Jozef in de deuropening verscheen en nog precies de vaas kon opvangen, of we één of ander balspel beoefenden. 'Neem me niet kwalijk!' zei hij rustig en overhandigde mij het projectiel. Ik keilde het tegen de muur, dat de scherven in het rond spatten. 'Mevrouw is opgewonden,' constateerde hij zakelijk, riep een slaaf en gebood hem het vertrek schoon te vegen, wat mij eigenlijk als een vrij aanmatigende manier van doen voorkwam. Toen ik alleen was, ben ik maar weer aan het huilen gegaan. Het ergst van al is wel, dat ik met de beste wil van de wereld niet meer zou kunnen zeggen, waaraan het meningsverschil toe te schrijven is. Kan je overigens met Potifar wel meningsverschillen hebben? Een meningsverschil, zelfs een hooglopende twist, veronderstelt de tegendraadse harmonie van tegen elkaar opbeukende natuurelementen als zee en wind. Met Potifar kàn je niet twisten. En dan bedoel ik niet ééns, dat zijn weerloosheid je zou ontwapenen. Onder mannen kan zulks het geval zijn, als je die geloven mag, doch wanneer ze in woede is ontstoken, zal je van een vrouw een dergelijke capitulatie niet verlangen, tenzij ze het laatste greintje respect verloren heeft voor hem, die haar tot deze grootmoedigheid noopt. Ik stel me voor, dat er twee soorten mannen bestaan, waarop je als vrouw geen vat hebt: de zeer sterken, die doelbewust hun eigen weg gaan, als de gepantserde gevechtswagens uit de tijd der Hyksos, ofschoon zelfs in een dergelijk geval onze kansen mij beter voorkomen dan bij een zwakkeling als Potifar, die tot de tweede soort behoort. Op hem heb je gewoon geen vat. Hij vloeit als water door je vingers, hij is als nevel die wijkt, wanneer je er tegenin loopt. Toch ben ik er innig van overtuigd, dat er aan hem niet één kwade draad zit. Niettemin werd naast hem mijn leven een volslagen mislukking. Ondanks zijn goedheid, zijn toewijding en zijn geduld zonder berekening, blijkt het me van langsom duidelijker, dat hij beneden de maat, onder alle omstandigheden hopeloos beneden de maat blijft. Het laatste gevoel, nog voor Potifar in mijn hart bewaard, is er een van medelijden, dat ik van dag tot dag gemakkelijker het zwijgen opleg. Hem aan te kij-

ken is mij reeds een gruwel, ofschoon hij er alleen maar gewoon uitziet. Hij is noch groot noch klein, noch mager noch dik. Zijn haar
wordt dun met hier en daar reeds plukken grijs. Je hoeft geen beeldhouwer te zijn, om te bemerken, dat zijn aangezicht normaal, om niet
te zeggen goed geproportioneerd is. Niettemin schuilt er een veeleer
psychische wanverhouding tussen zijn neus, mond en ietwat verglaasde ogen, die zijn gelaat een uitdrukking van pientere en tegelijkertijd ietwat dwaze zelfgenoegzaamheid verleent, of hij voortdurend liep te betogen: 'Zien jullie niet, wat voor een fideel mannetje
ik ben, dat het zo drommels goed met iedereen meent?'

Vijfde dag

Deze morgen, even na zonsopgang, ontwaakte ik met een schok. Ik
ging tot bij het venster, dat uitzicht biedt op de stroom. Onze bedienden Jozef en Benjamin liepen precies op dat moment het strand over
en doken in het hoog opspattende water. 'Twee riviergoden, die
tijdens de nacht aan land zijn geslopen, doch door het kraaien van de
haan terug naar hun natuurlijke element gedreven worden,' glimlachte ik stil voor me uit en vond het een erg gelukkig beeld. Maar ik
bleef talmen, omdat ik wist, dat mijn goden ten slotte wel weer uit
het water moesten komen, niet als goden, doch als twee voortreffelijk
gebouwde mannen. Het schonk mij een huiverig en tevens vervoe-
rend gevoel, hier ongekleed te staan, bewust van het feit, dat zij op
korte afstand van me in het water stoeiden, dat het schuim als sop
opspatte en kleurig brak in het pure morgenlicht. Toen heb ik een
dwaasheid begaan. Ik ben tot bij de oever gelopen, of ik me geen rekenschap van hun tegenwoordigheid gaf, wat niet moeilijk viel, daar
zij zich dadelijk in het oeverriet verscholen. Traag heb ik de haren
ontbonden en ben te water gegaan; als frisse strelende handen be-
tastten de kleine golven mijn dijen en mijn buik. Naderhand heb ik
me in de zon te drogen gelegd. Onze Hebreeuwen hebben zich waarschijnlijk uit de voeten gemaakt en met een grote omweg naar huis
begeven. Waarlijk, ik geloof dat ik ze erg in verlegenheid heb gebracht.

Zesde dag

Gisteravond ben ik er na een lange tijd weer eens uit geweest. Het
was nodig ook, want het lijkt wel, of ik niet langer bestand ben tegen
de stilte van ons huis. Bezoeken ontvangen wij vrijwel niet. Zelfs
mijn vroegere vriendinnen mijden onze woning onder voorwendsel, dat ik er geen belang aan hecht tot de hoge wereld van Thebe
gerekend te worden. De waarheid is, dat zij mijn man te belachelijk
vinden om met hem te flirten, en zij weten niet, hoe ik ernaar verlang
mijn eenzaamheid te ontvluchten. Maar ik schaam me, om met Potifar
onder de mensen te komen, — het is een opluchting voor me, het hier

zonder schroom te kunnen neerschrijven —, en daarom sta ik afwijzend tegenover welke invitatie ook. Ditmaal konden wij er echter niet aan ontsnappen, want de commandant der koninklijke garde mag ambtshalve niet ontbreken op de grote jaarlijkse receptie aan het hof, een nieuwigheid van de farao, die aldus de goede verstandhouding tussen hem en zijn broeders in Aton meent te bevorderen.

Hoewel ik het zelf zeg, zag ik er voortreffelijk uit in mijn nieuwe avondjurk, door de duurste zaak uit de stad geleverd. Niettemin voelde ik mij nietig in de luister van deze weidse avondpartij (een feeërie van kleuren, geluiden en geuren aan de voet der enorme zuilen en onder de strenge bas-reliëfs), als een kleinburgerlijk gansje of een meisje van het platteland, dat voor het eerst onder de mensen komt. Het meest was ik nog op mijn gemak, toen ik aan het koninklijke paar zelf werd voorgesteld. Eigenlijk is de farao een onaanzienlijk, ja, haast wanstaltig mannetje, maar toch van een heel andere soort dan Potifar. Niets aan hem noopt tot spot of medelijden en hoewel er van hem hoegenaamd geen indruk van viriliteit uitgaat, kan ik best begrijpen, dat Nefertete, de koningin, hem lief heeft naar behoren. Ik kan me zonder grote inspanning voorstellen, dat een vrouw zich aan hem zou geven en dat zij hieraan genoeg zou hebben, moest zelfs zijn zwak lichaam niet bij machte zijn het hare te bevredigen. (Ook mij is deze bevrediging onbekend, doch zulks moet hieraan worden toegeschreven, dat mijn ziel zowel als mijn lichaam zich voor mijn man schijnt te hebben gesloten, onherroepelijk en voorgoed van in den beginne reeds). De koningin, een prinses van Aziatische afkomst, geldt niet ten onrechte als de mooiste vrouw in de beschaafde wereld. Zij is bovendien beminnelijk en eenvoudig; waar zij verschijnt bewaren de mannen een eerbiedig stilzwijgen. Drie kinderen heeft zij reeds gebaard, zonder dat haar onwezenlijk ranke lichaam hier enig merkbaar spoor van draagt. Waar de aanwezigheid van anderen mij meestal dadelijk verkilt, zou ik met een vrouw als zij over mijn onuitspreekbare ellende kunnen praten.

De drukte, de muziek en later de danseressen hadden mij niet aan mijn eenzaamheid ontrukt, zodat ik na een poos de hinder begon te ondervinden van het levendig gezelschap en vooral van de zware dranken, waaraan ik niet gewend ben. Ik liet Potifar lopen en begaf mij ietwat duizelig op het grote terras, waarvan brede trappen afdalen naar de tuinen. Er stond een smalle en zeer spitse maansikkel aan de hemel. Het was een frisse nacht en ik rilde. Mijn avondjurk was zeer dun en om de lijn ervan niet te verknoeien, had ik er niets anders onder aangetrokken. Eensklaps voelde ik een hand op mijn schouder. Een vaag bekende mannenstem zei: 'Je bent koud, Tjenuna.' Ik keerde mij om en blikte in Horemhebs ogen. 'Maak je geen zorgen om mij,' antwoordde ik, 'ik voel me best.' 'Heerlijke avond,' hernam hij. 'Ja,' trad ik hem bij, 'heerlijke avond. De maan, de sterren en de stroom bedoel je?' 'Neen, het feest. Daarom moest je maar weer eens binnen gaan. Een mooie vrouw als jij, moet zich on-afgebroken laten bekijken, anders doe je ons mannen, en ook je zelf schromelijk tekort. Je gunt ons trouwens al weinig kansen genoeg, Tjenuna.' 'Laat die complimenten! Een man als jij, heeft die voor iedere vrouw wel in voorraad. Aan mij zijn ze niet besteed.' Er kwam een eigenaardige vertedering over hem, alsof hij met een kind praat-te: 'Ik vind je lief, als dat je tenminste interesseert.' 'Ik ben Potifars vrouw,' zei ik, 'vergeet dat vooral niet!' en een gevoel van eindeloze verlatenheid kwam weer over mij bij die woorden, of ik dadelijk in een huilkramp zou uitbarsten. Hij greep mijn beide polsen en keek mij strak in het wit der ogen, terwijl hij gemeten zei: 'Al was je de ko-ningin zelf, dan nog zou ik het niet nalaten je vanavond te vertel-len, dat ik zin in je heb, dat ik verdomd veel zin in je heb, hoor je me, Tjenuna?' Ik sloot traag de ogen onder de aandrang van zijn plots geweld. Mijn lippen waren geopend, zodat ik de koele nacht-lucht aan mijn tanden voelde. Nu ging hij mij omhelzen, dacht ik bij me zelf, maar op dat ogenblik losten zijn handen hun forse greep. 'Verdomd, je man,' bromde hij. En hij nam de houding aan voor de militaire groet. Potifar kwam losjes wuivend aandrentelen, bin-nensmonds kwispelstaartend van genoegen, zoals ik het eens verwij-tend genoemd heb, tevreden met het leven en vooral tevreden over zich zelf, zoals steeds. Hij had niets gemerkt. Had hij mij in Horem-hebs armen aangetroffen, zelfs dan zou hij zich hebben laten vertel-len, dat hij helemaal niets gemerkt had.

Zevende dag

Ik ben niet verliefd op Horemheb, dit is mijn diepste overtuiging, of-schoon ik hem wel aardig of veeleer zeer mannelijk vind. Ik ben nuchter genoeg om te beseffen, dat onze ontmoeting voor hem slechts van geringe betekenis was. Men beweert, dat hij een liefje aan iedere vinger heeft en het zullen er wel zijn, die niet achter de muren van een ontoegankelijk huis moeten worden gevrijd, zonder dan nog het blok van een echtgenoot aan het been, die bovendien zijn comman-dant is... Toch vraag ik me af, wat er zou gebeurd zijn, indien Potifar niet precies op het kritieke moment zo pienter ware komen aanwande-len?

Achtste dag

Wat is er met mij aan de hand? Uren kan ik zitten dromen, tot ik er mij eensklaps op betrap, dat ik bezig ben tot me zelf te glimlachen, tenzij onmerkbaar een traan over mijn gelaat loopt en in mijn mond-hoek zout opdroogt. Soms ruimt deze vage dromerij de plaats voor schier tastbare beelden, waarover ik mij zou moeten schamen. Ik vraag mij af, of ook andere vrouwen dermate slecht haar verbeelding in toom houden. Moest iemand in mijn ogen kunnen lezen, wat er in de laatste tijd zoal in mij omgaat, dan zou eenieder mij met de vinger nawijzen, vrees ik. Dagen reeds weiger ik Potifar de toegang tot mijn kamer, doch wilde droombeelden bevolken daarna achter de gesloten deuren mijn eenzaamheid.

Negende dag

Er is iets ontzettends gebeurd, thans zowat een uur geleden. En toch is er eigenlijk helemaal niets gebeurd. Nauwelijks ben ik weer enigszins tot me zelf gekomen. Minder dan ooit zou ik thans de aanwezigheid van Potifar naast mij kunnen dulden.

Ik had mij opgesloten in mijn kamer en gewacht tot in huis alle geluiden waren uitgestorven. De nacht was zwoel toen ik mij naar buiten begaf, doch het vochtige oeverzand zoog zich koel om mijn blote voet. Het was of eensklaps de beklemming uit ons huis van me afviel; een weldadige rust stond in mij op. De geur van het water, waarin de hemellichamen op trage rimpelingen verschilferden, golfde bevrijdend om me heen. Ik kon aan de verleiding niet weerstaan, trok mijn weinige klederen uit, begaf me te water en zwom met rustige slagen stroomopwaarts. Tweemaal voer een schip onder het trage geplas van de riemen voorbij. Voor de bootslui bleef ik wel onzichtbaar op zo'n afstand. Zoniet zouden zij me ongetwijfeld voor één van die geheimzinnige wezens gehouden hebben, half vrouw, half vis, die in hun verhalen de nachtelijke wateren bevolken. Toen ik moe werd, liet ik me op de rug door de stroming terug in de richting van onze woning drijven. Op het smalle strand, door zand en kiezel gevormd, maakte ik mijn vlechten los en wrong er het water uit. De haren hingen laag op mijn rug en reikten tot beneden mijn borst; ofschoon geheel doordrenkt, voelden zij broos en zijïg aan. Nog was de nacht lauw genoeg, om het water op mijn huid op korte tijd te doen opdrogen, wat heel mijn lichaam fris maakte. Nooit was ik zo diep van dit lichaam bewust geweest, zonder dat ik er evenwel onrustig door werd, of de gemeenzaamheid met de rivier en met de nacht anderzijds het verloren evenwicht herstelde. Onbewust moet ik mijn leden betast hebben, toen een stem met vreemd accent mij deed verstijven. Er zei iemand langzaam: 'Inderdaad, Tjenuna, je bent zeer knap.' Met mijn linkerarm bedekte ik instinctief mijn borst, terwijl ik met de rechterhand naar de klederen aan mijn voeten tastte. 'Zo fel schijnt de maan nu ook weer niet, helaas!' vervolgde de stem schertsend, 'hoewel ik toegeef, dat ook deze halve duisternis niet zonder bekoring is.' Ik keek op, zonder althans uiterlijk mijn angst te laten blijken, en bemerkte aan de rijzige gestalte in witte mantel, zonder het bij ons gebruikelijke hoofddoek, dat het mijn Hebreeuwse dienaar Jozef was. Slechts nu wist ik ook, dat ik dadelijk zijn stem herkend had. Zo rustig mogelijk zei ik: 'Behoort het tot je gewoonten je meesters te bespieden?'

'Het is mijn taak over je te waken, zoals het een toegewijd dienaar betaamt. Zo luidt het bevel van Potifar.' 'Ik kan op me zelf letten, hoor je?' beet ik van me af, 'en pak je nou weg of ik laat je morgen het huis uit ranselen!' Hij kwam naderbij, wat mij een schrede deed wijken, bukte zich en raapte mijn sandalen op, evenals mijn nachtjurk die hij zorgvuldig glad streek en over zijn arm legde. Zijn kalmte ontwapende mij grotendeels. 'Je hoeft niet boos te worden,' hernam hij, 'ik doe alleen maar mijn plicht,' doch onder zijn schijnbare scherts vermoedde ik een beheerst fanatisme. 'Je bent onbeschaamd,' zei ik, licht hijgend, 'indien mijn man...' 'Je man slaapt de slaap der reine zielen,' ironiseerde hij, 'en wakker zal hij wel niet zo gauw worden, want hij heeft zich in mijn gezelschap en dit van mijn broeder een stevig stuk in de kraag gedronken. Wij, Joden, zoals jullie ons smalend noemen, kunnen blijkbaar veel meer op.' Ik had niets bij de hand om het hem, ware het slechts uit prestige-overwegingen, naar het hoofd te gooien, wat overigens met hem weinig zoden aan de dijk zou gezet hebben. 'Niet dat ik het goedkeur, dat hij zich voor het slapengaan bedrinkt,' insinueerde hij verder, 'wanneer een vrouw als jij in bed op hem wacht!' en knielde om mij behulpzaam te zijn bij het aantrekken van mijn sandalen, wat ik mij wel moést laten welgevallen, wilde ik aan dit absurde onderhoud een einde maken.

Gelukkig was het in zoverre wel donker genoeg, dat ik weinig reden had om mij te schamen. Doch schamen wij ons, vrouwen, naakt betrapt door een man, om onze naaktheid of om de gedachten, die een dergelijke situatie onloochenbaar bij ons zelf opwekt? In elk geval schaamde ik mij minder, dan het mij als fatsoenlijk voorkwam. Hij reikte mij zwijgend mijn nachtjurk en zei na een poos: 'Het is beter, dat je die maar meteen weer aantrekt.' Ik wilde van me afbijten, doch zijn blik bleef in het donker op mij wegen en ik deed, wat hij mij gebood, balorig maar toch gehoorzaam. 'Zo,' besloot hij, toen ik het lint om mijn middel vaststrikte, 'het spijt me, dat ik je aan het schrikken heb gemaakt. Het was niet mijn bedoeling.' 'Wat was dan wel je bedoeling?' vroeg ik hard. Ik voelde, dat er een koele glimlach op zijn gezicht lag, ofschoon ik nauwelijks de omtrek van zijn hoofd tegen de vale klaarte van de hemel kon onderscheiden, wellicht die trotse glimlach van hem, die ik eensklaps verfoeide: 'Minder dan wat je denkt, méér dan ik zelfs tegenover de vrouw van mijn meester zou kunnen loochenen, indien zij preciezer vragen stelde. Mag een dienaar zijn meesteres toevertrouwen, wat in zijn hart omgaat?' Hij boog hoffelijk, doch zonder onderwerping, waardig als een prins van den bloede, dat voelde ik, en ging voor op het grindpad, dat naar onze woning leidt. Gedwee volgde ik hem, doch kon er daarna niet toe besluiten mij ter ruste te begeven.

Wat schuilde er onder de rust, die ik sedert mijn huwelijk mijn geest
en mijn lichaam trachtte op te leggen? Of was deze rust, waarin ik
nauwelijks nog van mijn eigen gevoelens bewust bleek, het geluk
waarover te lezen staat in de stichtelijke boeken, die ik steeds zo
dwaas en vervelend vind? Doch er zijn ook de boeken van de dichters en wie van beide heeft gelijk? Ik ken me zelf niet meer. Een kind
was ik nog, toen ik met Potifar, dat reeds vergrijzende kind, in het
huwelijk trad, ik een kind, dat men geleerd had, wat fatsoenlijk is en
wat niet. De wijze waarop sommigen onder mijn vriendinnen over haar
mannen praten en over haar avonturen met àndere mannen, deden mij
dikwijls huiveren, of zij als de vleesgeworden schande vóór me zaten.
Leven zij minder in leugen, dan ik tot nog toe in leugen geleefd heb?
Thans vermoed ik, dat ik het bij het verkeerde eind heb gehad en er
in de liefde niets verboden is. Ik heb ernaar verlangd, dat Horemheb
mij zou kussen. En misschien heb ik meer verlangd, ofschoon ik niet
op hem verliefd was. Het nachtelijk gesprek met de Hebreeuw, waarbij wij elkander tastend schenen te verkennen, was mij welgevallig.
En ik vraag mij niet af, hoe *hij* mij onder ogen zal durven komen,
doch wel, hoe *ik* mij zonder hovaardij zal gedragen, als hij weer vóór
mij verschijnt met die onderhuidse glimlach om de mond.

Het maakt weinig verschil, of Potifar er is of niet. Ik zou mij haast
gelukkig voelen, zonder dat pijnlijke verlangen, waarvan mij nooit
de naam genoemd werd. Hij is voor een maand op reis, vergezeld
door Horemheb. De stammen uit de Zuidelijke grensstreken roeren
zich en schijnen de gunst tot het Rijk gerekend te worden niet langer
op prijs te stellen. Daarom beweert Horemheb, dat het verstandig
is de ginds gelegerde legioenen te inspecteren, ofschoon hij de indruk wekte, meer zin te hebben om ongenadig op de ondankbaren los
te hakken, wat de bij Aton uitgevaardigde bevelen hem echter ver-
bieden. Tot zijn spijt, dunkt mij.

Ik heb Benjamin ondervraagd en geïnformeerd naar beider afkomst.
Hij blijkt mij zeer genegen en in zijn tegenwoordigheid voel ik mij
rustig worden. Zij behoren tot een oud geslacht en onder hun volk,
dat geen vorsten kent, is hun vader zoveel als een ongekroonde koning, wiens gezag op wijsheid berust. Dat zij geen gewone dienstbaren zijn, heb ik van de aanvang af wel gedacht. Daarom was het, dat
Jozef als een gelijke tot mij spreken kon, zonder mij te krenken, —
nu begrijp ik het allemaal. Want gekrenkt heeft hij me niet; iets veel

diepers en belangrijkers is er die nacht gebeurd. Weinig heeft het gescheeld, of ik liet mij door Horemheb omhelzen. Maar dat had niets te betekenen. Mijn mond opende zich onder het verlangen naar zijn mond, het verlangen van een vereenzaamd dier, dat hunkert naar de koestering van een hand op zijn vacht, het verlangen desnoods van een vrouw, die zich onder de laatsten voor éénmaal niet de laatste wil voelen. Maar het had niets te betekenen.

Dertiende dag

Potifar, altijd Potifar... Ik zeg zijn naam met nadruk, soms schreeuw ik hem luidop tegen de stilte uit, om er mij van te doordringen, dat het altijd Protifar zijn zal, waaraan ik blijf gekluisterd. Tot nog toe heb ik hem geduld, met mijn geest heb ik hem geduld en, helaas, ook met mijn lichaam.

Thans haat ik hem, met geest en lichaam ook. Nog blijf ik zijn slapheid ontzien, doch moest hij me thans aanraken (mijn huid huivert bij die gedachte), ik stond niet in, voor wat ik doen zou. Voor wat er in mij losgebroken is, ken ik de woorden niet, zoals ik evenmin de vreemde gebieden ken, waaruit het onweerstaanbaar blijft opwellen. En ach, mij aanraken? Nooit hééft hij me aangeraakt. Zijn kinderachtige drift heeft hij bij me gekoeld, wanneer ik het té erg met hem te doen kreeg en hem er de toelating toe gaf, zoals men een kind op het potje zet en het wat beknort, als het er náást doet. Maar de vrouw in mij heeft hij nooit aangeraakt, laat staan de geheimzinnige achtergronden ontsluierd, die ik in mij aanwezig voel, een ganse wereld waartoe alleen de sleutel mij ontbreekt. Onverschillig bleef ik onder zijn stuntelig gedoe en prees mij gelukkig, wanneer ik zijn adem schor hoorde worden gelijk die van een in het nauw gedreven dier, als zijn lichaam slap en bezweet tegen het mijne aan lag. Dan wist ik, dat hij zich gauw van mij afkeren zou, loom en waarschijnlijk zonder dankbaarheid, om spoedig in te sluimeren, nooit op mijn eenzaamheid in dit uur bedacht. Ik schoof van hem weg, tot waar het bed koel gebleven was, gebroken, leeg en bezoedeld, mij er uit trots krampachtig van weerhoudend mijn ellende uit te huilen, het enige waar een vrouw recht op heeft. En ik bad de goden, dat ik nooit een kind van hem zou krijgen, wat mij niet verhinderde tóch naar een kind te verlangen...

Veertiende dag

Wat baat, het leven tot een leugen te maken? Ik ben een vrouw, hij is een man. Zijn woord is een streling als van lome vingers, zijn blik een verschroeide omhelzing. Wat baat, mijn gevoelens en mijn lichaam tot de subtielste reacties te kennen, doch me zelf voor te houden, dat ik met al mijn onrust een uitzondering op de regel vorm?

Dat ik mij alleen maar inbeeld, hoe hij mij onophoudelijk, doch met ingehouden hartstocht gadeslaat? Uit zichzelf zal hij niet tot mij komen. Maar hij wacht op een teken. Met onfeilbare zekerheid zal hij het teken begrijpen.

Er is iets dreigends aan hem; soms vervult zijn aanwezigheid mij met vrees. Of neen, — vrees is niet het rechte woord —, iets beklemmends bedoel ik veeleer, iets beklemmends en onafwendbaars, zoals het naderende onweer beklemmend en onafwendbaar is, doch ons met verwachting vervult en op het herstel van de rust onzer tot het uiterste gespannen zenuwen doet hopen. Toch weet ik, dat het niet alleen de kracht is, van wat men in de wandeling een mooie man noemt, ofschoon ook dàt de hartstocht van de door een onvolwassen echtgenoot verwaarloosde vrouw in menigeens oog rechtvaardigen zou. Maar hierom gaat het niet. Het is meer, doch moeilijk om zeggen. Al wat hij doet, ieder woord, ieder gebaar lijkt vervuld met een innerlijke kracht, wel in staat om ééns losgebroken een wereld op haar grondvesten te doen trillen. Zo ik Benjamin goed begrepen heb, waren hun vaderen zwijgzame mannen, doch tevens geweldenaars, gemeenzaam in de omgang met de hogere machten. Is het een magische gave, waardoor hij mij gevangen houdt?

Genoeg. Met duizend vragen bestormt mij zijn aanwezigheid. Doch ik zal geen oplossing zoeken voor mijn onrust in vage, abstracte gebieden. Ik heb hem lief. Laat dàt de verlossende woorden zijn. Ik heb hem lief, met al de opgehoopte felheid, die in mijn lichaam is. Hij begeert mij. En wacht op een teken. Ik begeer hem. Daarmee houdt thans de wereld voor mij op. Maar bij de godheid, hoe zal de schuchtere Benjamin het opnemen? Waarom, Tjenuna, denk je thans aan Benjamin?...

6

INTRODUCTIE TOT HET GEVANGENISWEZEN
DE LIEFDE, DE POLITIEK EN VERDERE
INWIJDING TOT DE HELDERZIENDHEID

Hij was een onaanzienlijk kereltje, waarvan de slijmerige oogjes met rode randen me eerder geïrriteerd om de storing, dan achterdochtig aankeken. Uit zijn tandeloze mond onder de verwaarloosde cipierssnor walmde mij een adem tegen, die ik op goede gronden in verband bracht met het florissante coloriet van zijn aardbeivormige neus. Het stelde mij gerust, dat hij er zich niet toe beperkt had, mij zo maar door het spionnetje in de zwaar beslagen poort af te snauwen. Het ware nochtans de eenvoudigste oplossing geweest, had hij me kwijt gewild. Zijn barse toon leek me veeleer tot zijn beroepsattributen te behoren, zoals de sleutelbos aan zijn lederen gordelriem, dan als een uiting van kwade wil te moeten worden beschouwd, want dadelijk bekroop mij het gevoel, dat mijn gezicht hem wel beviel. (Je kan zo dat gevoel hebben, zonder dat je eigenlijk precies weet waarom. Wordt niet het ganse sociale bestel, heel dit vreemde spel van sympathie en antipathie van wantrouwen of vertrouwen bepaald door de meest oppervlakkige indrukken bij de eerste aanblik, — godlof misschien?)
Hij vroeg: 'Wat mot je?' Ik aarzelde bescheiden doch merkbaar, ten einde hem de tijd te laten om te begrijpen, dat geen haar op mijn hoofd eraan dacht zijn autoriteit te betwisten: 'Ik ben de broeder van Jozef, de Hebreeuw.' Maakte mijn identiteit inderdaad enige indruk op hem? Hij hield op met geconcentreerd in zijn neus te pulken, spuwde voor zijn voeten in het zand en bekeek me onderzoekend, of wilde hij zich terdege van onze verwantschap vergewissen. Het onderzoek scheen nogal gunstig uit te vallen: 'Ik zie, dat je zijn broeder bent. Jullie gelijken op elkander, maar hij is de knapste van jullie beiden, dat zeg ik je maar. Jij ziet er veeleer als een pennelikker uit. Heb je een boodschap voor hem?' 'Neen, ik wou hem spreken. Als je het tenminste voor elkaar kunt brengen.' 'Tja,' dacht de koninklijke gevangenisbewaarder luidop en wreef met schrapend geluid peinzend over zijn kin, 'tja, dat gaat zo maar niet vanzelf, weet je. Je moet eerst een verzoek bij de directeur-generaal van het gevangeniswezen indienen. Als die na een grondig onderzoek er geen bezwaren in ziet, brengt hij via de secretaris-generaal de minister in kennis van zijn advies, die op zijn beurt de farao raadpleegt...' 'Hoe lang duurt dit alles?' in-

formeerde ik, de moed reeds in mijn sandalen. 'Nou,' stelde de goede man mij gerust, 'na een half jaartje komt het wel in orde, zo je geluk en wat voorspraak hebt.'

Ik besloot meteen al mijn troeven op de tafel te werpen en zei groen: 'Het is maar zonde voor de wijn. Die hou je geen jaar goed bij dergelijke hitte. Het is een heel bijzondere wijn, maar een half jaar hou je hem beslist niet goed.' 'De wijn hoef je niet te laten bederven, die kan ik hem wel bezorgen.' 'Neen,' haastte ik mij, 'wij houden erg veel van elkander, want wij zijn samen opgegroeid en onze vader keek weinig naar ons om. Als ik hem die niet eigenhandig bezorg, heeft hij er zo goed als niets aan.' 'Dan zal je hem zelf maar moeten opdrinken,' raadde hij mij droefgeestig aan en tot mijn innige tevredenheid bemerkte ik, dat zijn oogjes lang niet meer zo onverschillig stonden. 'Alleen?' mompelde ik ontgoocheld, 'alleen?...' 'Nou ja, alleen is maar alleen, dat begrijp ik best. Maar je moet begrijpen, het reglement, zie je... Doch als ik je er een dienst zou kunnen mee bewijzen...' 'Je kan mij slechts één dienst bewijzen, nu de zaken er toch éénmaal zo voor staan,' onderving ik zijn bedoeling met haast smekende aandrang, 'en die bestaat hierin, dat je met mij deze kruik ledigt op de gezondheid van de koninklijke gevangenisbewaarder, die ik als een man van plicht en eer beschouw, wat ik respecteer, en die inmiddels het hart op de rechte plaats draagt!' Terwijl hij manhaftig zijn gordelriem boven zijn buik sjorde, haalde ik van onder mijn mantel een deel van de kostbare last te voorschijn, mij door Tjenuna als doorslaggevend argument toevertrouwd en klaarblijkend uit Potifars bloedeigen kelder afkomstig. Een ogenblik nog scheen hij de verleiding weerstand te zullen bieden, doch aan de wijze waarop hij met de rug van de hand langs de verkleurde uiteinden van zijn defaitistische snor streek, bemerkte ik dat de vesting mij toebehoorde en het nauwelijks nog enkele tellen kon aanlopen vooraleer het plichtsbesef het onderspit zou delven. 'Vooruit dan maar!' kafferde hij luidruchtig, minder om nog indruk op mij te maken, dan om zijn tweede ik, dat hem misschien langs de binnenkant vermanend de hand op de schouder legde, tot zwijgen te dwingen. Hij verleende mij toegang tot een vrij net gehouden en helemaal niet zo somber gebouw, als waaraan ik mij verwacht had. Wij liepen over de binnenplaats, waar enige kippen hysterisch in de zon liepen te kakelen en als in het beroemde Hebreeuwse schoolversje van een gelauwerd dichter een haan krijgshaftig van op de mesthoop kraaide. Zo belandden wij in zijn tuintje, waar hij pronkappels, sla en spercieboontjes kweekte voor zijn plezier en een hokje had opgetimmerd, omrankt door bloeiende winde, dat ons tegen de stralen van de namiddagzon beschutte. Wij namen plaats en dronken om beurten. Het wijntje klokte zalig naar binnen, ofschoon ik de voorzorg nam het leeuwedeel voor hem te laten, wat hij best vond. Iedere teug maakte hem vrolijker en geduldig luisterde ik naar al de schunnige soldatenmoppen, die hij zich uit zijn diensttijd herinnerde. Er waren er, die ik niet helemaal begreep, doch niettemin spande ik er mij toe in om telkenmale gewetensvol en op zijn minst even luid als hij om zijn geestigheden te schateren. Toen de kruik tot de laatste druppel ledig was, bracht zulks mij niet in verlegenheid, want ik had mijn voorzorgen genomen. Terwijl hij haar somber omgekeerd hield, goochelde ik er een tweede te voorschijn en duwde hem die triomfantelijk onder de neus. Hij omhelsde mij met tranen in de ogen en noemde mij zijn dierbare vriend en laatste toeverlaat. Steeds ben ik kieskeurig en bedachtzaam geweest bij het aanknopen van vriendschapsbetrekkingen, doch ditmaal prees ik de hemel om de even plots als demonstratieve tederheid zijner gevoelens. Ofschoon trager, dronk hij nog steeds met dezelfde toewijding en scheen na een poos volkomen mijn tegenwoordigheid over het hoofd te zien, nadenkend voor zich uit hikkend, wat mij minder beviel. Het bleek echter dadelijk, dat ik mij hierin niet ongerust hoefde te maken, want eensklaps keek hij me weer aandachtig aan en gnuifde: 'Een goeie grap, een verdomd goeie grap.' 'Ja, een verdomd goeie grap,' grinnikte ik op mijn beurt, 'maar wat bedoel je eigenlijk?' Nadrukkelijk plantte hij zijn wijsvinger onder mijn borstbeen en herhaalde: 'Een beestig goeie grap' en schaterde het uit, terwijl de wijn langs zijn stoppelbaard liep. 'Jij bent de broeder van Jozef, wat? Ben je er ook zo eentje als je broeder, Hebreeuwtje?... Nee, jij bent een veel fatsoenlijker knaap, dat merk ik aan je onschuldige snoet... Maar Jozef, dàt is nog eens een man.' 'Ja,' beaamde ik dwaas, 'Jozef is een man.' 'Een vent met je weet wel wàt aan zijn lijf, hoor je?' 'Dat is het,' overwoog ik wijsgerig, 'net wat je bedoelt!' 'Nou, reken maar...' grijnsde hij, 'en helemaal geen spercieboontjes. Zo je me niet gelooft, kan je het vragen aan de vrouw van Potifar, die weet er meer van!' en hij kraaide van de pret. 'Voor zo iets heb ik respect, jonge man, prosit, op je gezondheid... Maar toch maak ik geen onderscheid tussen jullie beiden. Hij is mijn vriend, omdat ik ontzag koester voor het misdrijf, dat hem hier bracht. Ach, nog ééns jong zijn en weten, wat ik nu weet!... Maar jij bent ook mijn vriend, omdat jij je wereld kent en weet, wat een koninklijk gevangenisbewaarder toekomt!' 'Het ambt van gevangenisbewaarder is heel belangrijk,' opperde ik neutraal, of ik tot me zelf praatte, 'waarheen zou de wereld gaan zonder gevangenisbewaarders?' 'Precies,' luidde het ietwat stamelend, doch triomfantelijk, 'waarheen zou zonder ons de wereld gaan?' Ik voelde, dat er een moment van grote strategische betekenis aanbrak en besloot nogmaals het grof geschut te laten aanrukken. 'Precies wat ik gisteren Horemheb nog zei, toen wij in 'de Nijlnimf' zaten...' 'Horemheb?' vroeg hij en hikte van verbazing, 'Horemheb, het troetelkind van de farao?' 'Precies. Hij is het, die ik bedoel. Toen wij gisteravond samen in 'de Nijlnimf' zaten, zei ik hem...' 'Ben jij de vriend van de officier Horemheb, Hebreeuwtje?' 'De vriend is misschien té veel gezegd, doch wij ontmoeten elkander in ieder geval regelmatig. Ook Jozef was in de goede tijd steeds van de partij, en Thotmes, de koninklijke beeldhouwer, je weet wel...' Ditmaal keek hij mij aan met al de lodderige tederheid, die de wijn als verflenste papavers in zijn ziel deed opbloeien, ofschoon ik een ogenblik vreesde, dat de naam van de krijgsman hem ontnuchterd had. 'Luister,' sprak hij behoedzaam, 'je bent mijn vriend, is het niet?' Nadrukkelijk bevestigde ik hem mijn innige verkleefdheid totterdood. 'En vermits je ook de vriend van Horemheb bent... Je zou me een grote dienst kunnen bewijzen. Een grote dienst, begrijp je, een heel belangrijke dienst...' Een poos zweeg hij, of hij verzamelde wat hem na anderhalve kruik zware wijn nog aan geestelijke helderheid overschoot. Ontnuchterd was hij evenwel niet door mijn hoge relaties, want opnieuw gingen zijn woorden schier verloren in gehik en onsamenhangend gebrabbel, zodat het mij moeite kostte om zijn gedachtengang op de voet te volgen. 'Je moet weten, Hebreeuwtje...' 'Ik heet Benjamin.' 'Nou, Benjamin dan... Al veertig jaar lang ben ik gevangenisbewaarder. Veertig jaar is een hele tijd in een mensenleven, begrijp je?' 'Ja, een hele tijd,' beaamde ik en vroeg mij af, waar hij heen wou. 'Nou, luister dan. Je luistert toch, niet?' Ik knikte met toewijding. 'Al lang heb ik recht op een onderscheiding. De onderscheiding van de orde van Aton, snap je? Vroeger was het de orde van Amon, maar dat maakt geen verschil. Maar ik kom niet aan de beurt. Men heeft mij vergeten, of opzettelijk over het hoofd gezien. Men heeft liever niets met mij te maken: gevangenisbewaarders, beulsknechten en lijkenbalsemers zijn lui, waar men liever niets mee te maken heeft. De enen ruiken naar de cel, de anderen naar bloed en dood, zie je. Maar ik heb er recht op. Vind je niet, dat ik er recht op heb?' 'Ten volle,' antwoordde ik, 'niemand heeft er meer recht op dan jij.' 'Zie je wel?' grinnikte hij en loenste teder. 'Jozef zegt het ook, maar die kan natuurlijk niets voor mij doen, daar hij wat bij de vrouw van Potifar gedaan heeft, de rakker!' De hele tijd had ik me van den domme gehouden, doch nu moest ik tonen een niet minder vlotte gezel dan mijn broeder te zijn en zei pienter en nadrukkelijk, opdat mijn woorden duidelijk door de hem omwalmende alcoholische nevelen zouden dringen: 'Denk je, mijn beste gevangenisbewaarder, dat Horemheb iets in de pap te roeren heeft wat het toekennen van dergelijke onderscheidingen betreft?' Dadelijk ging hij hierop in: 'Natuurlijk, mijn lieve Benjamin, je weet toch, dat Horemheb de rechterhand van de farao is, of wist je dat niet?' 'Horemheb is een discreet man en gaat niet prat op zijn relaties,' mompelde ik bezonnen, 'doch zo je inderdaad meent, dat het je baten kan, wil ik er vandaag nog met hem over praten, daar kan je op rekenen.' Hij kreeg er waarachtig nogmaals de tranen van in de ogen.

Een weinig later knarste zijn sleutel na enig onzeker tasten in het slot van Jozefs cel, waar mijn nieuwe vriend enkele ogenblikken nadien luid snurkend in slaap viel op de harde brits, terwijl mijn broeder mij pathetisch aan zijn borst drukte. Wat mij al even matig beviel als de vriendschapsbetuigingen van de koninklijke gevangenisbewaarder. Door een stuurs: 'Mooie geschiedenis, vind je zelf ook niet?' maakte ik een einde aan zijn theatrale begroeting en kon moeilijk een ironische grijns bedwingen, toen het eensklaps tot mij doordrong, dat hij, ijdelheid der ijdelheden, tijdens onze scheiding een korte, verzorgde ringbaard geteeld had, een harig aanhangsel dat hem evenwel zeer goed stond, zijn hooghartige gelaatstrekken prachtig deed uitkomen en nog meer luister verleende aan zijn helderwit gebit, toen hij zacht knorrend glimlachte om mijn ergernis. 'Wind je niet op, Benjamin... Hoe dikwijls heb ik je die raad al niet gegeven? Een ongeluk, meer niet!' Ik koester uitgesproken bezwaren tegen mannen met baarden, verzorgde baarden bedoel ik, — en ze wekken vaak een diep instinctieve afkeer in mij op. Voor mijn gevoel wijzen deze harige onderkaakbosschages, ondanks de stoere luister, die ze hun eigenaar beogen bij te zetten, op een veeleer onmannelijke bekoorzucht, wanneer je denkt aan de bekommernis om snoeien en bijharken, die er door gevergd wordt. 'Het was alles te mooi, wàt?' beet ik hem toe, vooral geïrriteerd door die snertbaard. 'Eerst sleep je me naar het andere eind van de wereld, nadat je het bij onze broeders verkorven hebt. En wanneer ik me eindelijk voorstel, dat we even verademen kunnen...' 'Een ongeluk, zoals ik je reeds zei. Kon ik van tevoren weten, dat een idioot als Potifar die dorre mummie van een moeder van hem opdracht en volmacht gegeven had om over zijn vrouw te waken tijdens zijn afwezigheid? Zou jij je eraan verwacht hebben, dat ze in gezelschap van een paar andere feeksen, opgetrommeld als getuigen, bij het morgenkrieken de kamer van haar schoondochter ging binnendringen ten einde er te zien, wat ze nou éénmaal gezien heeft, om mij daarna onder ede bij de rechter als huwelijksschenner aan te klagen?' 'Je had er zorg kunnen voor dragen je overvloedige energie elders te spenderen. Nou zit je er mee!' 'We moeten gevaarlijk durven leven, mijn beste. Andere vrouwen, als Tjenuna vlakbij was? Trouwens, ik had zin in haar. Is het jou nooit overkomen zin in een vrouw te hebben? Heb je nooit gevoeld wat het is, een vrouw te begeren van het hoofd tot de voeten, — met al wat daartussen aan liefelijks ligt wel te verstaan?' 'Als de honden of de apen met rede en spraak begaafd waren, zouden ze ongeveer als jij over de liefde filosoferen!' Hij schudde meewarig het hoofd, doch bewaarde zijn vriendschappelijke toon. 'Stel je nou die geschiedenis met Tjenuna voor... Je komt als haar ondergeschikte in een huis, geheel van haar vrouwelijkheid doorgeurd en waar Potifar, die ik niet haat, doch misprijs om zijn eigengereide stomheid, als een anachronisme met hangende onderlip doorheen loopt. Hij is kwijlerig en vriendelijk, louter uit geestelijke minderwaardigheid, omdat hij niet weet, hoe hij met dienstbaren hoort om te gaan, doch in háár ogen ben je niet beter dan de slaven, die het veld ploegen, water aanslepen of op het erf de molenstenen aan de gang houden. Naar de goede gewoonte van dit land, zie je haar her- haaldelijk half of helemaal uitgekleed en je bloed wordt zerp en on- rustig. Maar je maakt je geen illusies. Hoe zou men zich illusies ma- ken? Doch overal in huis voel je haar tegenwoordigheid, — een tast- bare aanwezigheid. En dat op zich zelf is een teken, begrijp je?' 'Neen,' antwoordde ik, om hem op één of andere manier dwars te zitten, 'ik begrijp je niet.' 'Geloof me,' vervolgde hij onverstoorbaar, 'het is een teken. Een vrouw, die alleen haar man toebehoren wil en niet, — be- wust of onbewust, — naar het avontuur verlangt, vervult om haar heen de atmosfeer niet met het prikkelende pigment harer tegenwoor- digheid, zoals in Kanaän de geur van de linden de vroege zomeravon- den doorhuivert. Overigens, de kleur op haar lippen, haar wan- gen, wimpers en oogleden, de zijde die als een streling is over haar borst en de navel zichtbaar laat, de sierselen om haar polsen en om haar enkels, in goud en email, zijn zeker niet alleen voor haar echt- genoot bestemd. Geloof me, het is een teken, waar men zich zelden in vergist. En je kijkt aandachtig om je heen, omdat je je afvraagt, wie de andere mag zijn. Doch het huis blijft gesloten voor iedere bezoe- ker...' 'En van dat moment af, kan mijn lieve broeder het geen ogen- blik meer uit zijn hoofd zetten, dat hij het patente middel is tegen de mediocriteit van Potifar, de onzalige...' snauwde ik, geërgerd door het ongepaste onzer conversatie, of veeleer van zijn opgeschroefde mono- loog in deze gevangeniscel. 'Pardon, mijn waarde, met zo'n vaart loopt het niet van stapel. Zonder dat ik je wil vleien, ik hield beslist met jouw aanwezigheid rekening en heb je zelfs een behoorlijke kans gegund, die je niet hebt benut, omdat je er stomweg niets van merkte. Jij zult in het leven trouwens wel nooit lucht van de goede kansen krij- gen, maar ik beloof je mijn best te doen, om je er voortaan attent op te maken, zo je dat kan geruststellen...' 'Erg vriendelijk van je. Waren we maar al zo ver, nietwaar?' Hij lette niet op mijn onderbreking, doch vervolgde dromerig: 'Maar daarom ging het trouwens niet, noch om jou, noch om mij, noch om het even wie ging het eigenlijk. Een gehuwde vrouw wordt zo maar niet dadelijk op een ander ver- liefd. Misschien wordt ze wel nooit op een ander verliefd. Er is nu éénmaal het overgeërfde gebod, dat zo iets schandvlekt. Maar ze geeft zich vaag rekenschap van een leegte; ééns hiervan bewust, tracht ze in die leemte te voorzien, hoe dan ook, al moest ze bij vriendinnen troost zoeken of zich zelf, — nou ja, je weet wel. Eerst wil ze het niet erkennen. Doet ze dat, wanneer ze op zekere avond, meer bewust van haar lichaam dan op andere dagen, naar de streling van het water der rivier verlangt? En wanneer ze meer zorg dan vroeger aan haar toilet besteedt, soms op de rand van het riskante af? Eéns zo ver is er geen spraak van keuze meer, mijn beste Benjamin. Wie komt is welkom, of hij Horemheb heet, Benjamin of Jozef, zij is bereid. Zodat ik hoegenaamd geen reden heb om trots te zijn op mijn verovering. Tjenuna is mij als een rijpe vrucht in de schoot gevallen, zonder veel verdienste wat mij betreft, tenzij deze, dat ik ongeveer weet, wat een vrouw als zij verlangt van een man, ofschoon zij tevoren nooit volledig besefte, wat het beduidt vrouw te zijn en als vrouw te worden genomen. Wat er hoegenaamd de charme niet van aantast, integendeel zelfs. Ik houd niet van moeizame veroveringen en ingewikkelde hofmakerij. Mij volstaat de prikkelende vraag, of je goed gezien hebt van het begin af, of de kleine tekenen, waarvan je de zin meende te ontraadselen, inderdaad enige betekenis bezaten, die keer, je herinnert het je nog zo goed, toen toevallig jouw hand haar hand, haar borst jouw arm raakte en haar ogen de daaropvolgende avonden langer in jouw ogen rustten dan om welke reden ook noodzakelijk. En dan zijn er, ondanks alles, de zoete aarzelingen van het laatste ogenblik, als je je afvraagt, of het geen zelfbegoocheling was en als zij nog wordt geslingers tussen de mogelijkheid te zullen of niét te zullen en of haar stille wenken, die zij zichzelf nog steeds ten kwade duidt, wel duidelijk genoeg waren. Tot je haar, voor je het goed beseft, in de armen houdt en je verbaast over haar vurigheid, die geen enkel voorbehoud meer kent, zodat het enige inspanning vergt je op háár tempo af te stemmen, wil jij zelf, die dit alles met verhitte zinnen doch koel hoofd blijft gadeslaan, niet de indruk van 'n lauwe minnaar opwekken. Je hebt er gewoon geen idee van, broertje, welke steile hoogten van vervoering en welke bodemloze afgronden van zinnelijkheid je dan weldra ontdekt in een vrouw, die je gisteren nog ongenaakbaar toescheen, kuis als een maagd die niet weet, wat een man is en wier toenaderingspogingen je dus herhaaldelijk weer naar de regionen van je eigen verbeelding verwees, omdat zij nu net die ene scheen, die je veronderstelling, dat alle vrouwen dezelfde zijn, ten gronde dreigde te richten. Dat is misschien wel de heerlijkste overwinning van alle en doet je reeds dromen, hoe de andere zijn zal, die het lot, dat besef je in je vreemde geluk zeer duidelijk, je heeft voorbestemd.'

Ik was niet gekomen om met Jozef te redetwisten over de liefde, zodat ik er mij toe beperkte de schouders op te halen. Toch voelde ik mij gefascineerd door sommige van zijn beschouwingen, die ik weliswaar als cynisch bestempelde, doch die mij toch tot nadenken stemden en een eigenaardig licht wierpen op de vertrouwelijkheid waarmee sinds zijn arrestatie Tjenuna mij behandelde. De vraag viel in de onbehaaglijke stilte, vooraleer ik er behoorlijk over nagedacht had (wat mij trouwens in mijn leven vaker overkomen is): 'Heb je haar dan niet lief?' Hij keek mij gekrenkt aan, – en weer was het die heilige verontwaardiging van hem, één der talloze middelen, waarmede hij later zo vaak de harten van anderen, die in hem de gezant Gods zagen, naar de bedoelingen van zijn koel functionerend verstand moduleerde: 'Of ik haar lief heb? Hoe zou ik het kunnen, haar niet lief te hebben? Natuurlijk heb ik haar lief.' 'Desondanks droom je reeds van de volgende?' Hij mat mij met een blik, waarin spot en deernis om zoveel naïeveteit elkaar de voorrang betwistten. 'Je bent een dweper, Benjamin, maar een dweper van de volstrekt ongevaarlijke soort. Dat gaat vervelen op de duur... Je hebt te veel gedichten gelezen, beste jongen, te veel gedichten van middelmatige poëten, die om de gunst dingen van de publieke opinie door de grootste gemene deler te zijn van de middelmatige smaak en de middelmatige moraal van de kleinburgerlijke intellectueel uit onze barbaarse stam, de priester, de schoolmeester, de herbergier, de notaris en andere dorpsnotabelen van hetzelfde allooi, gedichten die uiting geven aan de tegengestelde polen van mystiek en zinnelijkheid, welke aan de basis van onze cultuur liggen, zoals de kritiek dat noemt, mystiek als ons volk beeft in somber of lachwekkend bijgeloof allerhande, zinnelijkheid als het zich op feesten en kermissen als varkens bezuipt en de volgende morgen ontwaakt in de drek nabij de zwijnenstal... Laat mij het je leren, Benjamin... De ware liefde, de liefde naar onze diepste menselijke aard, beperkt zich nooit tot één vrouw, doch zoekt bij elke andere nieuwe extasen. Zij laat zich nooit kortwieken door regelen of voorschriften, opgesteld door seniele priesters, die haar met tegenzin dulden in het door hen gespreide echtelijk bed, op voorwaarde, dat de tastbare gevolgen niet langer dan negen maanden uitblijven in een paroxysme van mensonterende weeën. Een vrouw, Benjamin. Weet jij eigenlijk wel, wat een vrouw voor iets is? Ach nee, hoe zou je het ook weten?... Zie je, misschien is zij het enige bewijs voor het bestaan van één of andere Godheid, die in een bui van goddelijke verveling het mensdom tot leven riep. Jij, die je zelf een scepticus noemt, zou het eens moeten beproeven, of zij je niet tot betere inzichten kan brengen,' insinueerde hij devoot. 'Zoals de ganse schepping een raadsel is, zo belichaamt zij het vleesgeworden raadsel; het antwoord hierop is de formule tot een kortstondig, doch heftig geluk.' 'Het geluk van de honden in de straat,' snauwde ik scherp, 'ja, die moeten ook verdomd gelukkig zijn, zolang er niemand met de bekende emmer water komt opdagen,' doch mijn ironie bleek niet de geringste vat op hem te hebben. 'Je trekt weliswaar een gezicht als een oorwurm, lieve broeder, doch inmiddels weet je niet, waarover je praat. Jij zult altijd wel een Hebreeuw van de oude stempel blijven, die de erfzonde en dergelijke onzin meer loopt te herkauwen, met complexjes allerhande behept, waarvoor de liefde iets onfris en verbodens is. En toch verzeker ik je, Benjamin, dat er niets heerlijker is dan te zien, hoe een vrouw haar schroom overwint en aldus haar eigen beperktheid aflegt, samen met haar kleren, tot zij open gaat als een bloem voor wie de eigen bloesem volstaat, zodat om haar heen de wereld rustig mag vergaan. En laat vooral je oren niet hangen naar de priesters, die de lijfelijke gemeenschap tussen man en vrouw als iets onnoemelijks voorstellen, waar zij ons daarentegen reinigt naar ziel en lichaam, zodat wij als herboren uit haar gloed opstaan.' Ik getrootte mij niet langer de moeite hem in de rede te vallen... Toen kreeg hij eensklaps een barokke ingeving en vervolgde opgetogen, — ik herkende de opgetogenheid, die op allen, met hem in vriendschappelijk verkeer, zo aanstekelijk scheen te werken: 'O, mijn beste Benjamin, jij die mij tot in dit verre land gevolgd bent, laat mij in de toekomst je minnaressen kiezen, — waarom zouden het ook mijn minnaressen niet zijn? Ik zal je leren, wat het leven groots en diep maakt, zonder de geest te vertroebelen en onze mannelijke drang naar daden te ondermijnen in de sleur van een gedwongen trouw, die mettertijd tot gewoonte en later tot afkeer verzandt... Zo zal je ondervinden, hoe je de begeerte raadt bij de meest gesloten vrouwen, daarna zal je de smaak van haar lichamen onderscheiden en op de tast de verschillen in haar intiemste vormen herkennen, de korrel in het pigment van een huid, de geur harer overgave raden uit de kleur van haar lokken en de tint of de vorm der rozeknoppen harer borst voorspellen.' Ik hief afwerend de hand ten antwoord op al die heerlijkheden: 'Wanneer denk je met de werkzaamheden een aanvang te maken? Heb ik mij de moeite getroost tot hier te komen en die idioot met twee kruiken wijn dronken te voeren, om thans reeds een half uur naar je kletspraat te moeten luisteren?' 'Je hebt gelijk,' trad hij me op gans andere toon bij, 'het komt erop aan hier zo spoedig mogelijk uit te geraken. We kunnen ons natuurlijk meester maken van de sleutels van dat dronken varken, doch dat ware geen oplossing. Ik voel er weinig voor, om het bestaan van een vogelvrije te slijten... Het grootste gevaar is, hier voorgoed vergeten te worden, zoals men reeds menigeen vergat. Ondertussen mag ik me niet over mijn lot beklagen. Kaptah, de gevangenisbewaarder, heeft zoveel als zijn assistent en secretaris van me gemaakt. Het is toevallig het uur van de soep. Steek je even een handje toe? Ja, laat hem maar snurken.'

In de keuken — of wat hier althans voor doorging — vonden wij een dampende ketel boven het vuur, waaruit onbestemde doch vrij modderachtige geuren opstegen. Met deze ketel en een enorme houten potlepel gewapend trokken wij door de gangen van cel tot cel, waar ik, ondanks de onverschilligheid van de meeste gevangenen, er mij telkenmale over verbaasde, welke een betrekkelijke populariteit Jozef onder hen genoot. 'Een gekke gevangenis is het hier,' opperde ik na een poos. 'Eigenlijk heb ik nog niemand gezien, die iets van een misdadiger heeft.' 'Eén van de weinige authentieke boosdoeners volgens 's lands rechtspraak ben ik,' gekscheerde mijn broeder. 'Ik die het bed van Potifar bezoedelde, zoals de retorische rechter het zo welbespraakt, doch enigszins onsmakelijk formuleerde, of hij zelf een Hebreeuw ware geweest.' 'En de anderen?' vroeg ik, op een zo onverschillig mogelijke toon. 'Slachtoffers van het nieuwe regime, halsstarrige Amonaanbidders, samenzweerders en oproerkraaiers, die complotteerden tegen Ichnatons gezag en leer.' 'En deze vorst noemt zich de koning van het licht, de verzoening en de gerechtigheid?' 'Tussen droom en daad staan wetten in de weg en praktische bezwaren, zoals onze minst gelezen dichter het reeds bezongen heeft. De koning zelf trouwens verkeert in de waan, dat deze gevangenis alleen nog maar wat schaarse misdadigers van gemeen recht herbergt, baanstropers, beurzensnijders, zakkenrollers, mietjes en dergelijk gespuis... Hij heeft het verbod uitgevaardigd zijn tegenstrevers op enigerlei wijze te vervolgen en beval zijn ondergeschikten hen door zachte overreding tot de ware leer te bekeren. Deze laatsten slaagden hierin evenwel nooit, dat begrijp je zo, kregen het ten slotte op de heupen en stopten hun dwarshoofden van bekeerlingen veilig achter slot en grendel: opgeruimd staat netjes. Thans getroosten zij zich geen vruchteloze moeite meer en gooien ze van de aanvang af in de gevangenis.' 'Afschuwelijk,' walgde ik. 'Zo luidde ook mijn oordeel in de aanvang... Maar hoe langer ik erover liep te piekeren, hoe duidelijker het mij werd, dat het in de grond een wijze maatregel was, die navolging en systematisering op grote schaal verdient, wil men het voortbestaan verzekeren van een regime, dat men als heilvol voor de samenleving beschouwt: het zou één van de grootste politieke hervormingen uit de geschiedenis kunnen worden, — de gevaarvolle elementen methodisch van de gemeenschap afzonderen, hen in nacht en nevel hullen, hun naam uitwissen, hun bestaan opheffen en zo mogelijk de herinnering aan hen uitroeien...' 'Reken je de huwelijksschenners ook tot de staatsgevaarlijken?' informeerde ik langs mijn neus weg. 'In principe wel,' klonk het zonder merkbare ironie, 'daar zij de kern, de intiemste levenscel van de staat, de familie zelf aanranden.' 'Ik zou je een huichelaar noemen,' antwoordde ik vlak, 'ware het niet, dat ik je genoeg ken om te weten, dat jij je zelf instinctief aan de kant van de heersers en nooit aan die van de overheersten schaart, zodat je bij voorbaat de voordelen van de situatie op je persoonlijk bilan verdisconteert. Ik huiver voor de wereld van hardheid, onmenselijkheid en leugen, waarin jij je thuis zoudt voelen als een vis in het water...'

Hij gaf geen antwoord. Wanneer ik hem aankeek terwijl we de ketel voor de laatste deur nederzetten, viel het mij op, dat zijn gedachten elders toefden, doch door de spanning, die ik achter zijn wazige blik raadde, kon ik de intense werkzaamheid van zijn geest vermoeden. Zo leek het, of ik eindelijk weer de oude in hem terugvond. Het stemde mij rustiger en dempte mijn wrok, al wist ik ook uit bittere ervaring welke heilloze of dolle plannen meestal deze zichtbare concentratie ontsproten. 'De gevangenen in deze kerker zijn er heel bijzondere,' zei hij bedachtzaam, 'je moet ze met de nodige eerbied behandelen. Net als ik, vallen zij buiten de categorie van de politieke delinquenten; hun misdrijf vertoont trouwens zekere gelijkenissen met het mijne. Eéns waren zij hoogwaardigheidsbekleders, bakker en opperschenker aan het hof, doch zij wekten voortdurend de ergenis van de farao op door hun liederlijk gedrag, waar geen enkele keukenmeid, geen enkel kamermeisje, geen enkele danseres of zelfs geen enkele hofdame veilig voor was. Zelden ging er een dag voorbij, zonder dat er één of ander schandaal aan de oren des konings kwam. Hij betoonde zich echter verduldig en bad zijn God, dat deze de geilheid zijner ondergeschikten zou keren, wat hoegenaamd geen aarde aan de dijk bracht, integendeel. De kruik echter ging zo lang te water, zoals ze bij ons zeggen, — je weet wel. Tot haar gevolg rekent Nefertete een gezelschapsdame, mooi als de dageraad, die haar zeer lief is, daar zij aan het hof haars vaders samen als zusters zijn opgegroeid. De twee loeders drongen op zekere avond door tot haar slaapvertrek en deden haar voorstellen, die men als oneerbaar bestempelt, wanneer de tweede, of hier eigenlijk de derde partij er geen zin in heeft. Zij hàd er toevallig geen zin in, doch Kamenofis, de bakker, die een man van de daad is en bovendien een blijkbaar moeilijk te beheersen temperament bezit, wat wellicht aan de hitte zijner ovens dient toegeschreven, ging na vruchteloos aandringen tot handtastelijkheden over, wat ik persoonlijk een smakeloos initiatief vind, daar de liefde op wederzijds akkoord moet berusten. Zoals te verwachten was, ging de schone aan het gillen. De blakende bakker en zijn kornuit werden op heterdaad betrapt, — wat een prachtige uitdrukking, vind je ook niet? —, en gearresteerd. Het onderzoek is thans eindelijk afgelopen en de desbetreffende bescheiden werden gisteren aan Kaptah overgemaakt: ik heb ze hem van de eerste tot de laatste letter moeten uitspellen, daar hij niet lezen kan. Gezien de medeplichtigheid van Atenmes, de opperschenker, zich niet door geweldpleging heeft gemanifesteerd, zal hij over enkele dagen op vrije voeten worden gesteld en opnieuw in zijn functie hersteld, doch de bakker zal hangen, derwijze al de andere aspirant-schoffeerders en soortgelijk liederlijk gespuis tot voorbeeld strekkend. In de naam van Aton, amen. Kom, ik stel je aan die heren voor!'

De sleutel knarste in het slot en ik voelde mij zeer onbehaaglijk bij de gedachte, dat ik een mens zou ontmoeten die, zonder het zelf te weten, in feite reeds gestorven was; opnieuw haatte ik mijn broeder om zijn cynische onverschilligheid.

Weinig aan beide gevangen herinnerde hun hoge afkomst, zoals ze daar vervuild, halfnaakt en met koortsige ogen op het rotte stro lagen. Toch was de komst van Jozef hun niet onwelgevallig, want nadat zij elkander met de blik geraadpleegd hadden, wat stellig met mijn tegenwoordigheid verband hield, sprak de jongste van de twee, die mij als Atenmes, de opperschenker, werd voorgesteld: 'Waarde vriend, wij hebben besloten beroep op je wijsheid te doen.' 'Geheel tot je dienst,' antwoordde mijn broeder, wiens elegante voorkomen opvallend afstak tegen hun slonzige armzaligheid, 'hoe kan ik jullie helpen?' 'Ziehier waar het om gaat. Reeds vaak hoorden wij je zinspelen op je occulte talenten en je zienersgaven.' Ik vroeg mij met angst om het hart af, waar dat nou weer heen moest. 'We hadden vannacht ieder een droom, waarvan de gelijkenissen zo opvallend zijn, dat wij tot de slotsom kwamen, dat er niet alleen tussen beide een duidelijk verband bestaat, doch dat ze bovendien een zinvol teken moeten inhouden met betrekking tot ons onzalig lot.' 'Laat horen,' sprak Jozef met een deskundige modulatie in de stem, als een arts, die een patiënt ondervraagt, doch wiens diagnose bij voorbaat zo goed als vaststaat. 'In mijn droom verscheen mij een wijnstok,' biechtte de opperschenker, 'waaruit drie ranken opschoten, die weldra in volle bloei stonden en waarvan de bloesems onder mijn verbaasde ogen in druiventrossen veranderden, die zichtbaar rijpten. In mijn hand hield ik de drinkschaal van de farao, waarin ik de vruchten perste en die ik daarna mijn vorst overhandigde.' 'Duidelijker kon het niet,' glimlachte Jozef luchtig, maar schijnbaar enigszins ontgoocheld, of hij zich aan een veel ingewikkelder probleem verwacht had. 'Luister goed naar wat ik je zeggen ga: ieder van de wijngaardranken stelt één omloop van de zon voor, en je droom komt hierop neer, dat je over drie etmalen op vrije voeten zult gesteld en in je vroegere waardigheid gerehabiliteerd worden, zodat je, vooraleer de avond van de vierde dag aanbreekt, opnieuw de koninklijke drinkschaal zult vullen, door de vorst gewaardeerd, door een ieder geëerbiedigd en door de vrouwen geliefd, zoals het een man van jouw rang, talent en verstand toekomt.' Bij het vernemen van deze heuglijke tijding huilde de hoveling warempel echte tranen van ontroering en beloofde Jozef, dat hij hem nooit vergeten zou, terwijl hij hem snikkend in de armen drukte. 'Aan de volgende van deze heren,' richtte de ziener zich tot de tweede gevangene. 'Ik droomde,' begon de bakker hortend zijn verhaal, 'dat ik drie korven uit louter wittebrood op het hoofd droeg. In de bovenste bevond zich allerlei mondvoorraad voor de koning, in de oven gebraden, mondvoorraad die echter door achter mij aan fladderende grauwe vogels verslonden werd... Meer droomde ik niet...' Mijn broeder keek de bakker aan met befloerste blik en een smartelijke plooi om de mond: 'Wees sterk, mijn vriend, en put kracht uit de gedachte aan het rijk der eeuwige zaligheid, waarvan je weldra de zegeningen zult smaken. Vooraleer voor de vierde keer de zon opgaat, zul je met de dood voor je misstap boeten en de raven der woestijn zullen zich vergrijpen aan je weerloze vlees. Zo is het, dat de god van Ichnaton, wiens naam geprezen zij, het mij ingeeft...'

In gedachten zag ik twee door de zon gebruinde knapen vluchten voor het naderende onweder, terwijl zij doorheen het hoog opdwarrelende stof met luide kreten de kudde vóór zich uit joegen. Ik voelde, dat Jozef volop bezig was opnieuw het lot naar zijn wil te dwingen, hoewel ik niet bevroedde, wáár hij het eigenlijk op aanlegde. Maar ook ditmaal zou hij slagen, dat wist ik.

7

DE ZOON VAN ATON

Toen ik éénmaal op de knieën was gevallen en het aangezicht tegen de vloer aandrukte, steeg er een beschamend gevoel van vernedering in mij op. Het was alsof al de zolang door mij verloochende trots van ons voorgeslacht opstond in mij, zoon uit tien generaties van ongekroonde koningen, en zich teweer stelde tegen een zo navrante onderwerping. Neen, neen, geen hovaardij maakte mij opstandig, doch een krenking van het geloof dat ik sedert mijn jeugd in me droeg, het geloof in de evenwaardigheid van alle menselijke schepselen, koning of slaaf.

Wat er toen gebeurde, zal ik mijn ganse leven lang niet vergeten. Een stem met een vertederend zachte klank, als een hobooi, waardoorheen iets smekends klonk, sprak mij aan: 'Waarom verberg je het gelaat voor hem, wiens rijk het rijk der liefde is? Sta op. Laten wij als mannen elkaar van aangezicht tot aangezicht aanschouwen!' Al wat er huisde in mijn hart aan wrevel en rampspoed verdween als de nevel voor het aanschijn der rijzende zon; ik voelde mij bevrijd van een zware last, waaronder ik gevreesd had de moed te verliezen en mijn voornemen Jozef te redden op te moeten geven. Ik ademde diep en dacht eraan hoe ik ééns op een avond de gebroken ogen onzer moeder liefdevol gesloten had. Het is vreemd, zelfs onwaarschijnlijk (speelt de herinnering mij parten?), doch thans zag ik de farao voor de eerste maal. Wat was er gebeurd, terwijl ik door de eindeloze zaal met enorme beschilderde zuilengalerijen langs beide zijden, aan wier uiteinden zich zijn troon verhief, langzaam aan de zijde van een stugge hofmeester op hem was toegetreden? Ik glimlachte en ook de kleine man op de troon glimlachte. Er kwam een naamloze vertrouwdheid over mij, of wij elkander sedert altijd gekend, als kinderen reeds samen gespeeld hadden. Zo vreemd was deze herkenning, die beantwoordde aan een sedert mijn prilste jeugd teloor gegane gevoeligheid voor indrukken, buiten de regionen van onze zintuigen gelegen, dat ik op de knieën bleef zitten. Of Ichnaton mijn verwarring bemerkte, of meende, dat ik zijn bevel niet begrepen had, weet ik niet, doch hij liet zijn hiëratische houding varen en daalde van de glanzende treden. Hij was tenger en van een innemende lelijkheid, met het lichaam van een kind en de peinzende blik van een wijze uit verrassend heldergrijze, tot rust nopende ogen. Hij legde zijn smalle hand op mijn hoofd en herhaalde, dat ik zou opstaan. 'Voortaan zal men in dit land nog slechts voor de levenwekkende godheid knielen,' voegde hij eraan toe en op dezelfde rustige en indrukwekkende toon, de zwakheid van zijn stem ten spijt, vervolgde hij: 'Welkom in mijn huis vreemdeling. En zie, louter uit gewoonte is het, dat ik het woord vreemdeling gebruik, want hoe zouden wij vreemden voor elkaar zijn, kinderen van hetzelfde leven en broeders in dezelfde God, scheppend beginsel van het heelal?' Wat kon ik anders doen, dan eerbiedig te zwijgen? Nooit voordien stond het mij zo duidelijk voor ogen, welk wonder zich had voltrokken in dit land, waar de hooggeplaatsten het zich tot voor korte tijd nog als een eer aanrekenden het stof, door de voet des konings betreden, te kussen... Waren het slechts zijn woorden, die mijn verbeelding op hol joegen? Moest ik het toeschrijven aan het contrast tussen zijn schijnbaar onvolgroeide, zelfs licht wanstaltige gedaante en de aura van innerlijke adel, die hem omstraalde en het duidelijkst tot uiting kwam in de glans dier door goedheid gelouterde intelligentie van zijn baardeloos gelaat met de onwaarschijnlijk kleine aangezichtshoek, waarbij de lijn van kin, neus en voorhoofd uitliep in een ongewoon grote schedel? Wat er ook van zij, het vergde geringe tijd, vooraleer ik er mij van overtuigd voelde, dat deze kleine, schijnbaar onaanzienlijke man, de wereld een ander aanschijn gegeven had.

Zelfs thans, zoveel later, nu zijn werk nog slechts de ijdele droom van een hemelbestormer schijnt, verraden en vervloekt door hen, die ééns voorwendden hem te aanbidden, is in mijn hart deze zekerheid even sterk gebleven, of een innerlijke stem mij zegt, dat ééns, — wie voorspelt waar of wanneer? —, een andere koning der liefde zal opstaan en, desgevallend de dood voor ogen, de broederschap onder alle stervelingen prediken. Maar ter zake.

Nog steeds rustte Ichnatons hand op mijn hoofd en onbeweeglijk was ik blijven zitten. 'Kom,' zei hij met stille aandrang, 'nog is de morgen fris. Waarom zouden wij, omgeven door deze trotse stenen en ijdele versierselen, de zon en de hemel derven? Kom. De staatszaken kunnen wachten, wanneer het erop aankomt, een mens te vinden.' Door een bescheiden doch beslist gebaar gaf hij de aanwezige hovelingen te kennen, dat hij met mij alleen wenste gelaten te worden en dat niemand hem hoefde te volgen. Wij wandelden doorheen een gang van zuilen, waarin het goudstof der zeer schuin invallende zonnestralen een geometrisch ritme van licht en donker schiep, dat de indruk van onwezenlijkheid verhoogde, een indruk zonder beklemming en vol vredige harmonie, of ik het altijd wel geweten had, dat ik hier ééns naast de vorst der wereld zou kuieren.

Langs de terrassen, waar enkele weken geleden Tjenuna en Horemheb elkander ontmoet hadden en waar voorgoed de onrust, die zoveel ellende had veroorzaakt, in haar bloed gevaren was, daalden wij over brede terrassen naar de tuin die, ofschoon met grote zorg aangelegd, niettemin van een bevallige natuurlijkheid getuigde, vooral waar hij tot aan de oever van de stroom reikte en een hoogblond, halve-maanvormig strand zich om een besloten kreek kromde in de schaduw van vele moerasceders, tamarinden, lorken en egelantieren. Slechts dergelijke uitheemse boomsoorten waren het, waardoor zich de tussenkomst van de mens in dit idyllische landschap verried. 'Hier kunnen wij rustig praten,' zei mijn leidsman. 'Niets gaat boven dit kleine strand. Ik houd niet van de koele, verwaande paleizen, die mijn vaderen optrokken ter vereeuwiging van hun efemere aardse roem.'

Hij staarde over het water, waarop de zoele zuiderbries trage schepen voortdreef van allerhande vorm en grootte, doorgaans met witte, doch soms met bonte zeilen, als hoog opstaande vlerken. Na korte tijd werd mijn aandacht afgeleid door een vluchtig geritsel en getrappel in het naburige struikgewas, waaruit twee kleine reeën te voorschijn kwamen, zenuwachtig de nauwelijks merkbare wind opsnuivend, of die vol wonderbare geuren was. Tot mijn verbazing kwamen zij beide onbevreesd op haar broze poten met vrouwelijke, behaagzieke trippelpasjes naderbij en drukten zich met de spitse snuit tegen de farao aan, bedelend om een liefkozing, tot hij haar op de koppen krauwde, waarbij zij hem met vochtige blikken teder en verstandig aankeken. Dan sprak hij ze toe op de toon en in de taal waar men kleine kinderen mee aanspreekt, waarna ze gehoorzaam, doch enigszins koketterend op haar schreden terugkeerden. 'Zijn ze niet verrukkelijk?' glimlachte hij. 'Vaak eten ze uit mijn hand en ze begrijpen alles wat ik ze zeg. Men zou wel vergeten, dat het beesten zijn.' Gewoonlijk heb ik het niet al te erg op met lui, die met veel uiterlijke nadruk van dieren houden, want dikwijls heb ik ondervonden, hoe het maniakken waren, die rustig een mens zouden laten creperen als het in hun kraam te pas kwam, zoals ze zonder blikken of blozen de staart van een hond inkorten of hun kater laten castreren, opdat het lieve dier zich voortaan netter zou gedragen. Met dergelijke lieden had de koning evenwel niets gemeen, dat zag ik wel dadelijk. Het zou me op dat ogenblik niet hebben verbaasd, wanneer als in de fabelachtige tijd van de Ark, zelfs de vervaarlijkste beesten uit wouden en woestijnen van heinde en verre waren toegestroomd om zich aan zijn voeten te vlijen, speels als poezen en spinnend om een liefkozing of een vriendelijk woord.

Een tijdlang zwegen wij, doch de stilte drukte mij niet. Buitenstaanders hadden mijn zwijgen in dergelijke omstandigheden als een onbeschaamdheid opgevat, maar onbeschaamdheid was het niet en ook mijn aangeboren schuchterheid had er niets mee te maken. Ik voelde, dat het nu eenmaal zo moest zijn en vrede was in mijn hart. Al pratend kunnen mensen alles verbergen, onder de hoffelijkste vraag of het nadrukkelijkste antwoord liggen misschien werelden van afkeer en haat, doch nooit bedriegt ons de stilte. Geliefden voelen zich het gelukkigst, wanneer de woorden machteloos en aldus overbodig geworden zijn, mannen weten wat zij aan elkaar hebben op het ogenblik, dat het voldoende is in elkaars gemoed te lezen, over de onvolkomenheid der woorden heen.

Ik was er mij weliswaar van bewust, dat Jozef door dergelijke vrome beschouwingen weinig gebaat werd, doch thans kon ik de vorst niet uit zijn mijmering wekken. Later heb ik bij hem een steeds wakkere voorkomendheid leren ontwaren, die je ervoor behoedde door zijn hoge rang en aangeboren waardigheid in verlegenheid te worden gebracht. Anderen te imponeren was de geringste zijner bekommernissen en ook ditmaal scheen hij duidelijk te voelen, dat het ogenblik aangebroken was, om mij de helpende hand te reiken. Hij glimlachte opnieuw en de ongekunstelde verlegenheid van zijn glimlach ontging mij niet, want onmogelijk kon ik de blik van zijn gelaat losmaken. 'Het is zulk een prachtige morgen, dat het mij werkelijk moeite kost om mijn geest tot lucht te dwingen. Thotmes vertrouwde mij toe, dat je met een verzoek kwam. Zeg mij rustig, wat je hart bezwaart.' Ik aarzelde. Hoewel Jozefs cynisme mij in de gevangenis bedroefd en geërgerd had, was ik zeer bekommerd om zijn lot. Thans echter vervulde de alledaagsheid van zijn avontuur mij met narigheid. 'Kom,' drong Ichnaton aan, 'ik ben geen koning, jij geen ondergeschikte. Spreek dus vrij uit.' Ik keek in zijn amandelvormige ogen, waarvan ik daarstraks reeds tot mijn verbazing de heldergrijze kleur opgemerkt had. 'Vergeef mij, mijn vorst,' zei ik met tamelijk vaste stem, 'vergeef mij de driestheid uw goedheid in te roepen naar aanleiding van een misdrijf, dat mijn broeder Jozef in de kerker bracht, een misdrijf, dat waarschijnlijk slechts de naam van misstap verdient, doch mij met een gevoel van schande en schaamte vervult...' 'De misstap behoort tot de menselijke natuur, Benjamin, en noopt dus tot begrijpen. Is begrijpen niet de zuster van vergeven? Vertel mij, wat je zo droef te moede maakt.' Ik scharrelde al mijn moed samen: 'Mijn broeder en ik zijn Hebreeuwen, uit het land van Kanaän, korte tijd geleden hier aangekomen. In een afspanning, waar wij onze maaltijd gebruikten, leerden wij de officier Horemheb en de beeldenmaker Thotmes kennen. Zij bejegenden ons als vrienden en Horemheb zorgde ervoor, dat wij een betrekking kregen in het huis van Potifar. Terwijl onze meester, die ons steeds voorbeeldig behandeld heeft, op reis ging, maakte Jozef hem tot schande met Tjenuna, zijn vrouw. Het kwam Potifars moeder ter ore, die hem betrapte en naar de rechter liep. Zo belandde Jozef in de gevangenis.' Het gelaat van de koning was sereen gebleven. Mijn hart klopte onstuimig. Ontdaan van alle bijzonderheden en nevenbeschouwingen, viel dit verhaal mij minder zwaar, dan ik vooraf gevreesd had. 'Het komt er vooral op aan, Benjamin, ons persoonlijk oordeel niet met de wet te verwarren. — Al werd ik honderd jaar, dan nog ware mijn leven te kort om allerwegen liefde en rechtvaardigheid te doen heersen,' voegde hij er met een ontgoochelde klank in de stem aan toe. 'Strikt genomen begaat hij, die overspel pleegt met een anders vrouw een grove fout. Toch vervult de wijze, waarop onze wetboeken op deze en soortgelijke inbreuken de nadruk leggen, mij met grote weerzin. Zij maken de daders tot getekenden, zonder enige belangstelling voor de omstandigheden aan de dag te leggen. Ik heb Tjenuna een paar weken geleden van nabij gezien en Potifar ken ik sedert jaren. Moest ik evenwel persoonlijk de rechter zijn, dan zou ik aan het overspel zelf gering belang hechten, ofschoon het mij toch zou interesseren in hoeverre Tjenuna overmand werd of medeplichtig, verleide of verleidster was. Jozef echter zou ik onder ogen brengen, hoe zijn grootste misdrijf hierin bestaat, dat hij misbruik heeft gemaakt van Potifars weerloosheid. Ook jij moet opgemerkt hebben, hoe weerloos Potifar wel is. Rechtvaardigheid zal heersen, als de sterkeren zullen beseffen de zwakkeren bescherming verschuldigd te zijn, in plaats van bij hen slechts eigenbaat na te streven. Maar zeg me, Benjamin, wie is uw broeder?' Ik haalde de schouders op. 'Die vraag, mijn vorst, heb ik me zelf al duizendmaal gesteld. De geschiedenis van mijn volk is er een van wijzen, zieners en helden, in zekere gevallen ook van misdadigers, als Caïn, die zijn broeder ter dood bracht en volgens onze overleveringen mede schuld zou hebben aan wat de mensen onderling verdeelt en zal blijven verdelen tot in der eeuwigheid. Maar in welke van beide categorieën zij ook thuishoorden, steeds waren het geweldenaars, naar een andere dan de gewone menselijke maat geschapen schepselen, die men, als ze dood zijn, als giganten en cyclopen ging beschouwen, baardige oerwezens, zó opgestaan uit het graniet of de leem der aarde, die in de donder of het ruisen der wouden de stem der godheid meenden te horen, zich er tot grote daden lieten door leiden of er een middel in zagen om met behulp van kant noch wal rakende speculaties hun feilen goed te praten. Er moeten er meer als Caïn geweest zijn, mijn vorst, doch waarschijnlijk heeft het vooral hem, in strijd met onze volksaard, aan welsprekendheid en dialectische vaardigheid ontbroken en werd hij een misdadiger inplaats van een held... Vergeef me deze uitweiding. Ze was onontbeerlijk om tot de kern van de zaak te komen.' 'Verontschuldig je niet, Benjamin. Voor iedere gelegenheid, die mij geboden wordt om iets meer over de mens te leren ben ik Aton dankbaar! Ga voort, ik vraag het je, en bespaar mij geen bijzonderheden.' 'Misschien verbeeld ik het mij maar, hoewel ik geenszins verblind in hem ben, doch volgens mij bestaat er een behoorlijke kans, dat Jozef ééns tot de groten van onze stam zal gerekend worden, al geven de heroën uit het voorgeslacht hem het diepste misprijzen in, aldus beweert hij tenminste. Soms bewonder ik hem. Op andere momenten boezemt hij me, nu ééns angst, dan weer weerzin in. Doch een man als anderen is hij niet: ik geloof, dat hij aan de beperking van onze menselijke aard ontsnapt en het mij hierdoor moeilijk valt hem naar zijn juiste waarde te schatten. Er is in hem een drang, en ik weet niet, of ik het een duistere drang mag noemen, die hem tot daden drijft, welke vooralsnog vaak voorbarig, onthutsend, maar klaarblijkend nooit onoverwogen zijn. In zijn ogen is iedere daad een goede daad, omdat ze er ons toe aanzet de aangeboren inertie te overwinnen en ééns deze overwonnen, wordt het onmogelijke mogelijk. Op grond van deze opvatting is het, dat ik het aangedurfd heb Thotmes' voorspraak in te roepen. Ware mijn broeder inderdaad alleen maar een vrouwenloper, dan zou ik het niet wagen genade voor hem af te smeken...' Mijn stem werd onzeker. Niets wees er mij op, dat Ichnaton mij met minder welwillende aandacht aanhoorde, doch ik was er mij bewust van, dat ik thans een gebied van Jozefs wezen had betreden, waar ik geen borg meer voor staan kon. Ik vreesde echter, dat het hem niet baten zou, indien ik de kool en de geit spaarde en mijn strijdplan liet varen. Daarom vermande ik mij en vervolgde: 'Ware hij een gewoon vrouwenloper, dan verdiende hij een flinke afstraffing. Maar waarom heeft hij zich aan Tjenuna vergrepen? Om bewust onze meester te bedriegen? Neen. Daartoe heeft hij een te hoge dunk van zichzelf. Omdat hij onmogelijk aan de vrouw in haar kon weerstaan? Ik geloofde het niet, mijn heer. Omgeven door de rust van Potifars woning voelde hij zich als een gevangene, hoewel veel vrijheid ons gegund werd en wij na de dagtaak gingen en kwamen zoals wij er zelf zin in hadden. Doch het leven werd hem te eentonig, het liep er in een vast en kalm spoor, zonder dat hij het kon dwingen aan zijn wil te gehoorzamen. Zijn drang tot daden vond geen uitweg en zo werd hij door Tjenuna bezeten, — o neen, ik bedoel niet lichamelijk, doch geestelijk, in die zin, dat hij zich ongetwijfeld afvroeg, — ik ken hem zo goed! —, welk verzet er in haar zou te overwinnen zijn en hoe zij hem als man zou ondergaan. Ik moet de dingen wel noemen met de daartoe voorbestemde woorden... In gunstiger omstandigheden, zou hij misschien een groots werk verricht hebben, u, mijn vorst, ter ere.' De koning keek mij enigszins weifelend aan, doch zijn antwoord was vrij van ironie: 'Ik ben diep door je woorden getroffen, Benjamin. Het falen van je broeder was menselijk, hoewel verdriet mijn hart vervult, wanneer ik aan de zielige Potifar denk. Maar de wijze, waarop jij hem verdedigt, is mij lief in hoge mate. Zijn vergrijp is zwaar, maar toch heb ik de indruk, dat hij als een buitengewoon mens moet worden beschouwd.' Ik liet mij de kans niet ontglippen. 'Hij *is* een buitengewoon mens... Reeds als kind was hij anders dan ik en onze broeders...'

Het ogenblik scheen gekomen waarop ik, zoals Jozef het mij op het hart gedrukt had, gebruik zou maken van zijn zogenaamde voorspelling aan de voorproever en de opperschenker, die sedertdien in vervulling moest zijn gegaan en dus zo nodig door laatstgenoemde kon bevestigd worden. Toen de jonge koning mij echter vriendelijk met zijn verstandige, open ogen aankeek, wist ik opeens, dat ik mij niet tot deze list zou lenen. Ik was tot het uiterste gegaan, doch de laatste door mijn broeder gevergde schrede zou ik verzuimen, wat er ook gebeuren mocht. Ik bleef zwijgen en wendde de blik af. De warmte was aanzienlijk toegenomen en had de geluiden der vogels in het geboomte verstomd. Op een paar schreden afstands liefkoosde het water het witte zand, waar een kleine bonte hagedis ons knipperend met de ogen van op een steen zat aan te kijken, doch zich met flitsende bewegingen uit de voeten maakte, toen de farao weldadig een einde aan mijn innerlijke spanning stelde: 'Breek je hoofd niet meer over dit alles, mijn vriend. Je hebt me zo nieuwsgierig gemaakt, dat ik Jozef persoonlijk wil leren kennen. Nog vooraleer de zon weer ondergaat, zul je hem als een vrij man aan het hart drukken.' Ik zweeg ontroerd. Hij vervolgde: 'En laten we thans niet langer piekeren over deze afgedane zaak. Vermits je de vriend van Thotmes bent, zul je het prettig vinden hem goeiedag te zeggen, en hem het goede nieuws te melden... Hij werkt hier vlak in de buurt.'

Ik had er vroeger niet op gelet, dat het huis van de beeldenmaker aan de koninklijke tuinen grensde en stond hoogst verbaasd te kijken, waar een kleine deur in de massieve paleismuur ons toegang verleende tot het door de zon geblaakte erf, dat zich aan de achterzijde van Thotmes' woning bevond. Overal lagen indrukwekkende blokken zandsteen, basalt, graniet en marmer verspreid, sommige regelmatig gezaagd tot enorme balken, terwijl andere de onregelmatigheid vertoonden van de rots waaruit ze gehouwen werden. Eén enkel blok viel mij vooral op door het feit, dat de meester of één van zijn leerlingen er zijn krachten op beproefd had, zonder vooralsnog het voorgenomen werk te voltooien, zodat uit de zware materie een ijle en vreemd bezielde vrouwenfiguur scheen op te staan, gans vergeestelijkt en van een eindeloze liefelijkheid, doch des te smartelijker aan haar stoffelijkheid gekluisterd waar de beitel in de steen haar vormen sluimerend gelaten had. Ichnaton sloot zijn hand om mijn voorarm, opdat we even toeven zouden. 'Zo heeft Aton uit de chaos ordenend de schepping tot stand gebracht en het dode met leven bezield,' fluisterde hij gedempt en achter de schijnbare onbewogenheid van zijn vooruitspringend profiel ried ik zijn emotie. Wij liepen ten slotte voort en waar wij de voet zetten, stegen kleine wolkjes op van fijn wit stof, dat dadelijk onze sandalen bedekte. Tussen de steenblokken, de menigvuldige beelden van meer dan levensgrote afmetingen en de werktuigen allerhande, hoofdzakelijk tot het vertillen van de zware lasten bestemd, werden wij geleid door de geluiden van de eigenlijke werkstede, een grote loods, waarvan het schuin hellende pannendak onder de zware arbeid de halfnaakte lichamen van Thotmes en zijn leerlingen beschutte tegen de zon, die thans in het zenit stond.

De gezellen legden de arbeid stil en begroetten de vorst eerbiedig doch zonder laffe onderdanigheid toen wij in hun midden verschenen. De meester zelf, die op een hoge stellage het aangezicht van een monumentaal beeld bewerkte, dat waarschijnlijk de farao voorstelde (de trekken waren nog niet geheel de stof ontgroeid, doch reeds kwam de eigenaardige helling van het gelaat mij vertrouwd voor), liet ons een korte poos wachten vooraleer hij met een voor zijn corpulentie onwaarschijnlijke lenigheid naar beneden kwam klauteren. 'Neem me niet kwalijk,' verontschuldigde hij zich, 'het behoort nu eenmaal tot mijn gewoonten erop los te gaan, zoals ik me voorstel, dat een dichter zijn volzinnen schrijft. Voor een bepaalde bijzonderheid, een trek, een zekere uitdrukking of een rimpeling in de huid, voel ik als het ware vooraf de cadans van een reeks hamerslagen in de handpalm. Onmogelijk kan ik mij zelf ertoe bewegen dit ritme af te breken, vooraleer ik voel, dat het geheel voltooid is, als de melodie in een lied.' 'Ik begrijp je opperbest, mijn waarde Thotmes. Noch Benjamin, noch ik zouden het je ten kwade duiden, indien je zelfs helemaal geen notitie van onze tegenwoordigheid nam, want wat kan voor een kunstenaar belangrijker zijn, dan zijn droom onder zijn gereedschap gestalte te zien verwerven? Maar nu je toch eenmaal je werktuigen hebt neergelegd, stel ik prijs op je gezelschap.' 'Ik ben er u dankbaar om,' antwoordde Thotmes, die tot mijn niet geringe opluchting steennuchter bleek. Afgezien van de avond onzer ontmoeting, toen hij van in den beginne al te veel op had, was het steeds met een vaderlijke bezorgdheid, dat hij met mij over Ichnaton had gepraat, wiens wijsheid hij hoog waardeerde en met wie hij zich naar de geest verbonden achtte, wat mij later herhaaldelijk door zijn werk bevestigd is geworden. Gewoonlijk evenwel voegde hij er op neerslachtige toon aan toe: 'De tijd is nog niet rijp, Benjamin, let op mijn woorden, noch voor hem, noch voor mij... Zeker, hij is de koning, ik ben zijn beeldhouwer en men bewijst mij al de eer, aan deze rang verschuldigd. Maar gedurende de eeuwen die komen, zal men ons beiden als krankzinnigen beschouwen, en mij in de eerste plaats. Een koning is ten slotte een koning en de door hem geschapen god zal even gemakkelijk uit te bannen blijken als één of ander vermeende kwade geest. Maar mijn stenen blijven, tenzij men er opgehitste beeldenstormers op loslaat, wat ook mogelijk is, en men zal zich spottend, maar met een gevoel van somber onbehagen of zelfs vrees afvragen, wie de bezetene was, de loochenaar der in de goden geopenbaarde waarheid, die het aandurfde de van oudsher geheiligde canons der kunst te schenden, om er het eigen hart voor in de plaats te stellen...'

Terwijl hij zich beijverde om wijn te halen en daarna een paar steenblokken liet schoonvegen, opdat wij plaats zouden kunnen nemen, kwam de herinnering hieraan mij onwillekeurig voor de geest. Weer scheen het mij toe, dat ik, ditmaal met een kleine omweg, de jonge vorst met zijn schier kreupele gestalte en zijn wonderlijke ogen naar de geest een schrede dichter genaderd was. Het stemde mij gelukkig, doch onuitsprekelijk weemoedig tevens.

Wij dronken rustig, Thotmes als steeds met toewijding, Ichnaton verstrooid en zonder veel acht te slaan op het voortreffelijke vocht, ik nog diep onder de indruk van het gezelschap van de monarch des lands, in wiens rijk ik enkele maanden geleden, berooid als een bedelaar, gestrand was, wat hem er noch had van weerhouden mij op voet van gelijkheid te bejegenen, noch mijn broeder bovendien weder de vrijheid te schenken en aldus misschien zijn leven te redden. Dit laatste werd mij slechts thans volkomen duidelijk, want ofschoon ik wist, dat deze ziekelijke man het bestel van aarde en hemel niet alleen gewijzigd, doch vooral vermenselijkt had, begreep ik ook, dat Jozefs lot, overgeleverd aan een logge rechtspleging, zich al die tijd in uitermate wankelbaar evenwicht als op het scherp van een mes bevonden had. Ik huiverde bij deze gedachte. Thotmes keek mij aan en informeerde, terwijl hij opnieuw de schalen vulde en een verstolen blik op de koning wierp: 'En onze vriend Jozef?' Of het helemaal aan de regels der Egyptische wellevendheid beantwoordde, weet ik niet, doch iets was er, dat mij influisterde Ichnaton zelf te laten antwoorden, waartegen deze trouwens geen bezwaren scheen te koesteren. Ik heb het later als een uiting van zijn zielegrootheid leren beschouwen, dat alle formalisme hem vreemd was, hoewel een mij steeds opnieuw verrassende fijngevoeligheid hem onder alle omstandigheden sierde. 'Nog eer de dag ten einde is, wordt hij in vrijheid gesteld,' zei hij. 'Dat is een nieuwtje, dat me naar het hart gaat!' knorde Thotmes vergenoegd, 'want Jozef is een patente kerel, ofschoon zijn tong naar mijn smaak nèt iets te scherp is. Maar dat komt misschien, omdat ik gewend ben aan de vastheid van de gesteenten, het hout of de potaarde.' 'De welsprekendheid van ons ras, waarop ik daarstraks zo vrij was uw aandacht te vestigen...' wendde ik mij tot de vorst, die met zijn heerserstaf speelse geometrische figuurtjes in het zand aan zijn voeten trok. 'Hieraan is het onder meer toe te schrijven, dan men aan de boeken onzer wijzen net zoveel betekenissen kan verlenen, als men er zelf lust toe heeft, zodat de Hebreeuwse godgeleerden er een innig behagen in scheppen zowaar iedere zin en ieder woord naar zijn zogenaamd geheimste bedoelingen los te pellen als de rokken van een ui...' 'Of die van een vrouw, naar Jozef te oordelen!' grinnikte de beeldenmaker goedsmoeds in zijn ruige stoppelbaard, wat ik hem hoegenaamd niet ten kwade duidde, ofschoon ik mij afvroeg of deze scherts in Ichnatons tegenwoordigheid niet over de schreef ging.

Een man liep over het erf, het gelaat met zijn hoofddoek tegen de zon beschuttend, gekleed in de wijde witte mantel van de koninklijke hoogwaardigheidsbekleders. Toen hij ons opmerkte, kwam hij eerbiedig naderbij en knielde aan Ichnatons voeten, zoals ik het deze morgen zelf gedaan had. Met een schok (en er school iets zeer onbehaaglijks in deze gewaarwording, of ik ontrukt werd aan een diepe, weldoende rust), herkende ik de opperschenker die ik onder zo weinig fraaie omstandigheden had leren kennen. Klonk er enige korzeligheid in de nochtans beheerste stem van de farao? 'Kom, Atenmes, sta op, neem plaats onder ons. Je weet, hoe weinig welgevallig het mij is, dat men mij te voet valt. Men groet mij met opgericht gelaat en niet door zich te vernederen in het stof!' 'Ik weet het, o vorst van Aton,' zei de man onthutst, 'doch de dankbaarheid om het heil, waarmee mijn schandelijk misdrijf en mijn onwaardigheid vergolden werden, kent geen grenzen...' 'De maat in alles, ook wat de erkentelijkheid betreft, is een van de hoogste menselijke deugden, Atenmes. Vraag het maar aan Thotmes, die weliswaar geen matig man kan genoemd worden, doch niettemin als kunstenaar voortdurend aan de maat gebonden blijft.' De beeldhouwer snoof goedsmoeds als een grote hond en ontkurkte met liefdevolle toewijding een nieuwe kruik, terwijl de opperschenker zich oprichtte. Onze blikken kruisten elkaar. Een moment scheen hij onbegrijpend te aarzelen. Maar dan drukte hij mij met het hem kenschetsende misbaar in de armen, zoals ik het hem ook met Jozef had zien doen. Ik stond er beteuterd en met hangende armen bij en wist niet wat te antwoorden, terwijl hij iets over onverbrekelijke vriendschap stamelde, diep onder de indruk van ons weerzien. 'Kennen jullie elkaar, Benjamin en Atenmes?' vroeg de farao verbaasd. 'Wij kennen elkaar, ofschoon onze kennismaking zich tot één toevallige ontmoeting beperkte!' haastte ik mij te antwoorden, daar ik tot elke prijs de andere vóór wilde zijn en er vooral mijn broeders zogenaamde profetiseringen koste wat wou wenste buiten te houden. Mijn poging bleek evenwel vruchteloos in tegenwoordigheid van een kletskous als de opperschenker, die stond te trappelen van ongeduld om eraan toe te voegen: 'Wij leerden elkaar in de gevangenis kennen, toen Benjamin zijn broeder kwam opzoeken, nauwelijks een paar dagen geleden. Nooit in mijn leven zal ik het vergeten, al word ik duizend jaar!' 'Ik vraag de koning het mij te vergeven,' zei ik om de aandacht af te leiden, 'ik wist, dat het verboden is gevangenen te bezoeken, doch kon de onzekerheid niet langer dragen. Kaptah, de cipier, heb ik door list misleid, hem treft niet de geringste schuld...' 'Neen, Kaptah is een beste kerel,' onderbrak mij de niet tot zwijgen te brengen opperschenker, 'maar dat doet niets ter zake. Ik moet u beslist de wonderbare gebeurtenis vertellen, die mij overkomen is...' Met plezier zou ik hem een pak slaag gegeven hebben. Te laat schoot het mij tot mijn gloeiende ergernis te binnen, dat een ogenblik geleden zich een uitstekende gelegenheid had voorgedaan om het gesprek een gans andere wending te geven, door voor de Atonorde van de gevangenis-bewaarder te pleiten. 'Stel u voor, mijn vorst, dat een der laatste nachten, in de kerker doorgebracht, een vreemde droom mij kwelde, wat insgelijks met Kamenofis, — de godheid ontferme zich over zijn vervloekte ziel —, het geval bleek te zijn. Eens vertelde Jozef ons, dat hij reeds in zijn prilste kindertijd verbijsterende blijken van helder-ziendheid placht te geven, doch wij hadden, slechts begaan met ons eigen ellendig lot, hier geen belang aan gehecht. Die morgen kwa-men wij echter op de gedachte zijn magische gaven op de proef te stel-len...' Ik zat opvallend te schokschouderen, doch Ichnaton verleende er geen aandacht aan. 'Een dergelijk wonder heb ik nooit beleefd, mijn vorst. Uit onze dromen voorspelde de Hebreeuw haarfijn wat ons te wachten stond: Kamenofis, de dood, mij het leven, de vrijheid en het eerherstel...' 'Een wonderbare geschiedenis, mijn beste Aten-mes...' overwoog de koning en wendde zich tot mij: 'Je hebt mij nog lang niet alles over je broeder verteld, Benjamin...' 'Neen,' antwoordde ik strakker dan ik het zelf wenste, 'de zienersgaven van mijn broeder liet ik opzettelijk buiten beschouwing. Te vaak heb ik gemerkt, waar-toe bijgeloof mijn volk leidde...' 'Bijgeloof...' mijmerde de vorst luidop. 'Bijgeloof?' vroeg de opperschenker op meewarige toon, 'bij-geloof? Heb ik dan niet met eigen oren gehoord, met eigen ogen ge-zien? Jij, die zijn broeder bent, moet toch weten...' Ik voelde mijn lip-pen tot een ironische glimlach krullen, buiten mijn eigen wil om, en het irriteerde mij, dat ik deze reactie zo vaak bij Jozef opgemerkt had. 'Ja,' antwoordde ik vaag, ofschoon een schielijke boosaardigheid mij vervulde, 'ja, ik weet... Ik weet zelfs meer, dan iemand zich voor-stellen kan...' 'Tussen aarde en hemel is er meer, Benjamin, dan door onze schoolse wijsheid wordt gedroomd!' schertste de koning ver-zoenend, waaruit ik concludeerde, ondanks de luchtige toon, dat het dwaze verhaal van de geëxalteerde opperschenker een grotere indruk op hem gemaakt had, dan het mij voor een man met intellectuele gaven als de zijne redelijk toescheen. Daar ook ik mijn klassiekers ken-de (hoeveel boeken had ik niet verslonden terwijl vredig aan mijn zijde het hoornvee het schrale gras en de tijd herkauwde!) parafra-seerde ik op mijn beurt: 'Geloven of niet geloven, mijn heer, ziedaar de vraag!' en welgemoed dronken wij nogmaals op Jozefs spoedige vrijlating.

Die namiddag bood ik mij bij Tjenuna aan om haar het resultaat van het onderhoud met de koning ter kennis te brengen. Ik was niet dronken. De wijn van de beeldenmaker had mij niettemin een vreemde lichtheid en een bedrieglijke helderheid van geest geschonken, alsof ik slechts een magische formule zou hoeven uit te spreken, opdat de ganse wereld aan mijn voeten zou liggen of vleugels zich aan mijn schouders hechten. Ik had onze meesteres niet in haar vertrekken gevonden, maar trof haar ten slotte aan in de omstreeks het uur van het namiddagdutje door eenieder verlaten tuin, waar zij na het bad in een weelde van bonte kussens te zonnen lag. Zij scheen te sluimeren. Zo schrok ik ervan haar zonder kleren te zien, dat ik besloot onmiddellijk rechtsomkeer te maken en mijn boodschap tot later uit te stellen. Tot mijn verbazing (want ik dacht, dat zij sliep) had zij mij echter opgemerkt en vroeg met de ondertoon van een beheerste glimlach in de stem: 'Waarom loop je zo schielijk weg, Benjamin?' 'Neem me niet kwalijk,' stamelde ik, 'ik dacht, dat het beter...' en vond, dat ik een modderfiguur sloeg na het goddelijke zelfvertrouwen van zoëven. 'Nonsens,' glimlachte ze, 'je hoeft niet op de vlucht te gaan. Ik ben toch geen lelijke oude vrouw, wat?' 'Neen,' zei ik, dat ben je stellig niet' en ik meende het van harte. Zij bleef liggen, steunend op de ellebogen en keek mij doordringend aan. Haar rug was gaaf als het door de tijd en door de hand gepolijste ivoren handvest van een zwaard, haar benen waren lang en welgevormd met een ietwat lichtere kleur in de knievouwen, terwijl de rest van wat ik zien kon, terwijl ze daar zo lag, me sterker nog van de wijs bracht. Daar zij maar kijken bleef en niets zegde, nam ik het initiatief: 'Nog vóór het avond is, wordt Jozef in vrijheid gesteld.' 'Ach ja,' antwoordde ze afwezig, 'daarvoor kwam je natuurlijk hier...' Ben je dan niet gelukkig, dat..., nou ja, Tjenuna, ik weet nu toch éénmaal, dat hij je nauw aan het hart ligt?' 'Ja,' antwoordde ze dromerig, 'natuurlijk weet je dat! Daarom heb ik je immers gevraagd... Maar zie je Benjamin, ik heb de laatste dagen veel tijd tot nadenken gehad en dan krijg je vanzelf een heel andere kijk op een boel dingen, die hierdoor plots duidelijk en ook betrekkelijk worden...' Ik meende haar te begrijpen en het schonk mij een gevoel van grote opluchting. Want reeds had ik er mij het hoofd over gebroken, wat er gebeuren moest, indien de geschiedenis met mijn broer opnieuw begon. Jozefs geestdrift voor al wat zweemt naar het experiment stelde mij bovendien in zekere mate gerust, dat bij hem het strovuur wel gauw zou opgebrand zijn, doch kon ik weten, wat zij zich in het hoofd gehaald had? (Is het niet even gevaarlijk de eerste minnaar van een vrouw als haar man te zijn?) 'Maar wat blijf je daar staan, Benjamin, of je geen drie kunt tellen?' pruilde zij, 'komt bij me zitten!' Ik liet me ditmaal niet uit mijn lood slaan: 'Is het een verzoek?' 'Neen,' antwoordde ze schijnbaar stroef, 'een bevel!' Doch toen ik onhandig op de rand van de rustbank plaats nam en vruchteloos mijn korte kleed over mijn naakte benen trachtte te trekken, waarom trouwens weet ik niet, schaterde ze het uit en haar lichaam rilde begerenswaardig onder haar plotse vrolijkheid, als een water waarover de wind zijn beweeglijk spoor trekt. Jozefs misstap leek mij op dat moment zeer vergeeflijk. Zij richtte zich half op en keek me in de ogen. Daarna dwaalde haar blik van me weg. 'Misschien zul je me veroordelen, Benjamin,' zei ze zacht, dromerig voor zich uit starend, 'doch ik ben in zo verre met me zelf weer tot klaarheid gekomen, dat ik thans besef, nooit werkelijk op je broer verliefd te zijn geweest.' 'Indien je dat een paar weken vroeger geweten had, zou het ons heel wat ellende bespaard hebben, vind je ook niet?' zei ik astrant. Ze bleef mij het antwoord schuldig, doch keek me hartstochtelijk aan. Ze legde haar smalle hand op mijn bovenarm. Haar gelaat was onnodig dicht bij het mijne. 'Oordeel niet te vlug,' murmelde ze klein en smekend. In mijn binnennenste scheen iets weg te smelten, dat mij heel die tijd reeds hinderde, dacht ik bij me zelf. Mijn ontroering moet duidelijk merkbaar geweest zijn. 'Is het dan heus de eerste maal, dat je me goed aankijkt?' Haar stem was donker en warm; ik hoorde het bloed aan mijn slapen suizen als water in een afvoerbuis. Haar armen lagen strelend om mijn hals, vooraleer ik goed besefte, wat er gebeurde. Vooraleer evenwel haar mond mijn mond aanraakte, terwijl zij traag de lange blauwe wimpers boven haar zeegrijze ogen naar me opsloeg, rukte ik mij los en liet haar onbegrijpend alleen met haar verlangen.

De tijd om tot me zelf te komen werd mij niet gegund. 'Ontroerend,' zei een stem achter mij, wat me heftig deed opschrikken, 'werkelijk ontroerend!' Ik keerde mij om. Vóór mij stond Jozef, keurig elegant en superieur als steeds, of hij nooit over een gevangenis had horen praten. 'Sinds wanneer speel jij voor luistervink?' dwong ik me zelf toonloos te zeggen. 'Toeval, mijn lieve broeder, louter toeval. Maar laten we liever niet kibbelen, ja? Ik ben helemaal niet boos. Het maakt voor mij alles veel eenvoudiger, vooral nu de koning belang in mij stelt!' Wij liepen een tijdlang zwijgend naast elkaar. 'Ik gun het je overigens van harte,' vervolgde hij na een poos royaal. 'want ik ben je grote dankbaarheid verschuldigd.' 'Ik heb het niet gewild,' zei ik somber, 'je hebt zelf gezien, dat ik niet gewild heb.' 'Ja,' concludeerde hij filosofisch, 'zo'n godslasterlijke idioot ben jij waarachtig ook nog...'

Ik gaf hem gelijk, maar hoedde mij er wel voor het te beamen.

8

DE KOEIEN VAN DE FARAO

De jaren gingen voorbij, onmerkbaar haast, doch afgebakend door de wenteling van de jaargetijden, op hun beurt slechts herkenbaar aan het wassen en dalen der wateren van de stroom en de mathematische loop der nachtelijke constellaties.

Ik voelde mij niet ouder worden. In dit opzicht mag ik zeggen, dat mijn leven zonder innerlijke breuken verliep. Vroeger reeds maakte ik van de gelegenheid gebruik, om er de aandacht op te vestigen, hoe ik zonder sentimentele vertedering aan mijn kindertijd terugdenk, doch volledigheidshalve zal ik hieraan toevoegen, dat ik anderzijds in mij het kind van weleer nooit heb verloochend. Dertig geworden en vooral omwille van de reputatie mijns broeders een gezien man in dit land, vertrouwd wat de omgang betreft met hovelingen, diplomaten, politiekers, geldmagnaten, edellieden en andere voor mijn gevoel niet zo bijster belangrijke mensen van hetzelfde allooi, en niet zonder vertedering door de vrouwen nagekeken, kon ik mij nauwelijks voorstellen, dat er meer dan vijfentwintig jaren waren over heengegaan, sedert ik bij de huiselijke lamp en haard op moeders schoot gezeten, iedere avond insluimerde aan haar borst, als door de zachte geur van haar donkere haren beschermd tegen de dreigementen, die in het duister achter de vensters de nacht vervulden.

Het leek wel, of ik al die tijd dezelfde gebleven was. Het leven heeft in mij de eenvoud van het kind aangevuld tot de rijpheid van de man, doch nimmer is in mijn hart dat kind zelf gestorven. Precies daarom verwarde Jozefs gedrag mij telkenmale opnieuw; thans is het mij echter duidelijk geworden, hoe immer weer drieste nieuwe verzuchtingen hem voortdreven, hoe hij slechts op de vervulling dezer ambities de blik hield gericht en hoe gemakkelijk hij met dit obsederende doel voor ogen de bruggen van het verleden achter zich verbrandde, met onverbiddelijke ijver en fanatieke toewijding. Ik had het reeds moeten begrijpen, wanneer hij zich geen ogenblik om Tjenuna meer bekommerde toen hij éénmaal besefte, dat hij de aandacht van de koning getrokken had en haar geboeid hield. Van die dag af kende hij slechts misprijzen voor wie hij vroeger geweest was, tot het verleden hem volkomen dood leek — zo althans stel ik het mij voor, en ten dele zie ik er de verklaring van zijn duizelingwekkende opgang in.

Bijzonderheden in verband met zijn steile carrière heeft hij me nooit verstrekt en ik vroeg hem er ook niet om, doch ik weet, dat de farao, kort na zijn ontslag uit de gevangenis, hem herhaaldelijk in het paleis liet ontbieden en dat zij samen, zoals ik het achteraf van Thotmes vernam, urenlange gesprekken voerden, die soms duurden tot diep in de nacht. Ten slotte werd hij tot de waardigheid van koninklijk raadgever verheven. Alhoewel Ichnaton ook mij niet vergeten bleek en op andere tijdstippen in mijn tegenwoordigheid behagen schiep, vooral wanneer hij voor een poos de regeringszorgen van zich wou afzetten, heeft Jozef steeds de nodige voorzorgen getroffen, opdat wij nimmer tegelijkertijd in de tegenwoordigheid van de vorst zouden vertoeven. Stellig behoorde de monarch tot de verlichte geesten, die niet alleen naar goedheid en waarheid streven, doch bovendien niemand het recht op eigen waarheid ontzeggen, wat een aanvaardbare verklaring zou kunnen zijn voor de vriendschap, welke mettertijd tussen hen beiden tot stand kwam. Het is nochtans steeds mijn diepste overtuiging gebleven, dat er geen uiteenlopender naturen in de hele wereld bestonden dan Ichnaton en Jozef. Moge het waar zijn, dat tegengestelde karakters elkander aantrekken, niemand praat het mij nochtans uit het hoofd, dat mijn broeder zich ten dienste van zijn ambitieuze dromen een nieuw personage geschapen had, afgestemd op het geloof van de monarch en er tevens op berekend deze laatste te ontlasten van vele praktische beslommeringen, waartegen zijn beschouwende geest nauwelijks opgewassen bleek. Inmiddels tastte zulks in geen enkel opzicht de welwillende sympathie aan, die de farao mij van ons eerste onderhoud af betoond had. Niettemin scheen het hem soms te bedroeven, dat ik voorbehoud maakte, wanneer hij àl te nadrukkelijk Jozefs geestesgaven prees. Ik deed het waarlijk niet om diens carrière te dwarsbomen en nog minder omdat ik hem zijn groeiende roem benijdde. Ik was hem er ten zeerste dankbaar om toen hij van de vorst bekwam, dat ik als hofbibliothecaris en -archivaris werd aangesteld, een ambt dat weliswaar veel minder aanzien genoot dan bij voorbeeld dit van opperstalknecht of koninklijk barbier doch, zonder maar alleen een eretitel te vertegenwoordigen, mij veel vrije tijd gunde, mij de gelegenheid bood te vertoeven in een klimaat van geschiedenis, letterkunde en wijsbegeerte, dat mijn lief was, en mij bovendien van alle onzekerheid omtrent de toekomst ontsloeg. De uren, die ik doorbracht tussen de hoog opgestapelde manuscripten van de koninklijke bibliotheek, op de paleiszolders ondergebracht, van waaruit ik langsheen de stroom roomblank de stad zag liggen, die de wazige verten vulde tot aan de horizon, behoren tot de heerlijkste uit mijn leven.

Ach, omstreeks die tijd droeg ik Jozef geen kwaad hart toe. Er waren stellig ogenblikken, dat ik mij zonder voorbehoud verheugde in zijn successen als rechterarm des farao's. Ten slotte was hij mijn broeder, overwoog ik welwillend, en het bloed kruipt waar het niet gaan kan. Mijn terughoudendheid tegenover Ichnaton wanneer evenwel Jozefs naam ter sprake kwam, moest worden toegeschreven aan mijn bestendige vrees dat hij, het hoofd door het in hem gestelde vertrouwen op hol gebracht, dwaasheden zou uitrichten, waarvan de gevolgen verder dreigden te reiken dan deze van zijn amoureuze buitensporigheden met de onbevredigde vrouw van een ietwat kinds militair. Inmiddels waren ook mij (verre van mij te beweren, dat ik aan deze algemene regel ontsnapte, — integendeel zelfs), éénmaal voorgoed in Egypte ingeburgerd, de tormenten en tribulatiën der liefde niet bespaard gebleven. Onervaren en vrij naïef als ik was in deze vervoerende materie, hadden zij niet steeds een bepaald stichtelijke indruk op mij gemaakt. Ofschoon niet minder flink van gestalte en waarschijnlijk wel even sterk als Jozef, was een moeilijk te overwinnen fysieke schaamte er de oorzaak van, dat ik mij met vrouwen in de aanvang links en onhandig betoonde als een nijlpaard in de werkplaats van een glasblazer. Mijn vlucht voor Tjenuna toen het slechts een klein kunstje leek haar op mijn beurt te nemen, was hieraan niet vreemd. Achteraf heb ik het mij zelf bitter verweten een dwaas te zijn en de verkeken kans betreurd. Doch hoe langer ik er over piekerde en hoe vaker Jozef mij om mijn blindheid in de maling nam of op geblaseerde toon op zijn manier moraliseerde over vrouwen en liefde, zijn uitverkoren onderwerpen, hoe sterker mij een gevoel van erotische minderwaardigheid bekroop. Hieraan is het te wijten, dat mijn eerste ervaringen op volslagen mislukkingen uitliepen, hoewel geen enkele vrouw, — erewoord hierop! — het mij heeft laten merken of er zich zelfs scheen over te verbazen. Wat mij doet vermoeden, dat niet alleen de virtuozen, doch zelfs de middelmatige technici der liefde vrij schaars zijn. Ook de liefde is een kunst, waarin men als man zich met behulp van een goedhartige, geduldige en toegewijde leermeesteres bekwamen moet. Men hoort wel eens praten over jonge mannen, verleid (zoals dat heet) door een vriendin hunner moeder, die zij sedert hun prilste kinderjaren als volwassene bij hen aan huis zagen komen. Destijds deden dergelijke verhalen mij huiveren van afkeer; thans weet ik, dat zich gelukkig prijzen mag, wie zijn eerste extasen beleefde in de armen van een moederlijke vriendin, welke in hem zowel het kind als de prille minnaar zag en hem leerde wat een vrouw is, zoals men hem ééns geleid had bij zijn aanvankelijk waggelende schreden voor het huis zijns vaders, of wanneer hij later op school verrukt uit kleine betoverende lettertekens tot zijn verbazing de eigen naam spelde. Daar het in de eerste plaats om Jozef gaat (in zoverre ons beider levensgeschiedenissen uiteraard uit elkander kunnen gehouden worden) zal ik, wat mijn persoonlijke inwijding tot de liefde betreft, niet in overtollige bijzonderheden treden. Ik acht het nochtans gepast aan te stippen, dat het in de meeste gevallen zeer fatsoenlijke en doorgaans gehuwde vrouwen uit de hofkringen gold, op wier naam geen enkele smet kleefde, dermate fatsoenlijke vrouwen zelfs, dat het mij telkenmale aan het schrikken maakte, haar zelf de eerste schrede te zien doen, of althans zo duidelijk mijn initiatieven uit te lokken, dat het zo goed als op hetzelfde neerkwam. 'Ook jij?' was steeds de vraag, die ik mij hierbij onthutst stelde. Ondertussen heb ik geleerd, waaraan zulks toe te schrijven. Door aandachtig om mij heen te kijken (mijn voornaamste bezigheid immers in dit leven) ben ik er mettertijd achtergekomen, dat er twee soorten huwelijken bestaan. De eerste worden, als dit van Tjenuna met Potifar, gesloten om redenen allerhande, die met de liefde geen uitstaans hebben. Ook in dergelijk verbond raakt de echtgenoot zijn overtollige sappen wel kwijt en daar hij bovendien van zijn vrouw meestal niet meer verlangt, zal hij het eerst van beiden horens dragen. Want zij blijft, hoe vaak hij ook de toegang tot haar lichaam afdwingt, onverschillig en gesloten, zodat het derwijze voor de hand ligt, dat zij elders zoekt, wat zij thuis niet vindt, vooral wanneer zij er op één of andere goede dag achter komt, dat ook de vrouw het recht heeft meer van de liefde te vergen dan een wrijfpaal te zijn, waartegen een haar onverschillige brute of domkop zijn endocrinale spanningen komt wegschurken. De tweede soort zijn de huwelijken uit liefde, alsof in ons huidig bestel beide begrippen nog iets met elkander zouden te maken hebben. Niet alleen is de liefde onverzoenbaar met de honderd andere imponderabiliën, die er in het huwelijk een traliekooi omheen smeden, doch bovendien geloof ik niet in een eeuwig hartstochtelijk beminnen, althans niet in de huiselijke promiscuïteit van iedere dag met al de kleine kanten en op gewoonte afstompende woorden en gebaren. De liefde ontbrandt, kent haar hoogtepunt en sterft dan langzaam af: gelukkig de paren, die zich hierbij met tedere weemoed en zonder wrok nederleggen. In beide gevallen evenwel komt er een ogenblik, waarop de vrouw, zo zij gezond, evenwichtig en zonder vrees is voor stoffelijke moeilijkheden, bereid blijkt zich uit vrij overleg aan een andere man te geven, wil zij trouw blijven aan zichzelf en aan de diepere bestemming der liefde. Het moge verwaand klinken, doch ik zweer, dat ik mij niet herinner in mijn leven ooit een vrouw ontmoet te hebben die, na tien jaar huwelijk of zelfs minder, niet openstond voor het avontuur, eerder nog dan de man, daar zij meestal de verwaarloosde en de misleide is. Eén onder haar (en tot dit ene, mij thans na zovele jaren nog steeds vertederende voorbeeld zal ik mij vooralsnog beperken) vervolgde mij in de ware zin des woords met verhalen over haar mislukt huwelijk, de jaloersheid van haar echtgenoot en het door hem voor haar artistieke verzuchtingen betoonde onbegrip. Onder allerhande voorwendsels kwam zij mij in de bibliotheek herhaaldelijk opzoeken, doch ik hield mij van den domme, daar zij bij dit àl schoon en zelfs trots genoeg was, om op mijn geduldige eerbied aanspraak te maken. Moeilijk kon ik mij bovendien voorstellen, dat er ook maar iéts aantrekkelijks voor haar aan me was, — aan mij, die steeds in Jozefs schaduw had geleefd. Ten slotte werden de aanleidingen tot haar bezoeken zo futiel, die zich kort daarop ook tot mijn woning uitstrekten, dat ik er mij inderdaad rekenschap van geven moést, dat haar belangstelling mij zelf in hoogst eigen persoon gold. Die avond leek het wel een voorgevoel van haar komst geweest te zijn, dat er mij toe aanzette mijn dienstknecht en factotum vrijaf te geven en hem uit wandelen te zenden. Zij was eenvoudig, doch met veel goede smaak gekleed en hield de blik zedig neergeslagen, zoals men dat gewoonlijk noemt. Maar telkenmale zij toevallig opkeek, zag ik het broeiende verlangen smeulen in haar grote amandelvormige ogen. Ik nam haar in de armen (wat kan een man in dergelijke omstandigheden anders doen?): zij liet het zich welgevallen, of zij bescherming bij me zocht. Ik kuste haar hartstochtelijk. Een mens is ten slotte niet van steen, zoals de beelden van Thotmes. Zij liet zich kussen. Haar lippen bleven week toen zij zich aan mijn zijde uitstrekte. Zij weerde zacht mijn hand af wanneer ik haar lichaam liefkoosde: 'Vandaag niet,' zei ze, met de mond aan mijn oorschelp, 'heus, vandaag gaat het niet.' Bij het morgenkrieken namen wij afscheid, vervuld met een droefheid, waar wij geen naam voor wisten. Zij glimlachte als geschonden, terwijl zij zich in de nuchtere morgenschemer verzorgde en haar klederen weer aantrok onder mijn afwezige blik. Voortaan zouden wij elkander groeten als oppervlakkige kennissen, nadat ik haar een vol jaar gemeden had. Noch geestelijk, noch lichamelijk voelde ik voortaan nog enig verlangen naar haar, hoewel zij één van de bevalligste vrouwen was, die ik ooit ontmoette. Zo verkeerden de meeste mijner liefdesavonturen in navrante ontgoochelingen, vooraleer zij de luister konden bereiken, die ik anderen zo vaak had horen prijzen. Het droeg er alles weinig toe bij om mijn zelfvertrouwen te sterken en telkenmale voelde ik mij opnieuw hoogst verbaasd als een vrouw mij haar interesse liet blijken, ofschoon ik mij hierdoor in mijn ijdelheid gestreeld voelde en het op één of andere manier toch als vanzelfsprekend beschouwde.

Aan deze mijmeringen werd ik ontrukt, toen de waard uit 'de Scharlaken Krokodil' mij de gebruikelijke kruik lichte Nijlwijn voorzette, die ik daar dagelijks vóór het middagmaal gebruikte. Wij kenden elkander thans reeds meer dan zeven jaar, Kefru, de kroeghouder en ik, en sinds lange tijd getroostten wij ons de moeite niet meer de gewone beschouwingen over het weer te wisselen, dat hiertoe trouwens te weinig afwisseling biedt in Egypte. Ik dronk rustig, terwijl hij achter de schenkbank met zijn vaatdoek zwijgzaam in de weer was en legde ten slotte mijn geld naast de halflege kruik. Toen ik van Kefru af-

scheid nam keek hij me aan en vroeg: 'Heb je het gehoord over
de koeien van de farao?' 'Neen,' antwoordde ik, 'wat is er met de
koeien van de farao aan de hand?' 'Weet ik veel,' schokschouderde
hij, 'er doen allerhande gekke geruchten over vette en magere koeien
de ronde, doch ik mag een kind krijgen, als ik er een steek van begrijp. Maar Jozef, de vertrouweling van de koning, moet er iets mee
te maken hebben. Hij is een landsman van je, is het niet?' 'Ja,' mompelde ik ontwijkend, 'men beweert dat hij een Hebreeuw is... Het zal
iets met mond- en klauwzeer of zo te maken hebben, denk je ook niet?'
'Kan best wezen,' besloot de ander, 'of de zaken er al niet belazerd
genoeg aan toe zijn...'

De zon stond nog iets lager, dan ik het vermoedde, wat ik aan de
schaduwen van huizen en voorbijgangers merken kon en zulks verheugde mij, daar het de gelegenheid bood een straatje om te lopen.
Sinds jaren had Thebe mij niets nieuws meer te bieden, doch waar
vroeger de drukte van stegen, pleinen, parken en boulevards mij veeleer angst inboezemde, gewend als ik was aan de rust van weiden, velden, bosschages en stille dorpen mijner kindsheid, schiep ik er thans
behagen in, mij onder de menigte te begeven en aldus opgenomen te
worden in het bruisende, dynamische leven dezer vrolijke en bedrij-
vige stad. De morgenlijke frisheid was nog niet helemaal geweken
en ik voelde mij in een prettige stemming, welke aangewakkerd werd
door de bomen, die op de pleintjes en plantsoenen allerhande overwel-
digend in bloei stonden en de lucht doorvleugden met prille par-
fums, als de geur van nog zeer jonge vrouwen, die slechts zelden mus-
cus, doch bij voorkeur een druppeltje rozenolie gebruiken. Ook in de
aanblik der menigvuldige voorbijgangers schepte ik een stil behagen, —
ambachtslieden, handelaars, slaven of soldaten, benevens dames uit de
aristocratische standen of opgedirkte publieke vrouwen naast huismoe-
ders of donkerkleurige slavinnen, terugkerend van de markt met
zwaarbeladen korven of kruiken op het hoofd, wat haar gang de waardigheid van koninginnen verleende door de trotse houding van de
hooggedragen tors en de verrukkelijke bewegingen van heupen, billen
en dijen. Zowel door ijle dichters als door nachtelijke boekaniers heb
ik herhaaldelijk de genoegens van wijn, tafel en bed horen prijzen in
verheven of laag-bij-de-grondse woorden. Eigenaardig evenwel is het,
dat zo weinigen gevoelig blijken voor de veroveringen welke
ons door de meest voor de hand liggende dingen geschonken worden. Het mooiste ballet of de heerlijkste muziek, waarvan ik
herhaaldelijk aan het hof genoten heb, bereidden mij inderdaad
nooit het innige genot, dat de aanblik en de geluiden van de witte en
roze stad met haar schier zuiver blauwe schaduwen mij op een morgen als deze verschaften. Boven de opzettelijkheid der kunst en de
kunstmatigheid van het opzettelijke, verkoos ik steeds de rijpe schoonheid van het leven zelf, dat ik in mijn gelukkigste ogenblikken als

een nabij en tastbaar wonder ervoer. Naast Ichnatons absolute geloof, heb ik mijn eigen beperkte en betrekkelijke waarheid gesteld. Doch op dergelijke momenten van tevredenheid met het leven was zijn filosofie van eenheid en harmonie in Aton mij wel zeer lief, ofschoon ik nooit vergat, dat deze harmonie en eenheid slechts *in* en niet *buiten* de mens hun ontstaan kunnen vinden, zoals ik meende te begrijpen, dat hij vooropstelde, — een voor mij, alles bij elkaar immers gevoed aan de duistere leer onzer vaderen, al té gemakkelijke oplossing. Daar ik die middag met Jozef het middagmaal zou gebruiken en ik hem de kans niet gunde mij vaderlijk te kapittelen in verband met mijn uiterlijk, liep ik een kapperszaak binnen. Ofschoon ik regelmatig vergat mij in een dergelijk huis onder handen te laten nemen, hield ik wel van de zeer bijzondere atmosfeer, die er heerst, een mengsel van nuchterheid en poëzie waar de glanzende instrumenten contrasteren met de frivole vormen der flacons en zalfpotjes allerhande, netjes omheen de spiegel voor mij uitgestald. In die spiegel lag trouwens ook een deel van de op mij uitgeoefende bekoring besloten. Ik geloof niet, dat ik van nature ijdel ben, in die zin althans, dat de gewone dosis menselijke ijdelheid bij mij wel diep genoeg verborgen moet zitten om er anderen niet door te hinderen. Maar ik vond het wel een interessante ervaring ongestoord een half uur mijn eigen gelaatstrekken te bekijken, zonder dat iemand er mij in de gegeven omstandigheden van verdenken kon, dat ik mij door de aanblik van mijn eigen beeltenis behaagd voelde, zwakheid, die men immers alleen de vrouwen toeschrijft... Sprongsgewijze had ik aldus geleerd, hoe met de jaren, zonder dat het mij opvallend verouderde, mijn trekken voller werden, wat ik wel terdege nodig had, om er niet al te jongensachtig te blijven uitzien, dit laatste in verband met de blauwe ogen, die ik van mijn lieve moeder geërfd heb en wier heldere kleur, gek met mijn door de Egyptische zon vrij donker gebruind gelaat contrasterend, al te duidelijk geschikt bleek om uiting te geven aan mijn wisselende of aarzelende gemoedsbewegingen, wat mij soms met een gevoel van naaktheid en weerloosheid tegenover de buitenwereld vervulde. Die keer vond ik dat ik er goed uitzag. Tot mijn vijfentwintigste jaar veeleer aan de magere kant, was ik in de laatste tijd flink bijgekomen en de bezwaren, die zulks lichamelijk opleveren kan, werden ruimschoots vergoed door het gevoel van stevigheid, dat mij brede schouders mij schonken, of mijn aangeboren schuchterheid, die mij vaak het leven zuur gemaakt had, er ten dele door opgeheven werd. Ik had iets van een vreedzame worstelaar uit de middelmatige gewichtsklasse; het is opvallend hoe gemakkelijk onze medemensen hun laatdunkendheid, hun onbeschoftheid, hun dwarsdrijverij en hun eigengereidheid laten varen tegenover iemand, die er als een worstelaar uit de middelmatige gewichtsklasse uitziet. Nooit had ik kunnen vermoeden, hoeveel een paar duim borstomvang of schouderbreedte praktisch in het

leven konden te betekenen hebben! Anderzijds gebeurde het dat ik, post vattend voor de kappersspiegel, aldus eensklaps de indruk had tegenover een volkomen vreemde te zitten. Deze omkering der psychologische perspectieven was mij wel het liefst van al, daar mij aldus meteen het gevoel bekroop, dat het mij veel gemakkelijker zou vallen in de ziel van die onbekende te lezen, dan het eigen tegendraadse wezen van iedere dag te ontwarren. Ik trachtte dan zakelijk samen te vatten als de weerberichten en de mededelingen voor de Nijlscheepvaart van het koninklijk astrologisch instituut: 'Benjamin, zoon van Jacob, geboren uit Rachel. Ongeveer dertig jaar. Eén meter vijfenzeventig. Honderdzestig pond. Normale intelligentie, ofschoon minder bijdehands dan zijn broer Jozef. Enig aanvoelingsvermogen voor de dingen der ziel, ten dele ontkracht door gebrek aan besef van eigen gaven. Geen sporen van helderziendheid. Kritische aanleg en uitgesproken scepticisme, getemperd door beschouwende en sentimentele buien. Meer bevreesd voor morele dan voor fysieke pijn, wanneer deze laatste (trekken van kiezen, leegknijpen van steenpuisten en zo) binnen redelijke grenzen blijft. Veeleer intellectuele dan stoffelijke behoeften. Voorlopig geen buitensporige ambities of opvallende afwijkingen. Schuchter en gesloten in de omgang met vreemden, ofschoon tamelijk zelfbewust als vergelding voor vage minderwaardigheidsgevoelens. Hierdoor lichtgeraakt, doch niet bij machte langdurige wrok te koesteren. Want in feite uitgesproken lui, te lui voor de haat. Wegens nadrukkelijk verantwoordelijkheidsbesef evenwel vlijtig bij tussenpozen. Van nature en door traditie op politiek gebied behoudsgezind, doch vooruitstrevend uit ervaring en verstandelijk overleg. Schuchter en eerbiedig jegens vrouwen, wat het zwakke geslacht schijnt te charmeren en derwijze vergoedt, wat hem aan doortastendheid tekort schiet. Godsdienstige en wijsgerige houding: vaag deïstisch gevoel met atrofiërende neigingen, ondanks afstamming uit geslacht van zieners en profeten. Uitsluitend filosofische interessen in zoverre de stelsels met de mens en de menselijke conditie als concrete verschijnselen rekening houden. Typering in het staatsbestel: onschadelijk, dank zij een aangeboren inertie.'
Een dergelijk spelletje zal menigeen naïef voorkomen, doch wie onder ons beweert met de hand op het hart, dat hij er zich nooit in kinderachtiger verdiept heeft? Ik hield er mij in elk geval braaf mee bezig, tot mijn haar geknipt was, niet gemillimeterd zoals de Thebaanse dandies het in die tijd droegen, doch matig lang gehouden en schuin opgehaald in de hals, wat mij tegen de zon beschutte en er mij van ontsloeg volgens de mode des lands een frivool gekleurd hoofddoek te dragen, met welks ingewikkelde plooien ik niet overweg kon. 'Scheren ook, meneer?' informeerde Senu, de kapper, wie ik dankbaar was, dat hij al die tijd zo voorbeeldig de mond gehouden had. 'Ga je gang,' antwoordde ik royaal, 'maar maak het niet te lang, ik heb haast.'

Het leek wel of hij opzettelijk met de conversatie gewacht had tot ik, het hoofd weerloos achterover, aan zijn ijver was overgeleverd, wat evenwel het voordeel bood, dat ik me tot gemompelde antwoorden zonder redelijke samenhang kon beperken, onder voorwendsel dat ik het niet op prijs stelde de scheerkwast tussen mijn kiezen te voelen verdwijnen. 'Hebt u reeds het verhaal over de droom van de farao gehoord?' informeerde hij, terwijl hij mij, het mes ter hoogte van de schouder, in de spiegel triomfantelijk aankeek. Ik gromde iets met gesloten mond, wat hij als een blijk van belangstelling opvatte. 'De hele stad is er vol van. Iedereen praat erover. Reeds hebben de straatzangers er liedjes op gemaakt, die deze morgen op de markt van mond tot mond gingen. Zeven koeien zag de farao, de farao zag zeven koeien, zo is het refrein, weet u wel.' Koeien?' mompelde ik, 'koeien,' voorzichtigheidshalve tussen twee halen van het scheermes in, en herinnerde mij het gesprek in 'de Scharlaken Krokodil'. 'Ja, koeien,' vervolgde de kapper gewichtig en mysterieus, terwijl hij mijn neus tussen duim en wijsvinger dichtkneep om mijn bovenlip schoon te schrapen. 'Er doen allerhande gekke geruchten de ronde, doch ik weet het uit de eerste hand van een beambte aan het hof, die het verhaal zelf hoorde van Atenmes, de opperschenker!' Ik begon mij warempel nieuwsgierig te voelen, temeer daar Kefru daarstraks Jozefs naam in verband met deze geschiedenis had gebracht. De oude wijsheid voor ogen, dat een verwittigd man er twee waard is, luisterde ik ditmaal aandachtig naar de praatzieke baardscheerder: 'Gisteren schrok de koning wakker uit een vreemde droom, die stellig een betekenis hebben moest. De knapste sterrenwichelaars stonden evenwel met de handen in het haar en de uitleggingen van hen, die voorwendden er desondanks raad mee te weten, voldeden de farao hoegenaamd niet. Atenmes, de opperschenker, suggereerde bijgevolg zijn heer discreet zich tot Jozef, de Hebreeuw, te wenden. Hebt u wel eens over Jozef, de Hebreeuw, gehoord?' 'Ja,' gromde ik van onder de schuimlaag, waarvan hij mij voor de tweede keer overvloedig voorzien had, 'ik heb wel eens over hem gehoord. Men zegt, dat hij een verwaande opschepper en een eigengereide praatjesmaker is.' 'Nee, hoor,' antwoordde Senu geraakt, of hij zelf met Jozef op de schoolbanken gezeten had. 'Hij is een groot magiër, vertrouwd met de geheimen van leven en dood. Hij leest in de sterren en in de toekomst als in een open boek.' 'Beweert Atenmes dat?' 'Atenmes en al wie de Hebreeuw van nabij kent.' 'Nou, dan valt er weinig op af te dingen. En wat weet je nog meer over die koeien?' 'Nou,' haastte de andere zich enthousiast, 'er gebeurt niets in Thebe, dat Senu niét zou weten. U hebt er gewoon geen idee van, welke hooggeplaatste klanten ik dagelijks over de vloer krijg.' 'De koeien,' herinnerde ik hem met aandrang, 'wat is er met die koebeesten aan de hand?' Hij haastte zich niet, doch veegde daarentegen op zijn dooie gemak mijn gelaat schoon en spreidde er dan met de precieze gebaren van een heelmeester een in heet water gedrenkt servet over uit, zoals het hoort in een fijne gelegenheid als de zijne. Nu glimlachte hij dubbelzinnig, of hij wel wist, waar Abraham de mosterd haalt, gelijk men in Jericho zegt. 'Het is een vreemd verhaal, meneer, een verhaal waardoor misschien dingen worden aangekondigd... De farao droomde, dat hij aan de oever van de Nijl stond. Plotseling kwamen uit het water zeven vette koeien te voorschijn.' 'Zeekoeien?' informeerde ik, doch mijn zegsman verleende geen aandacht aan deze zoölogische interruptie. 'Zij draafden een naburige weide in en begonnen er vreedzaam te grazen.' 'Het verstandigste wat ze doen konden,' zei ik schaapachtig, doch de kapper scheen zich voorgenomen te hebben de hoffelijkheid niet zo ver te drijven aan mijn opmerkingen belang te hechten. 'Een oogwenk later echter kwamen zeven magere koeien uit de rivier opduiken, afschuwelijke, ontvleesde beesten, zoals niemand er ooit in Egypte gezien heeft. De magere wierpen zich eendrachtig op de vette beesten en verslonden ze met huid en haar, doch bleven er niettemin even ellendig en onderkomen uitzien.' 'Een gekke historie,' opperde ik, 'en was hiermede de droom ten einde?' 'Nog lang niet. De koning sliep terug in en ontwaarde eensklaps een korenhalm met zeven prachtige, volle aren. Vlak daarnaast tierde een tweede korenhalm, die zeven loze en door de oostenwind geschroeide aren droeg, welke de eerste zeven eensklaps opslokten. Dat is de vreemde droom, meneer, waarover in Thebe een ieder de mond vol heeft.' 'En welke betekenis hechtte de Hebreeuw aan dit alles?' De andere haalde de schouders op. 'Het wordt ten strengste geheim gehouden, maar de farao moet er diep van onder de indruk zijn...' 'Kan ik me voorstellen,' sprak ik mijmerend, terwijl mijn gelaat werd schoongeveegd en met geparfumeerde azijn besprenkeld, 'kan ik me opperbest voorstellen.' In gedachten verzonken betaalde ik de kapper voor zijn diensten; hij scheen erg in zijn nopjes, daar zijn verhaal zulk een merkbare indruk op me gemaakt had. 'Maakt u zich vooral geen zorgen, meneer,' zei hij welwillend en op troostende toon, 'ik kom wel achter de rest, weet u!...'

Het was een gerenommeerde gelegenheid, waar ik met Jozef een afspraak had, alleen door de hogere Thebaanse kringen gefrequenteerd, tegen het strand aan gelegen, zodat de chique lui er zich bij voorkeur met hun privé-boten naar toe begaven en zelden verzuimden gebruik te maken van het openluchtbad vlakbij, dat door dezelfde eigenaar op even distinctievolle manier werd uitgebaat. Een meer mondaine toestand kon men zich bezwaarlijk voorstellen. Terwijl ik op de komst van mijn broeder wachtte, die op afspraken, welke voor hem zelf niet van rechtstreeks belang waren, beginselvast op zijn minst een half uur te laat kwam, duidde ik het mij zelf ten kwade, dat deze omgeving mij eigenlijk welgevalliger was, dan ik het iemand openhartig zou hebben durven bekennen. Maar ik kon het niet verhelpen. Ik vond het prettig gemakkelijk geïnstalleerd te zitten op dit hooggelegen terras, door de stroomwind koel gehouden. Ik schiep er behagen in door de kelner met voorkomendheid doch zonder al té nadrukkelijke eerbied, die naar het overdadige van tweede-rangsinstellingen zweemt, aangesproken te worden. De kleurige drukte van baders en baadsters op het strand boeide mij uitermate en de nabijheid van zovele mooie, goed gewassen en met evenveel smaak als luxe geklede vrouwen was mij zeer lief, — óók op louter esthetische gronden...

Ja, in mijn binnenste schaamde ik mij daar eigenlijk over, want ofschoon de oude Jacob, onze vader, rijker was dan enig man in Kanaän en waarschijnlijk ook rijk genoeg om gans deze keet op te kopen, zonder dat het een opvallend verschil in zijn einde-jaarsbalans zou maken (kon ik het verhelpen?), toch voelde ik mij in dieper wezen sociaal niet méér dan de eenvoudige boerenzoon, wie men van jongsaf de wijsheid had ingeprent, dat hij slechts rechten kon laten gelden in zoverre deze door zijn persoonlijke arbeid verantwoord werden. Wanneer ik me zelf, schijnbaar niet zonder een vleugje zelfspot, bij voorkeur een proleet noemde, deed ik dat niettemin met een veel diepere ernst, dan de anderen meestal deze uitspraak opvatten. Niet alleen hechtte ik geen betekenis aan stoffelijk bezit, doch bovendien kon ik onmogelijk de gedachte van mij afzetten, dat ik in een gebrekkige wereld van armoe en onrecht nu éénmaal niet anders kiezen kón, dan welbewust een proletariër te zijn. Maar ik was geen held en heb hierop ook nooit aanspraak gemaakt. Ik wist van me zelf, dat ik er mij niet jonger en minder sterk door voelde, wanneer er zich een verminkte schooier, een bedelares met een zuigeling aan de borst of een kwijlende grijsaard vóór mij in het stof wierp en om een aalmoes smeekte. Ik wist, dat veeleer weerzin en schaamte, dan een waarachtig medelijden mij in dergelijke omstandigheden vervulden en dat de milde aalmoes, die ik mij zonder moeite veroorloven kon, er slechts toe diende om het op een koopje met mijn geweten te gooien. Ook wist ik, dat ik in de armoebuurten, — een groezelige kanker op het lachende aangezicht van de hoofdstad —, de adem inhield voor de walmen die uit de goten, de keldermonden, de open deuren of de kleren van de bewoners opstegen. En vloeide de wijn mij minder fris door de keel, wanneer geruchten de ronde deden, dat moordende epidemieën het vee van de boeren uitroeiden of wolken sprinkhanen op de oogst waren neergestreken en de velden kaal vraten, zodat de plattelandsbevolking verkommerde en in de steden de armen als vliegen van de honger krepeerden? O ja, soms knaagde de wroeging aan mijn hart, maar al te gemakkelijk legde ik mij dan neer bij de gedachte, dat ik er ook niets aan verhelpen kon: wat ik bezat, behoudens een bescheiden maandgeld, om als anachoreet uit te delen aan allen, die schamel waren en berooid? Thans weet ik, dat het de gemakkelijkste en meest laffe oplossing was. Toen had het leven mij echter nog niet klaar leren zien en onkundig gelaten op het stuk van de in mij verborgen mogelijkheden. 'Zie hem hier zitten, de proleet,' ironiseerde ik, terwijl ik in afwachting van Jozefs komst door een rietje mijn citroensap slurpte. En ik verlustigde mij in de aanblik van de mooie vrouwen, gekleed volgens de laatste mode, met kunstig opgemaakte kapsels, lippen als kleine incarnaten of paarse bloemen, lange blauwe of donkergroene wenkbrauwbogen en wimperharen, en vuurrood of goudkleurig geverfde nagels aan handen en voeten.

Die dag verkeerde ik bepaald in een wijsgerige bui, want zelfs de Thebaanse mondaines gaven mij overwegingen in, die behoorden tot de soort, welke Jozef sarcastisch stemden, daar hij een gedachte slechts als waardevol beschouwde, wanneer ze rechtstreeks de daad voorafging. Hij zelf onderschatte de kunst der dialectiek hoegenaamd niet, doch wanneer hij desgevallend haar gebieden betrad en er zelfs een speelse toon aansloeg, was het toch steeds met de blik op een welbepaald nabij of verwijderd doel gericht. Hij zou zonder twijfel om me hebben gelachen, wanneer hij geweten had hoe ik het verschijnsel zat te overpeinzen (en dit met de meest uitgelezen schonen uit de rijkshoofdstad om mij heen), dat zelfs in de liefde de mens zijn kluisters van klasse en geboorte niet slaken kan. De meesten onder deze vrouwen, onverwelkte, gave bloemen van louter heerlijkheid, zoals doorgaans alleen de aristocratie en de gefortuneerde burgerstand ze oplevert, kwamen mij voor als bedreven meesteressen in de wetenschap van het amoureuze en hierdoor uiteraard reeds begerenswaardig. (Ja, begerenswaardig, dat waren ze alleszins. Maar toch had ik in dieper wezen een hekel aan ze om de manier, waarop zij alleen zichzelf schenen te kennen en al het omgevende, mij incluis, als lucht beschouwden. Dan verwaarloosde ik haar, die uit zich zelf tot mij gekomen waren en voelde mij gekrenkt door het zo kwistig door haar ten toon gespreide superioriteitsgevoel van laatdunkende fijne dames, die vergeten dat ook zij, gelijk de oude Jacob het ons destijds soms placht voor te houden, in bepaalde omstandigheden net als eenieder een afgezonderde plaats en een velletje toiletpapyrus van doen hebben, scatologische wijsheid, die mij aan het blozen maakte, doch mij echter ook vaak de werkelijkheid onder ogen deed zien waar ijdele schijn mij van mijn stuk dreigde te brengen). Welk schrijnend contrast vormden inmiddels met haar de meisjes uit de arbeiders- en armenbuurten niet, die ik in de afgelopen jaren soms gadegeslagen had? Zelfs wanneer dezen zich niet volkomen prijsgaven aan vuil en ongedierte, zagen ze er gauw en steeds vermoeid uit, met ruwe, stukgewerkte handen, gekioven voeten en zwart onder de nagels van vingers en tenen. Pover in de verlodderde kleren, droegen ze overal de misèregeuren van de keuken of het erf en van haar onverzorgde lichamen mee. Overgeleverd aan de man konden het voor mijn gevoel slechts als weerloze, opgejaagde dieren zijn, in het gunstigste geval door een verbeten, ancestrale drift bezeten, die kort en fel moest uitgeleefd worden en haar daarna berooider dan ooit achterliet, tot ze ten slotte leeggebaard en leeggezogen waren door ziekelijke en vroeg stervende kinderen zonder tal. In de tempels loofden de priesters met aangeleerde welsprekendheid de hoge roeping der vrouw en prezen de gezegende gezinnen, trots en kracht des lands. Ik wist wat ze betekenden, deze gezinnen, verwekt en ter wereld gebracht in luizige legersteden, geteeld uit honger en vuilnis, en hoe deze trots en kracht des lands slechts diende om met zijn zweet de velden der rijken vruchtbaar te maken, met zijn bloed stenen aan elkander te metselen voor heiligdommen, uitgestrekt als steden, of zich op verre slagvelden tot moes te laten hakken, vorst, vaderland, cultuur en geloof ten bate. Ik had er leedvermaak in, dat Ichnaton de priesters, deze verblinde herders, weldoorvoede dienaars van macht en aanzien en betere wijnkenners dan theologen, het vuur aan de schenen gelegd had. Maar zou het nog veel helpen? overwoog ik weemoedig. Zou het optreden van de jonge, dromerige vorst, verstoken van praktische zin, meer betekenen in de wenteling der tijden, dan een schielijke wind, die over de wateren strijkt, zonder het onderzees gewriemel te beroeren, waarin de grotere de kleinere vissen opvreten?

Jozef zag er flink en fleurig uit en zeer tevreden met zichzelf. Waar ik steeds trouw gebleven was aan het Hebreeuwse kleed, zij het dan ook van een fijnere stof dan wij in ons vaderland gewoon waren, had hij zich van de aanvang af bij de Egyptische mode aangepast. Hij droeg ze trouwens met een vlotheid, die ik niet nalaten kon te bewonderen. Eigenlijk moest ik toegeven, willen of niet, dat hij een prachtkerel was gelijk hij daar rustig en zelfbewust op mij toe kwam lopen, door de meesten onder de bezoekers nagekeken en met veel gefluister achter zich, vooral onder de dames, waarvan hij er verschillende hoofs groette, — zonder de geringste zweem van linksheid, zoals ik het niet zonder afgunst constateerde.
'Prettig je te zien,' zei hij luchtig en drukte mij de hand, 'neem me niet kwalijk, dat ik iets te laat ben. Ik heb het razend druk in de laatste tijd.' 'Niets te vergeven, hoor!' verwelkomde ik hem. 'Ik ben geen hooggeplaatst personage en heb tijd zat.' 'Ja,' oordeelde hij gemoedelijk en ontrefbaar voor mijn ironie, 'eigenlijk hoorde ik je te benijden. De ambtenarij is toch maar de ideale oplossing voor luilakken van jouw slag...' Hij onderhandelde deskundig en afstands met de bediende; ik benijdde zijn zakelijke correctheid, wat moest toegeschreven aan het feit, dat ik mij door het personeel in gelegenheden als deze steeds tot op een zekere hoogte overbluft en zelfs geïntimideerd voelde (Eigenlijk hield ik helemaal niet van deze parvenu's uit

de arbeidende klasse, wie de omgang met de door geboorte en kapitaal beter bedeelden een geblaseerde verwaandheid buiten elke verhouding had geschonken, die mij nerveus en schichtig maakte, met als paradoxaal gevolg, dat ik doorgaans de revanche van onzinnig hoge fooien nam, zodat ze mij met open mond nakeken en dan knipoogden naar hun collega's, terwijl ze veelbetekenend met de wijsvinger tegen de slaap tikten, waarbij ze voor mijn part gelijk konden hebben).

'Waarover hadden we het ook weer?' informeerde Jozef verstrooid, nadat hij deskundig het menu had samengesteld, voortgaande op mijn stilzwijgende instemming. 'Over niets,' zei ik korzelig, omdat mij eensklaps het gevoel bekroop, dat het de toon was, waarop hij bij voorbeeld zijn secretaresse een vraag zou stellen. 'Eigenlijk hadden we het over niets,' haastte ik mij er minder twistziek aan toe te voegen. 'Maar ik zou het wel prettig vinden als je me vertelde, waarom je wou hebben dat ik kwam?' Hij keek mij aan of hij zich zwaar tekort gedaan achtte: 'Ben je dan mijn broeder niet, Benjamin? Zou het niet in strijd met de roep van het bloed zijn, indien ik het niet op prijs stelde je te ontmoeten, je zonder meer te ontmoeten, hoe elk van mijn uren ook met beslommeringen en verplichtingen allerhande zit volgepropt?' Ik drong niet aan. Misschien vond hij het inderdaad prettig, dat we samen waren. Misschien voelde hij ondanks alles zelfs meer genegenheid voor mij, dan ik er hèm wenste te schenken? 'In orde hoor!' stuitte ik zijn welsprekendheid, 'ik dacht alleen maar, dat je één of ander met me wenste te bepraten. Dat had toch gekund, wàt?' 'Neen,' zei hij weemoedig, 'ik zou me er wel voor hoeden jou met mijn zorgen lastig te vallen. Je zou mij toch niet begrijpen, of veeleer niet willen begrijpen, want verstandig ben je genoeg, dat weet je zelf best.' 'Dank je,' articuleerde ik droog overheen mijn voorgerecht, 'maar overschat me niet. Er is inderdaad een boel, waar ik geen barst van begrijp. De koeien, je weet wel?... 'Het lijkt wel een obsessie,' grinnikte hij. 'De hele stad kletst er tot dolwordens over. Dus jij weet het ook al?' 'Weten?... Om je de waarheid te zeggen, kan ik er geen touw aan vastknopen. Ik hoorde alleen een krankzinnig verhaal over een droom van de farao, niet gekker evenwel of niet wijzer dan iedere andere droom. Maar het zit me dwars, dat jouw naam in dit verband wordt genoemd. Ik heb een hekel aan die waarzeggerspraktijken van je.' 'Wind je niet op, mijn beste Benjamin,' suste hij me naar ouder gewoonte, 'kan ik het verhelpen, dat men mij dergelijke gaven toeschrijft?... Trouwens, misschien ben ik inderdaad wel helderziend,' mompelde hij nadenkend, 'doch natuurlijk op een andere wijze, dan men het zich gewoonlijk voorstelt.' 'Hoe bedoel je?' wilde ik weten. Hij scheen zich aan deze vraag verwacht te hebben. Meteen begreep ik, hoe hij er mij opzettelijk toe genoopt had ze te stellen, — hij zou mij in dergelijke omstandigheden altijd wel precies een schrede vóór blijven, dacht ik korzelig maar zonder wrok. Rustig kauwde hij zijn mond leeg en spoelde die na met een flinke teug, waarna hij wijduit op zijn gemak ging zitten, opdat ik het belang van zijn woorden niet zou onderschatten. 'Je mag best weten, Benjamin, dat ik zelf het hardste lachen moet om de helderziendheid, waar jij zulk een hekel aan hebt. Een vreemde trek in het wezen van de koning is het, dat een verstandig man als hij er nochtans een opvallende betekenis aan hecht. Maar waarschijnlijk houdt dat verband met de door hem gekoesterde overtuiging, dat het de godheid welgevallig zijn kan sommige geroepenen uit te lezen teneinde zich van hen als instrument te bedienen om hem de opperste waarheid te openbaren.' 'En jij bent één van die uitverkorenen?' 'Volgens de farao klaarblijkend wèl. Maar dat heeft trouwens niet het geringste belang. Er bestaat immers een andere helderziendheid, mijn beste, dan die van profeten, sterrenwichelaars, kaartlegsters, piskijkers en andere grappenmakers. De boer die zijn velden in gereedheid brengt tegen de tijd van de overstromingen is helderziend op zijn manier, of niet? Kijk verder naar de zakenman, die vooraleer het zaad gestrooid is, de nog denkbeeldige oogst reeds opkoopt en je nauwgezet kan voorrekenen, hoeveel de transactie hem zal opbrengen...' 'Nou,' onderbrak ik hem met door het aperitief aangevuurde strijdlust, 'vind je die voorbeelden zelf niet wat àl te kinderachtig? Als je deze kruik omkeert, loopt inderdaad de wijn op de vloer. Maar wat heeft dat met jouw helderziendheid te maken?' 'Zeer veel,' antwoordde hij nadrukkelijk, hoegenaamd niet door mijn dwarsdrijverij geprikkeld. 'Zoals ze dergelijke kleine dingen regeert, beheerst ook de eenvoudige wet van oorzaak en gevolg de grote historische processen. Rijken komen tot stand, bloeien en gaan voorbij. Revoluties en oorlogen breken uit, epidemieën richten de bevolking van ganse steden ten gronde, goden, wijsbegeerten en ideologieën worden opgeruimd om plaats voor nieuwe te maken. Hier bloeien voorspoed en welstand, ginds hebben boeren en handelaars hun alaam en hun wagens voor het plunje en het wapen van de straatrover of de bedelnap geruild. Heb je er al ooit over nagedacht, waaraan zulks hoort toegeschreven te worden, jij, die de hele dag het stof van historische documenten opsnuift?' Ik haalde de schouders op, doch moest erkennen dat ik er inderdaad nooit over had nagedacht. 'Misschien heb je gelijk. De wil der godheid ware een al te goedkope oplossing, dat geef ik je toe,' sprak ik. 'Het hindert natuurlijk helemaal niet, dat je het niet weet,' zei Jozef verzoenend. 'Ook ik wist er niets van in den beginne en er was niemand om het mij te leren. En toch is het alles zeer eenvoudig, ofschoon ik er lang over liep te piekeren vooraleer tot een mij bevredigende slotsom te komen. Mijn helderziendheid berust thans niet langer op handigheid en doorstoken kaarten, zoals in de tijd van Rubens bevlieging voor onze moeder of van de geschiedenis met de opperschenker.' 'Fideel van je, dat je er zo rondborstig voor uitkomt!' zei ik. Rustig monologeerde hij voort op professorale toon: 'Wat ik gemakkelijkheidshalve helderziendheid blijf noemen, schuilt in de toepassing van de wetten, die de innerlijke samenhang van het staatsbestel en de betrekkingen der naties onderling beheersen, wetten van louter economische aard, waarop al het andere berust, politiek, godsdienst, filosofie, militaire macht, noem maar op... Daar heb je bij voorbeeld ons vaderland, dat nagenoeg geen rol speelt op het toneel der wereld. De bodem is schraal, de plaatsen tot de runderteelt geschikt liggen dun gezaaid en ver van elkander verspreid... De versplintering der bevolking verhindert groepering der krachten tot een machtige staat en maakt de nationale defensie tot een ijdel begrip. Gebrek aan valuta dwarsboomt de handel met het buitenland, de behoudsgezindheid der inwoners, gehecht aan overlevering en traditie, maakt hen wars van iedere vooruitgang. En Kanaän blijft Kanaän.' 'Het lijkt mij allemaal machtig interessant,' overwoog ik kalmpjes, 'maar om tot de koeien terug te keren...' Het verraste hem niet: hij scheen mij zelfs erkentelijk, dat ik hem dit be-langrijke punt weer in het geheugen riep. Hij speelde nonchalant met de prachtig geslepen drinkschaal in bergkristal vóór hem: 'De droom van de koning vervult slechts een bijkomstige rol in de hele geschiedenis. Je zal het met me ééns zijn, wanneer ik zeg, dat jij, net zo goed als ik, al worden je dan ook geen visionaire gaven toegeschreven, er zonder moeite dadelijk een heleboel aannemelijke verklaringen voor uit de mouw zoudt kunnen schudden. Misschien bestaan er voor bepaalde dromen wel verklaringen, doch waar deze ons inlichtingen verstrekken die de lichamelijke of geestelijke toestand van de dromer betreffen, lopen ze volgens mij nooit op de toekomst vooruit. Onlangs nog kwam een hoveling mij opzoeken, een zorgelijke trek om de mond. Hij voelde zich erdoor verontrust, vertrouwde hij mij toe, dat iedere nacht visioenen hem kwelden, die steeds weer onvoltooid bleven. Uitstekend jager, droomde hij bij voorbeeld op krokodille- of leeuwejacht te gaan, beleefde hierbij de geweldigste avonturen, doch slaagde er nooit in het dier dat hij vervolgde aan zijn lans te rijgen of te treffen door zijn pijl. Eer het zover was immers ontwaakte hij opgewonden en ontgoocheld. Tientallen andere voorbeelden van dezelfde aard kwamen aan het licht terwijl ik rustig met hem praatte en ervoer, dat de brave man werkelijk uitgehold werd, niet alleen door zijn geprikkelde zenuwen of door de begrijpelijke ergernis, dat de droom nooit voleind werd. Om hem tevreden te stellen diste ik hem een vaag verhaaltje op, waar hij voorlopig vrede mee nam, doch ik bleef hem aandachtig gadeslaan en deed mijn best om volledig zijn vertrouwen te winnen. Zo kwam ik er ten slotte achter, dat hij tegenover vrouwen een ziekelijke timiditeit aan de dag legde, een schuchterheid zo groot, dat hij het nooit zou aandurven het aan te leggen op de daad, waar het tussen man en vrouw om gaat. Toen vatte ik de stier bij de horens (in zoverre sprake van een stier) en nam hem mee naar een gelegenheid, waar ik op mijn weg iedere dag een pracht van een meid, een ware moordgriet achter de heerlijkste borsten van de wereld, nabij het venster had zien zitten. Zonder dat hij het in de gaten kreeg, betaalde ik haar vooraf de dubbele prijs en stelde er haar van op de hoogte, welk schuchter mens ze vóór zich had. Vrij van schijnheilige of oprechte preutsheid, zijn de hoeren de enige soort vrouwen, die volledig beseffen wat van ze verlangd wordt en zich naar de omstandigheden weten te plooien, geloof ik. Eéns ze met haar schroomvallige patiënt in het belendende vertrek verdwenen was, poetste ik de plaat. Wanneer ik mijn vriend de volgende dag terugzag, was hij een ander man en kuste dankbaar mijn beide handen. Of hij de geschiedenis ooit in haar bijzonderheden heeft voortverteld, weet ik niet, doch wat hij er over loste is beslist mijn faam ten goede gekomen. Zodat ik, alles bij elkander genomen, misschien toch van dromen meer verstand heb, dan jij vermoedt!' 'De koeien!' drong ik hardnekkig aan. 'Heb je de farao soms ook?'... Ik achtte hem inderdaad tot alles in staat. 'Wees gerust,' grinnikte hij, 'ik heb alleen maar van de omstandigheden gebruik gemaakt om Ichnaton enkele zaken onder ogen te brengen, waar hij die in andere omstandigheden voor sluit. De zeven vette koeien schilderde ik af als symbolen van de vooralsnog betrekkelijke welstand in dit land, die evenwel bedreigd wordt door tijden van honger en ontbering... Ik had het daarstraks over de wetten der economie. Je bent een discreet man en ik weet, dat je niet uit de biecht zult praten. Welnu, de toestand van Egypte baart mij grote zorgen. Toen Ichnaton de troon besteeg betaalden vele machtige en kleine vazalstaten jaarlijks hoge schattingen, die de staatsfinanciën in evenwicht hielden zonder dat overdreven belastingen de voorspoed des lands zelf aantastten. Egypte werd gevreesd, geëerbiedigd en gevleid. Het was een voorrecht met Egyptische handelshuizen betrekkingen aan te knopen of de bescherming zijner legioenen te genieten. Sedert het evenwel de koloniale legers en de expeditiekorpsen verboden werd bloed te vergieten of zelfs het geringste geweld te gebruiken, wonnen de nationalistische ideologieën in de nabuurstaten enorm veld. Men lacht om de ontmande garnizoenen, kleine potentaten knabbelen aan de rijksgrenzen, om niet te gewagen van die dwarsdrijvers van Hetieten met hun leuze van 'Azië aan de Aziaten'. Sedert jaren worden er zo goed als geen schattingen meer betaald, rovers, waartegen geen doeltreffende strafmaatregelen kunnen genomen worden, hebben het handelsverkeer met het Oosten lamgelegd, met als gevolg, dat de tolrechten achteruit zijn gelopen tot een belachelijk bedrag, niet ééns genoeg om een paar infanteriedivisies gedurende een jaar op de been te houden. Mijn voorgangers, de vroegere raadslieden des konings, losten deze moeilijkheden op door het opleggen van hogere belastingen in Egypte zelf, zonder dat het in hun wormstekige hersenen opkwam dat, de noodzakelijkheid van een evenwichtig budget ten spijt, de rijkdom des lands in de eerste plaats afhankelijk is van de economische mogelijkheden van ieder burger op zichzelf en van de kringloop van het geld. Egypte teert thans reeds jaren op het verleden; zo deze toestand aanhoudt, kan men zich met mathematische zekerheid verwachten aan een crisis, waarvan de gevolgen niet zouden te overzien zijn, ware er tenminste veel verbeelding gevergd om zich uitgehongerde, in puin vallende steden voor te stellen, overgeleverd aan het vuur en het zwaard van vreemde indringers zonder tal. Herhaaldelijk heb ik ondervonden dat Ichnaton, die een dromer is en een fantast, voor dergelijke waarheden als koeien niet vatbaar is...' 'En daarom heb jij zijn koeien gebruikt om hèm jouw koeien van waarheden te doen slikken' besloot ik in zijn plaats, zonder hem al te zeer te laten merken, hoe diep ik wel onder de indruk was van zijn betoog.

Wanneer wij van elkander afscheid genomen hadden en ik nog een poos langs het strand bleef slenteren, had ik geen oog voor de klare, vrouwelijke schoonheid van de stroom in de namiddagzon en de liefelijkheid der baadsters. Jozefs beschouwingen hadden mij in sterke mate geboeid en als uiting van het scherpe, discursieve denken, eigen aan de besten uit ons ras, stelde ik ze inderdaad hoog op prijs. Nochtans wist ik terdege, dat mijn broeder geenszins tot de beschouwende naturen behoorde en begreep ook, dat hij me niet in vertrouwen zou hebben genomen zo hij niet reeds een duidelijke gedragslijn had uitgestippeld. Want handelen zou hij, daar stak ik de hand voor in het vuur. Ik voelde, dat het ogenblik nakend was, waarop hij niets verwaarlozen zou om de hoogste roem na te streven, zij het dan ook onder de dekmantel van het staatsbelang. Waartoe zouden ditmaal zijn ambities hem drijven? vroeg ik mij af, terwijl ik het eigenaardige, tastbare gevoel had, dat zich een zorgelijk masker over mijn gelaatstrekken schoof. Zou ik me zelf nog in de spiegel herkend hebben, indien ik me thans in Senu's kapperssalon had bevonden?

9

EEN LEERZAME AVOND

Steeds ben ik een eenzame geweest. Waarschijnlijk ben ik zèlf de enige, die het weet, want uit de aandrang waarmee sommigen mijn tegenwoordigheid zochten, zou men eer afleiden, dat ik een vrolijke gezel was, een even goede drinker als zwetser en grappenmaker, die niet beter vroeg, dan zich door vele vrienden omringd te zien. Ach, ik weet het wel, dat mijn vertrouwelijke omgang met de koning en mijn verwantschap met Jozef hieraan niet vreemd waren, en verloor zulks ook nimmer uit het oog. Eigenbelang, gewoon plat winstbejag is, meer nog dan de bevrediging der driften, de doorslaggevende impuls tot iedere menselijke daad. Voor mijn geest kan ik de bonte stoet laten voorbijtrekken van allen, die zich trachtten aan mij op te dringen en mij 'hun vriend' noemden, niet omdat soms, als het mijne, hun hart naar een woord van vriendschap haakte, maar omdat ik, de hooggeplaatste Hebreeuw, vriend des konings, in staat werd geacht hun persoonlijke belangen te dienen. Ik vergeef het hun zonder wrok. Maar bij de naam van de onvergetelijke, kwetsbare knaap Ichnaton, steeds weer heb ik het van de aanvang af dóór gehad, nog voor zij het zelf soms beseften, dat zij in mij slechts het middel en nooit het doel zagen. Ik zie in gedachten de militairen voor wie het van betekenis is in een goed blaadje te staan bij hem, die er sinds enige tijd mee gelast was geworden dag voor dag de belangrijke gebeurtenissen in het land te boek te stellen, wat ik deed met toewijding en objectiviteit. Ik zie de kunstschilders en de beeldhouwers, die hoopten door mijn voorspraak bij Thotmes officiële bestellingen in de wacht te slepen. Ik zie de politiekers, die veronderstelden dat ik, dank zij Jozef, de hogere geheimen van hun ambacht kende en op de hoogte was van de inzichten des farao's. Ik zie de vrouwen uit de gefortuneerde burgerij, die meenden mijn prijs te kennen om haar aan het hof te doen inviteren op de jaarlijkse grote receptie, demi-mondaines, danseressen en actrices, aftandse en jonge, benevens blauwkousen en mallotige oude vrijsters, kooplui, avonturiers, priesters van lagere rang of wereldhervormers en géén onder hen kwam tot Benjamin en zegde hem met opengespreide, belangloze handen: hier is mijn vertrouwen en mijn genegenheid in ruil voor de zijne. Doch nauwelijks daarentegen waren wij aan elkander voorgesteld en hadden een paar oppervlakkige, tastende woorden gewisseld, of reeds wist ik wàt zij mij vragen, wanneer en hoe zij het vragen zouden. Indien ik minder het leven had liefgehad, zou ik er mij hebben laten door verbitteren; thans maakte het mij alleen stug bij pozen, een veeleer naar binnen gekeerde stugheid die ik (gevolg van mijn aangeboren schuchterheid) slechts zelden blijken liet. Ik glimlachte en betoonde mij minzaam, zodat de meesten zich voorstelden, mij zonder de geringste moeite het bit in de mond gestopt en voor hun koets gespannen te hebben. Ik brieste niet, maar zette mij innerlijk schrap en liet hen betijen. Achteraf vernam ik doorgaans, dat zij zich bedrogen voelden in hun zogenaamde toewijding en mij als een hooghartige dwaas of een eigengereide Jood bestempelden. Wees nooit vertoornd als men je hoogmoedig noemt. Domheid, geilheid, vrekkigheid en dergelijke meer zijn duidelijk herkenbare tekortkomingen, waarvoor veelal de proef op de som kan worden geleverd. Maar of men je al dan niet hoogmoedig noemt, is een kwestie van proportie tussen lasteraar en object: de minderwaardige, die naar de meerderwaardige opziet, zal deze hoogmoedig noemen, én omdat diens schaduw hem hindert, én omdat hoogmoed nu éénmaal een subjectief begrip is, dat moeilijk weerlegd kan worden en waarbij dus nimmer de spreekwoordelijke snellere waarheid de vlugge leugen achterhaalt.

Ik leefde als een eenzame, doch niettemin waren er drie mannen, wier onbaatzuchtig vertrouwen ik genoot: Ichnaton, de koning, Thotmes, de beeldenmaker en Horemheb, de militair. En ach, Jozef... Misschien stel ik me té veel van het leven voor: is het op zich zelf niet reeds een uitzonderlijke genade drie vrienden te tellen, waaronder één op het punt stond het aanschijn van de wereld te veranderen, niet door het vuur en het zwaard, doch gedreven door de waarheid, die woonde in zijn hart?... Innerlijk waren zij alle drie vrije mensen, doch slechts Thotmes, de kunstenaar, die ik uiteraard het vaakst ontmoette, beschikte ook geheel over zijn uiterlijke vrijheid, zoals hij er zin in had, praktisch door geen enkele officiële of ambtelijke verplichting gebonden. Ook thans maakt de herinnering mij nog gelukkig, wanneer ik de vele stonden voor de geest roep, die ik in Thotmes' werkplaats gesleten heb, toekijkend hoe zijn reuzenhanden met vastberaden tederheid het leven uit de logge stof deden opbloeien, of genietend van zijn ongezouten, waarheidslievende taal, wanneer hij hamer en beitel terzijde legde en een kruik wijn openmaakte, waarin de heftigheid brandde der woestijnzon, doch ook de koelheid der oasen lag, als in de schemering de kreten der spelende kinderen zijn en de gesmoorde roep van huiswaarts kerende herders.

Toch was ik niet mensenschuw en toen ik me die avond naar mijn vriend begaf, schiep ik zelfs behagen in de gedachte, er een bont en uiteenlopend gezelschap te zullen vinden, lieden wier persoon, woord of gebaar meestal geen spoor naliet in mijn hart, doch die ik met een zeker genoegen gadesloeg omdat de mens nu éénmaal het zonderlingste creatuur der schepping is. De étiquette, die mij huizen deed mijden in Thebe, waar mijn naam bij machte was de meest aristocratische deuren te openen, speelde bij Thotmes geen rol, ofschoon menige hooggeplaatste snoeshaan of begeerde mondaine er heel wat voor over zouden gehad hebben om langs de neus weg een gesprek te kunnen beginnen met: 'Gisteren liep ik even bij Thotmes aan, en stel je voor...' Hij ontving zijn gasten nooit elders dan in zijn atelier, waar hij overigens zelf at en sliep en het was zijn reusachtige Nubische bediende (ook model van tijd tot tijd), die mij onmiddellijk hierheen leidde, toen ik — het teken van de vrienden van, den huize — driemaal de zware bronzen klopper op de deur had laten neerhameren, een instrument, dat Thotmes op zijn eigen bicepsen berekend had en telkenmale heel wat gesjouw vergde om er beweging in te krijgen.

Die keer heerste er een drukte van belang aan de voet van twee kolossale beelden, bestemd voor de poorten van Achetaton, de nieuwe stad die de koning zich voorgenomen had aan de boorden van de Nijl op te trekken, en waarvan ik me afvroeg hoe men ze op de schepen zou laden, die ze naar het noorden stroomafwaarts moesten voeren. Het was de eerste maal, dat ik in de mij van zoveel stille, genoeglijke uren vertrouwde werkplaats een zo grote menigte verzameld zag en ik vroeg mij wrevelig af, of het ditmaal soms een spreciale avond was. Het feit, dat Thotmes als steeds zijn werkkiel aangehouden had, die hij met een zwaar touw om het volumineuze middel dicht gesnoerd hield, stelde mij gerust. Terwijl wij elkander de hand drukten informeerde ik niettemin: 'Toch niks bijzonders aan de hand?' 'Nee, hoor,' grinnikte mijn robuuste vriend met iets verachtelijks in de stem en een hoofdbeweging in de richting van de beelden, 'maar iedereen wil die olifanten van nabij bekijken. Ze vinden ze gewoon denderend, de stommelingen. Maar hiérvan begrijpen ze geen mieter,' voegde hij er weemoedig aan toe en streelde met een voor zijn scheepslossershanden ontroerende vertedering over het bolle buikje van een opstaand meisjesfiguurtje, met schroomvolle, nauwelijks ontloken borstjes en een schuin neerwaarts gericht hoofdje, pril als een lentemorgen, waarin stil en onverwacht de eerste amandelboom te bloeien staat. We zwegen beiden en in dit zwijgen was een weldadige rust, ondanks het gerucht van vele stemmen op de achtergrond. Spoedig werd nochtans deze rust geschonden door het onaangenaam falsetgeluid van de priester Kefertaton, aan wie ik vroeger wel eens was voorgesteld geworden: 'Mijn beste Thotmes, mag ik je van harte met deze twee prachtige beelden feliciteren?' 'Vind je ze mooi?' gromde mijn vriend. Ik zag, dat hij de nieuwgekomene met innigheid verfoeide. 'Voortreffelijk, mijn waarde, voor-tref-fe-lijk,' zei deze met de bestudeerde intonatie van de kenner. Ik voorspelde, dat hij zo dadelijk met de vooruitgestoken duim van de rechterhand vage figuren in de ruimte vóór zich uit zou gaan schrijven, om al de kwaliteiten van Thotmes' scheppingen terdege te onderstrepen. Het was me ondertussen duidelijk geworden, dat de beeldhouwer deze slechts vervaardigd had om aan een gril van de farao te voldoen, zoals men een drenzend kind zijn zin geeft, doch dat hij er niet met het hart was bij geweest. De tamelijk conventionele factuur verried op vele plaatsen de hamerslag van zijn leerlingen, die hij anders bij voorkeur zonder toezicht met klei of hout liet knutselen, omdat het ware genie zich alléén ontbolsteren moet, zoals hij het mij herhaaldelijk gezegd had. 'Voortref-fe-lijk,' mediteerde Kefertaton half luid. Hij was één van de priesters, die destijds met evenveel vlijt Amon en zijn duister panopticum had gediend, als thans Aton, de zonnige. Ik betwijfelde het, of er bij hem veel meer veranderd was dan de snit van zijn kleed en zijn naam. 'Voor-tref-fe-lijk...,' kauwde hij zijn eigen woorden na, om al de subtiele gevatheid ervan genotvol op de tong te proeven. 'Kun je me vertellen, wat je er zo voor-tref-fe-lijk aan vindt?' vroeg Thotmes canailleus. 'Misschien ga ik het op de duur zelf nog geloven. Want het is rotzooi, mijn waarde, ik zeg je op mijn eer, dat het rotzooi is, waarover ik me schaam. Er bestaat een behoorlijke kans, dat ik ze nog tot puin laat slaan om er in mijn tuin een nieuw pad mee aan te leggen!' De ander keek onthutst en daar had ik stiekem plezier in. Ik hield niet van priesters, die om één of andere reden grotendeels van de tempelplichten ontslagen werden en zich met wereldse zaken bemoeiden, inplaats van te bidden, waarvoor ze door ons betaald worden, ook al verwacht ik niet de geringste baat van hun gebed. Kefertaton was er de man niet naar, om zich door zo weinig langer dan één ogenblik uit zijn lood te laten slaan. Hij vouwde de handen en glimlachte zalvend: 'De bescheidenheid van de ware meester.' 'Ja,' grinnikte ik, 'zo is die goeie Thotmes nu éénmaal. Maar toch, Kefertaton, wat trekt je zo bijzonder in deze beelden aan?' 'Ik ben gelukkig,' antwoordde de priester vervoerd, 'ja, voorwaar, ik ben gelukkig de grote Thotmes zijn onvruchtbaar individualisme te zien verloochenen ten bate van een kunst, die niet alleen de godheid verheerlijkt door haar weidsheid en de roem van de vorst bevestigt door haar kracht, doch die bovendien gezond en volks is. De kunst mijn zonen, en het hoeft voor jullie geen geheim te zijn, dat het in het bijzonder tot mijn geestelijke taak behoort hierover te waken, mag geen ijdel spel zijn voor enkele uitverkorenen, geen navelkijkerij van de artiest, doch zij moet het hare bijdragen tot opgang van ons volk, de godheid ten bate. Doet zij dat niet, dan is zij waardeloos en verwerpelijk, ja moet zelfs onverbiddelijk uitgeroeid worden...' Thotmes kruiste agressief zijn behaarde smedersarmen. Even viel er een pijnlijke stilte, maar op het moment, dat ik de niet zo heel oorspronkelijke overweging wilde ten beste geven, dat we de laatste dagen beslist een pracht van een weertje hadden, antwoordde de kunstenaar gemeten: 'Kefertaton, je bent de grootste stommeling, waaraan de zon van Egypte haar

116

stralen spendeert. Ik zal je geen pak slaag geven, omdat ik van nature een vredelievend man ben en omdat ik de lui van jouw slag ken. Ik heb je laag op, Kefertaton, want ik weet, dat je me reeds lang als artiest om zeep zoudt gebracht hebben, indien ik niet Ichnatons intieme vriend ware. Ware ik niet de vriend van de koning dan zou je allang iedereen, die me te na kwam, de stuipen op het lijf hebben gejaagd...' De priester keek hem aan, zo gekrenkt en tekort gedaan, dat geen enkele mime het hem zou nabootsen en hief sussend en tevens protesterend de hand. Ik vermaakte mij kostelijk, evenals een paar andere gasten, die schijnbaar achteloos naderbij kwamen drentelen. 'Maar niet over het individualisme van mijn kunst, of haar gebrek aan volksheid zou je gesproken hebben, mijn vrome Kefertaton, neen, daarover zou je het beslist niet gehad hebben.' 'Mijn beste Thotmes, je weet hoe ik je werk waardeer!' 'Ik ben je beste Thotmes niet, Kefertaton, en ik heb grondig de pest aan je, hoor je me? Je zoudt op klaaglijke toon en met geheven handen gejammerd hebben over die goeie Thotmes, maar ook die verblinde Thotmes, waardoor onze straten en pleinen met zulke erotische en dus zedeloze beelden ontsierd worden, die begaafde Thotmes, waarvan je zoveel verwachtte en die nu de slechte weg is opgegaan, helaas. En als dat niet hielp, zou het de schunnige Thotmes zijn, de zedenbederver, Thotmes de godslasteraar, Thotmes de ketter ten slotte, tot omgekochte ambtenaren, waarvan de argeloze vorst het bestaan niet ééns meer vermoedt, er voor zouden zorgen, dat ik vrij kost en inwoon kreeg op rijkskosten!' 'Ik waak over de goede zeden, inderdaad,' sprak de priester stug, 'dat is mijn plicht en hierop ben ik trots. Waar het de vorst aan gestrengheid tekortschiet, moet de geestelijkheid ingrijpen. Nooit hebben de artiesten het zo bont gemaakt als thans. Geve de godheid de wijze Ichnaton ook inzicht op dat gebied!' Thotmes scheen gekalmeerd, nu hij de andere op borsthoogte bij zijn kleed beetpakte, zonder hem echter te molesteren, zoals ik gevreesd had: 'Over die zedelijkheid van je wil ik nog een woordje met je wisselen. Neen, je hoeft niet bleek te worden. Alleen maar dát wou ik je zeggen, Kefertaton: met toewijding en soms met drift, hoor je, met mannelijke drift is het, dat ik bij voorkeur vrouwenfiguren beeldhouw. Een borst, een dij, een heup, een navel, een schoot, de welving van een geslacht, die uit de steen te voorschijn komen, zijn geen steen voor me, snap je? Het is of ik de naakte, gladde of korrelige huid onder mijn handen voel leven, ja, voorwaar zo is het en niet anders! En ik heb er mijn plezier aan, Kefertaton, of de anderen het mooi vinden of niet, ik heb er verdomd mijn plezier aan! Als de godheid iéts gewild heeft, in de veronderstelling, dat ze zich van ambachtslui van mijn slag wat aantrekt, heeft ze dàt gewild, Kefertaton, want ze wist verdomd wat ze deed, toen ze de man maakte en voor de man de vrouw, geloof me!' Hij liet de op zijn hielen wankelende priester los en besloot: 'En zo is het goed.' Of er niets gebeurd ware, nam hij mij bij de elleboog en leidde mij naar de plaats, waar de Nubiër, wit glimlachend met heel zijn gebit, royaal de wijn liet vloeien, zoals zijn meester het graag mocht. 'Op de erotiek en de onzedelijkheid,' grinnikte Thotmes en presenteerde zijn schaal als een soldaat zijn wapen, waarop wij toegewijd en geconcentreerd dronken, zonder te praten, zoals men wijn moet genieten als men tot de sobere naturen behoort, die de gaven der schepping naar haar diepere waarde hebben leren schatten.

Een langdurige stilte werd mij die avond niet gegund, want daar kwamen Seneferu, de bankier, en Zenonfi, de koopman opdagen en begroetten mij onder luidruchtige vriendschapsbetuigingen. 'Als geroepen, Benjamin,' juichte Zenonfi, 'je komt werkelijk als geroepen, jij, die je broeder Jozef, de ziener, in wijsheid evenaart.' Dat is zo de Egyptische beleefdheid, die mij soms grenzeloos verlangen deed naar de schaarse en monosyllabische maar zinvolle avondlijke woorden van de herders bij hun kudden in mijn geboorteland. 'Als geroepen?' informeerde ik met weinig geestdrift, 'hoe zo?' 'Kijk, mijn waarde Benjamin,' mengde Seneferu zich in het gesprek, 'Zenonfi en ik, die zijn geldschieter ben, vrezen in grote moeilijkheden te geraken, indien wij niet door een verstandig man als jij worden voorgelicht.' 'Wat de handel en de financiële transacties betreft, voortreffelijke Seneferu, ben ik wel de laatste, die je raad geven kan. Ik ben er niet beter van op de hoogte dan een meisje van lichte zeden van de mystieke schrijvers uit de zevende dynastie.' De bankier wuifde afwerend met de handen. 'Zo raak je van ons niet af, lieve vriend! Wij weten, dat je geen specialist in onze branche bent, doch is het commerciële genie van jouw volk niet beroemd in gans de beschaafde wereld? Neen, je moet beslist naar ons luisteren!...' 'Nou dan,' legde ik me neer bij hun verzoek, 'ga erop los, doch wees niet boos, als ik je van de regen in de drop help.' 'Ziehier wat ons dwars zit,' sprak Zenonfi gewichtig. 'Een paar dagen geleden werd mij een belangrijke partij graan te koop geboden. De prijs was nochtans zo hoog, dat ik aanvankelijk het bod spotlachend van de hand wees. Ik houd van vlot en prettig zaken doen, doch dacht er niet aan, mij door de eerste beste sjacheraar in de luren te laten leggen. Daar mijn magazijnen evenwel ongeveer ledig zijn, zond ik mijn dienaars naar het platteland om aldaar de nodige voorraden op te slaan.' 'Zo bedoelde hij het tenminste,' vulde Seneferu aan, 'maar hij had buiten de waard gerekend.' 'Inderdaad,' vervolgde de koopman verongelijkt. 'De boeren, die anders mijn lui steeds voorkomend behandelen en ze zelfs aan hun tafels uitnodigen, zetten thans een grote mond op en beweerden, dat ze niets meer met hen te maken wilden hebben, de schoften!' 'Merkwaardig,' zei ik diepzinnig, 'hoogst merkwaardig.' Ondertussen begon ik nattigheid te voelen, zoals men in mijn vaderland zegt. 'Een boer is echter maar een boer en gauw vielen ze door de mand. Zo bleek het, dat korte tijd daarvoor in alle dorpen regeringsambtenaren waren verschenen, die fantastische prijzen hadden betaald voor ganse velden, waarop de oogst nog niet eens rijp was, dit zelfs in streken waar sprinkhanen worden gesignaleerd. Wat hun overbleef wilden ze bewaren tot die rekels terugkwamen en ze hadden zich blijkbaar voorgenomen er zo mogelijk nog hogere bedragen voor te bedingen. Mijn mensen keerden met ledige handen naar Thebe weer en gisteren heerste er een ware paniek op beurs. De meeste collega's, die niet bij de pakken waren blijven zitten, hadden precies dezelfde ervaring opgedaan, zodat niemand vooralsnog raad weet!' 'Een vreemde geschiedenis voorwaar!' overwoog ik nadenkend, ofschoon het mij onmiddellijk duidelijk was geweest, waar het schoentje knelde; ja, ik had dadelijk wel geweten, dat Jozef terdege was besloten geweest om tot de daad over te gaan. 'Kijk,' voegde Seneferu er vertrouwelijk aan toe, 'het is helemaal niet onze bedoeling er een geheim van te maken, waarom wij ons precies tot jou wenden, Benjamin, tot jou, die inderdaad misschien beter op de hoogte bent van wijsbegeerte en letteren, dan van de economische problemen, wat je overigens tot eer strekt, niet waar Zenonfi? Er wordt namelijk beweerd, en wij weten, dat die bewering in brede trekken met de werkelijkheid overeenstemt, dat ook Jozef, je doorluchtige broeder, belangrijke partijen graan heeft opgekocht. Wij kennen toevallig de eigenaar van de bergplaatsen, die hij speciaal daarvoor heeft laten huren met een contract voor zeven jaren.' Ik antwoordde met vaste stem: 'Wat Jozef, mijn doorluchtige broeder, in het schild voert, weet ik niet,' en ironisch, zonder dat het hun opviel: 'Maar hij is een wijs man, die niets doet zonder grondig overleg. Volg zijn voorbeeld, Zenonfi, koop zoveel je krijgen kan voor om het even welke prijs, zelfs de meest krankzinnige, betaal Seneferu om het even welke rente en zonder dat je er zelf wat van merkt zal het geld zich vermenigvuldigen als de sprinkhanen, moet zulks desnoods een paar honderdduizend hongerlijders het leven kosten. Koop, en aarzel niet als het graan beschimmeld of doorgeschoten is, koop, en je zal geld verdienen, zoals er nooit één man langsheen de boorden van de Nijl met eerlijk zakendoen geld verdiend heeft. Ik laat me aan spaanders hakken, indien jullie binnen het jaar niet de rijkste mannen in Thebe bent!' Zenonfi's ogen en ook die van Seneferu glansden van opwinding. 'Ik heb het dadelijk gezegd,' juichte de laatste, 'dat wat Jozef doet, slechts geschiedt in het belang van het algemeen.' 'Ja,' besloot ik, met in mij een diepe walg, 'nooit heeft Jozef anders dan in het belang van het algemeen gehandeld, dat weet eenieder in Thebe.' De bankier stelde een dronk voor op het genie van mijn broeder. 'Op de koeien, gezondheid!' zei ik driest. 'Koeien?' zei Zenonfi. 'Wat hebben die er mee te maken?' 'Weinig,' antwoordde ik, 'maar ik vind het beminnelijke beesten.' 'Je bent een grappenmaker,' grinnikte Seneferu, 'ik geloof, dat de Hebreeuwen een geestig volkje zijn.'

'Nou,' meesmuilde ik, 'om je een aap te lachen...'

Ik nam mij voor niet meer te drinken die avond, liet de beide zaken-
lui in een druk gesprek gewikkeld aan hun lot over en begaf mij onder de bezoekers. Het puik van het artistieke, politieke en mondaine
leven in Thebe kortte de tijd in vriendschappelijke kout en beschaafde scherts, doch ik kende de haat, de afgunst en al wat dies meer
zij, verborgen wriemelend onder de meest elegante omgangsvormen.
Ik zag Amenhotep, de dichter met zijn grappig driehoekig hoofd,
die met zijn korrelige, ietwat slepende en zuinig gemeten stem zijn
even beroemde als oneerbiedige boutades en woordspelingen op zijn
toehoorders afschoot, doorspekt met op grappige wijze uit hun verband gerukte citaten uit de Egyptische klassieken. Hem mocht ik wel
en in zijn bijziende ogen vermoedde ik de tere weemoed, die ook zijn
gedichten vervulde en een volslagen contrast vormde met zijn speelse geest en zijn behoefte voortdurend de eerbiedwaardigste dingen
tot clowneske fantasieën te verdraaien. Ik houd van weemoedige
mensen, omdat zij, dunkt mij, de enigen zijn, die zich duidelijk rekenschap geven van de vreemde paradox, welke wij leven noemen. Het
verheugde mij, hem zo dadelijk de hand te drukken, doch ik zag van
deze spontane vriendschapsbetuiging af, toen ik bemerkte, dat hij
met Triphit, de dichteres, in gesprek gewikkeld was. Wanneer ik
'dichteres' zeg, is dat veeleer bij wijze van spreken, want eigenlijk
had ik hartsgrondig de pest aan de tot groteske diepzinnigheden opgeblazen moerassigheid van geest, die bleek uit de snoeren van woorden, welke zij min of meer op maat en rijm aan elkander knutselde.
Er zijn weinig vrouwen, in wie ik van het eeuwig vrouwelijk geen
genster tracht te ontwaren, naar de geest of het lichaam. Triphit echter boezemde mij alleen maar een gezonde hekel in, ofschoon zij, dat
moet er rechtvaardigheidshalve aan toegevoegd, inderdaad een
vrouw was, in tegenstelling met velen onder de beoefenaarsters der
fraaie letteren, die de man misprezen en hieraan paarsgewijze met
kortgeknipte haren lucht geven. Neen, Triphit behoorde niet tot
de weinig geheime secte der averechtse tantes: zulks kon menige
vroede Thebaan getuigen, die zij met nochtans mannelijke doortastendheid in haar bedstede geloodst, zo niet gesleept had. Er was iets
vermakelijks en tevens tragisch aan de wijze, waarop telkenmale
haar kortstondige minnaars op de vlucht sloegen, wat ik beter begrijpen kon dan het geminnekoos, dat deze vlucht vermoedelijk vooraf was gegaan. Zij was opvallend met scarabeeën behangen, en niet
bepaald lelijk, ofschoon net iets te weelderig en te rijp om mij te be-
koren. Toch heb ik oudere vrouwen gekend, die mij iedere dwaasheid
ten volle waard schenen. Voor zoverre men echter een vrouw bij de
wijn kan vergelijken (deze vergelijking is niet zo gek, want beiden zijn
het immers, die ons mannelijk hart aan de eeuwigheid doen geloven),
zou ik zeggen, dat ze verschaald was, niet oud of verlept, maar ver-

schaald. Er is nu éénmaal wijn, die jong moet gedronken worden, ofschoon andere slechts op rijpere leeftijd door de onontbeerlijke geest bezield wordt, doch verschaald kunnen ze beide zijn. Wat mij, toen ik voortliep, vooral een grote omweg deed maken, waren de intellectuele pretenties, die zij zich aanmatigde en mij te sterk op de lachspieren werkten, om bij voorbaat de zekerheid te bezitten niet onhoffelijk te worden, wanneeer zij aan het woord kwam. Waar zij ook ten tonele verscheen, aan het woord kwam zij in elk geval; buiten het brandpunt der belangstelling kon zij niet aarden, met sublieme argeloosheid ignoreerde zij de ingehouden ergernis der anderen en wat zij als vrouw in mijn ogen te kort schoot, trachtte zij waarschijnlijk door de geest te vergoeden. Zij had links en rechts in vulgariserende en wijsgerige geschriften gegrasduind, terwijl zij bovendien tot een paar even onschuldige als geheime genootschappen behoorde, door onschadelijke warhoofden en wereldhervormers aan lager wal gesticht. Aan dit alles had zij een barokke dialectiek ontleend, waarin zij de wijsheid van marktpredikers, mystici, bijgelovige oude vrijsters, kermiswaarzegsters, horoscooptrekkers en piskijkers op godslasterlijke wijze door elkaar klutste, na er doorgaans haar toehoorders bij voorbaat loyaal van op de hoogte gebracht te hebben, dat zij hen niet hoger dan zachtgekookte idioten ophad.

Ik was die keer heus niet in de goede stemming en aanleunend tegen het voetstuk van één der twee kolossale beelden, die het voorwerp waren geweest van Kefertatons in de kiem gesmoorde apologie der volksverbonden kunst, vroeg ik me af, of ik er niet beter mee deed naar huis te gaan, waar mijn boeken er misschien konden toe bijdragen, dat gàns mijn avond niet verloren zou zijn. Leek het immers niet voorgoed te laat om die nacht nog een verzoening na te streven tussen mijn aangeboren eenzaamheid, die mij zelfs te midden van het drukste gewemel trouw vergezelde, en de mondaine woeligheid van deze samenkomst? Tenzij ook de anderen niet lang meer blijven zouden en het gezelschap van Thotmes, straks, als alles weer stil werd en in het maanlicht de beelden weer inniger leven verwierven na het uitdoven der toortsen, mij de verloren uren zou vergoeden. Het was vroeger wel meer gebeurd, dat wij samen bleven napraten, wanneer de laatste gasten verdwenen waren, met tussen ons beiden een kruik, die de beeldhouwer voor de intieme vrienden reserveerde, dromerig koutend over dingen die ons beiden lief waren: kunst, wijsbegeerte en letteren, soms over de onverklaarbare betekenis van dit aardse bestel, dat ons beiden evenzeer boeide en dat wij in gelijke mate liefhadden, daar geen van ons tweeën kon geloven in de rooskleurige gaven der godheid, ons voorbehouden na de dood van het stoffelijk lichaam. Soms ook gebeurde het, dat wij alleen maar zwijgend bij elkander zaten. Ook dan voelde ik mij volkomen gelukkig. De ware vriend is hij, die men begrijpt en door wie men ook zonder woorden begrepen wordt. Hij was een man uit het volk, mijn vriend de beeldenmaker en ofschoon hij hierop nooit zinspeelde, vermoedde ik, dat hij tijdens zijn jeugd kommer en honger gekend had. Maar in hem voltrok zich het wonder van het genie, dat de anonieme massa van het plebs ontbloeit en ik vroeg me af, hoeveel generaties van slaven, boeren, bootslui, dagloners, zonnekloppers of bedelaars er wellicht waren nodig geweest vooraleer in een vrouwenschoot louter toevallig de kiem was gelegd tot een wezen dat zo maar, zonder schoolse vorming en waarschijnlijk zonder het aanvankelijk zelf te beseffen, de oneindigheid wist vast te kluisteren in de materie welke bezield zijn ruwe handen verliet, zijn handen, die mij soms de indruk gaven louter aan zichzelf te gehoorzamen en door zichzelf geleid te worden.

Toen raakte iemand mijn voorarm aan. Ik keek op. Het was Tjenuna, de vrouw van Potifar, onze vroegere meesteres. Ik verstrakte. Zij glimlachte wijs, alsof zij dadelijk begrepen had, wat er in mij omging: 'Zo vinden wij elkander ten slotte weer, Benjamin.' Ik zei 'De wereld is klein, hoe kon het anders?' Zij antwoordde: 'En toch moesten er zoveel jaren overheen gaan.' Gelaten antwoordde ik: 'Misschien is het beter zo? Men moet de dingen nemen zoals ze komen.' 'Maar er nooit voor op de vlucht gaan, Benjamin.' Ik keek haar aan. Slechts nu wist ik eensklaps, dat ik haar nooit werkelijk had aangekeken. Zij was de Tjenuna van vroeger niet meer. In zoverre ik haar destijds verstrooid had gadegeslagen, was zij in mijn ogen een nukkig kind geweest, een grillige aristocrate, die haar onbevredigde driften stilt met de eerste knecht de beste. De jaren hadden haar niet verouderd, en toch was zij thans een andere vrouw, rijper, dieper en met achter haar zuiver gebleven blik de herinnering aan veel verdriet, dacht ik bij me zelf. En kwam een grote vertedering over mij. 'Het is alles zo lang geleden...' mompelde ik stil vóór me uit, zonder zelf te beseffen, wat ik hiermee precies bedoelde.
Wij wandelden in de richting van het water. Het was een nacht als een gedicht. Er scheen een maan om gek bij te worden. Wij daalden de treden af tot op het strand, waar wij plaats namen in Thotmes' kleine boot, die daar gemeerd lag, de voorsteven in het slib. Ik maakte het touw los. Met behulp van de riem kreeg ik het vaartuig vlot. Langzaam dreven wij naar het midden van de stroom. Het was geschied zonder praten of enig overleg, doch ik raadde de glimlachende instemming in haar zwijgen. Ik voelde de warmte van haar lichaam naast het mijne op de smalle houten bank en was er dankbaar om, alsook om het geluid van het water omheen haar hand, die ze loom over boord liet hangen. 'Er is sedertdien zoveel veranderd, Benjamin...' zei ze berustend. 'Ja,' antwoordde ik, 'er is veel veranderd. Ik was in die tijd een berooid zwerver, dankbaar om een dak, een legerstede en een korst brood...' 'En nu ben je een

gezien man, de broeder van de kanselier des farao's en koninklijk geschiedschrijver... Maar dat bedoel ik eigenlijk niet.' 'We zijn ook ouder geworden,' mompelde ik mijmerend. 'Ouder niet alleen,' vervolgde zij als van verre, 'maar vooral meer volwassen. Sommigen evenwel worden nooit volwassen, zoals Potifar...' 'Ach ja, Potifar...' schrok ik zichtbaar, of ik mij slechts thans van diens bestaan opnieuw rekenschap gaf. Zij voelde mij verstrakken. 'Denk niet aan hem,' zei ze met aandrang, 'denk thans vooral niet aan hem!' Zij keek mij aan met ietwat geopende lippen, waartussen ik haar tanden glanzen zag als porselein.

Wij zwegen daarna een hele poos. Thotmes' woning nabij het koninklijk paleis lag uiteraard in de buurt van villa's en parken, zodat wij slechts nu voorbij de stad dreven, met licht en verwaaide geruchten uit de havenkroegen en de schepen aan de kade, waarvan de masten en touwen als oeverriet in een landschap van reuzen, een vreemd struikgewas vormden in de vreemde nachtelijke klaarte. Ik zei: 'Potifar en Jozef...' en er was een scherpe pijn in mijn hart. Zij schoof dichter bij me. Ik rook de geur van haar donkere haren, die in brede golven om haar schouders vielen. Er was ook de geur van haar lichaam, een nog jong, verzorgd en sterk lichaam. Ik vermande mij door het uitgeëbd gesprek weer op gang te brengen: 'Hoe was het mogelijk, dat wij elkaar gedurende al die tijd niet ontmoetten? Kwam je wel eens eerder bij Thotmes?' 'Eigenlijk is het een hele geschiedenis,' antwoordde ze ontwijkend. 'Na Jozef kon ik niet meer wennen aan mijn leven van weleer, ofschoon ik vrijwillig afstand van hem deed. Van die dag af heb ik mijn eigen leven geleefd...' 'Je eigen leven leven,' zei ik, eensklaps bitter, met een korte siddering, 'je eigen leven leven, dat betekent in Egypte schaamteloos alles doen waar je zin in hebt en niemand ontzien, is het niet?' Zij sloeg een droeve blik naar me op: 'Misschien heb je gelijk, ik weet het niet. Het werd een gewoonte van me 's avonds de eenzaamheid van ons huis te ontvluchten. Thebe is een vrolijke stad bij nacht en tot mijn onuitsprekelijke verbazing was ik overal welkom. Ik ging mij beter kleden en besteedde uren aan mijn toilet: het kortte de tijd en ik stond verstomd over het resultaat. Na een poos bemerkte ik, dat zowat alle mannen achter me aan zaten...' Ik wilde haar het zwijgen opleggen, want dit is in de liefde één van de grote verschillen tussen man en vrouw: om de nieuwe geliefde niet te krenken, verzwijgt de man zijn vroegere minnarijen, zonder ze evenwel te verloochenen; uit eerlijkheid daarentegen en om met het verleden schoon schip te maken, zal welhaast van de eerste stonde af de vrouw op haar minnaars van weleer zinspelen, zulks met een oprechtheid die ons, mannen, krenkt in onze dwaze ijdelheid, of ieder van ons zich ter wereld de enige waant, bij machte om de bestendige gloed in elke vrouw aanwezig, heftiger te doen oplaaien. Daarom zag ik van mijn voornemen af en liet haar uitpraten. 'Na Jozef zijn er anderen gevolgd. De meesten ontgoochelden mij dadelijk. Ik betreur geen enkele onder hen.' 'Heb je dan nooit werkelijk liefgehad, Tjenuna?' Zij schudde ontkennend het hoofd. Ik geloofde haar. Toch verbaasde haar antwoord mij zeer, evenals haar haast pijnlijke blijken van vertrouwen. Sinds ik haar, jaren geleden, voor het laatst gezien had, was ook zij één van die vrouwen geworden, die mij dromerig stemmen, omdat zij tot een andere wereld dan de mijne behoren, ver en ontoegankelijk. Was het Thotmes, die evenwel gelijk had, wanneer hij op zekere keer beweerde, dat dromers en kunstenaars bij de vrouwen steeds de eerste keus hebben, — wel een zoete wraak ten opzichte van de eigengereidheid van geldzakken en springstieren.

Ik nam de riemen ter hand en wendde de steven. Daartoe moest ik op de andere bank plaatsnemen, zodat zij nu in al haar liefelijke weemoed tegenover mij zat. Met stevige slagen roeide ik stroomopwaarts, wat gelukkig de haast ondraaglijke spanning in mij deed afnemen. Het was beter zo, dacht ik. Ten opzichte van vrouwen ontbrak het mij nog steeds aan zelfvertrouwen, zodat ik geen besluit uit Tjenuna's houding durfde trekken. Wat kon ik in haar ogen te betekenen hebben, ik die slechts Jozefs broeder was, levend in de zware slagschaduw van diens gezag en roem? Behoorde ik immers niet tot deze soort van mensen, die altijd op de laatste rij terechtkomen, wanneer op het marktplein, werkend met de ellebogen, een groep lui zich om een kramer of een goochelaar verdringt? Ik verborg mijn onbeslistheid onder de nauwgezette zorg, waarmee ik de boot weer op het strand sleepte en haar aan de meerpaal vastlegde.

Thotmes knipoogde, toen we opnieuw ten tonele verschenen, doch ik hield mij, of ik het niet merkte. Hij wenkte mij echter nadrukkelijk. 'Jozef is hier,' deelde hij mede, 'hij moet je dringend spreken, zegde hij.' Het was het meest ongeschikte moment, waarop hij voor de dag kon komen en ik had behoorlijk het land aan hem, toen hij mij broederlijk omhelsde. Ik kende deze soort van jovialiteit, welke vooral tot uiting kwam, wanneer hij wat van me gedaan moest hebben. 'Neem het me niet kwalijk, beste Benjamin. Ik zag, dat je leuk met Tjenuna opschiet. Het spijt mij erg je van haar weg te halen. Een pracht van een vrouw, mijn waarde. Ik feliciteer je, je zult nog veel pret met haar beleven.' 'Bekommer je niet om haar,' zei ik agressief. 'Wat moet je van me?' 'Daar wilde ik het net over hebben. Maar ééns te meer geef je me geen hoge dunk van je broederlijke gevoelens.' 'In zoverre ik die bezit, worden ze in elk geval niet door eigenbaat opgewekt.' 'Ik weet het,' antwoordde hij weemoedig, 'het zou tussen ons beiden alles veel gemakkelijker zijn, zo jij je een beetje menselijker betoonde, minder te paard op kleinburgerlijke principes.' Ik haalde lusteloos de schouders op. 'Laten we niet kibbelen,' zei ik verzoenend, 'ik had je hier niet verwacht, dat is alles. Voor de rest ben ik wat prikkelbaar. Het zal de lever zijn. Let er maar niet op. Wat kan ik voor je doen?' 'Je moest mij een dienst bewijzen,' antwoordde hij, 'een dienst, die geen enkele inspanning van je vergt.' 'Waarom zou ik niet?' mompelde ik, 'laat horen.' 'Wel kijk... Mensen, die het weten kunnen, voorspellen dit jaar een slechte graanoogst...' 'Laat maar,' zei ik, 'Je maakt me niets wijs.' Eensklaps stonden wij oog in oog, of wij elkaar maten voor de strijd. Ik voelde wel, dat hij mij dadelijk begreep. 'Des te beter,' grinnikte hij, 'des te beter, dat je het weet. De tijd is gekomen. Wij praatten er trouwens vroeger reeds over. Ik heb 's lands belang op het oog. De koning gaf mij de vrije hand.' 'Ga voort, doch liever zonder literatuur, als je het mij vraagt,' glimlachte ik. 'Morgen zal er een handelaar bij je komen. Die zal je een partij graan aanbieden. Hoe groot ze ook is of welke prijs er ook voor gevraagd worde, je koopt ze. Wat er ook gebeure, je koopt. Dan huur je een opslagplaats, ergens in de buurt van je huis. Daar laat je het goedje op jouw naam deponeren. De koopsom en de huur worden wel door mijn bank vereffend.' 'Waarom precies op mijn naam? Ik heb voor jouw graan helemaal geen belangstelling...' 'Iedereen slaat voorraden op in Thebe. Het is een behoorlijke manier om geld te verdienen. Maar toch hoef ik, raadsman des konings, in dit verband niet genoemd te worden. Wil ook jij je voorzorgen nemen, dan ben ik bereid je de helft van de partij af te staan en je zelfs het nodige bedrag ertoe te lenen.' Ik keek hem in het wit der ogen en zei roekeloos: 'Ik accepteer en neem de helft.' Aanvankelijk keek hij me achterdochtig aan, maar dan lachte hij dubbelzinnig. Het kwam mij voor, dat hij ervan overtuigd was, mijn zwakke plek gevonden te hebben; hij klapte mij nogal hardhandig op de schouder: 'Je bent niet zo gek als je muts wel staat, broertje!' 'Nou,' zei ik, 'de oude Jacob was toch onze vader, wèl?...' Wie van beiden was de bedrogene? vroeg ik mij af. En waarom of waardoor was mij dit krankzinnige besluit ingefluisterd geworden?

Ofschoon ik mij voorgenomen had, dadelijk Tjenuna weer op te zoeken, werd mij hiertoe de kans niet gegund, want Thotmes, die in gezelschap van een mij onbekend man kwam aandrentelen, wenkte mij. De vreemdeling was van middelbare gestalte, eenvoudig, ja, zelfs streng gekleed en kon ongeveer de veertig bereikt hebben, docht het mij. Zijn gelaatstrekken waren stug als zijn gewaad, de dunne lippen vormden een hard getekende mond als een horizontaal litteken in zijn aangezicht, waarvan de wilskracht beklemtoond werd door de vierkante, ietwat vooruitstekende kin, die wonderwel harmonieerde met zijn kaalgeschoren knobbelige en ogenschijnlijk granietharde schedel, evenals met zijn vorsende ogen, smal, achterdochtig en op de aanval toegespitst. De beeldenmaker stelde hem voor als Imhotep, de filosoof, – en gewezen priester van Amon-Ra, doch hij wierp zijn kap over de haag, nog voor het nieuwe geloof serieus ter sprake kwam. 'Volkomen safe dus!' voegde hij er ietwat ironisch aan toe. 'Na Kefertaton is het voor jou, filosoof op jouw manier, alleszins interessant met Imhotep kennis te maken, dunkt mij!' 'Kefertaton is een slappeling,' poneerde de nieuwgekomene strak, 'en een ouwehoer bovendien, die zich aan om het even wie verkoopt als het hem wat belooft op te brengen. Wat betekent, dat hij steeds bereid zal zijn zich aan de machthebbers te verkopen.' *Wat* hij me zei, verbaasde mij minder, dan *dat* hij het inderdaad ook zei. Ik had aanvankelijk een man in hem gezien, karig met woorden en gereserveerd in zijn oordeelvellingen. 'Niettemin geloof ik, dat Kefertaton een machtig heerschap is!' waagde ik, om hem verder uit zijn tent te lokken. 'Ja,' zei hij onbewogen, 'machtig als allen, die zich ten dienste van de volksmisleiders stellen.' Waarschijnlijk wist hij niet, dat ik Jozefs broeder was, ofschoon ik het voor mogelijk hield, dat een man als hij zich niet aan dergelijke kleinigheden stoorde. Mannen als hij storen zich immers nooit aan de subtiele grens tussen waarheid, eerlijkheid en louter onbeschoftheid? 'De volksmisleiders?' vroeg ik zo argeloos mogelijk. 'De volksmisleiders,' bevestigde hij effen, maar toch voelde ik, dat hij er plezier in had, het woord met wellust uit te spreken, met scherp gearticuleerde medeklinkers, — een voor mij tamelijk boeiend punt van overeenkomst met Kefertaton, overlegde ik geamuseerd. 'De volksmisleiders, wier gezag de laatste stuiptrekking van een wereld is, die ten dode staat opgeschreven.' 'Welke wereld bedoel je,' informeerde ik nuchter, 'die van de oude goden of deze van Ichnaton?' 'Ichnaton?' schokschouderde hij. 'Beide natuurlijk! Misschien meent Ichnaton het goed, doch zijn nieuwe formules verdoezelen slechts aftandse begrippen en een wereldbeschouwing. door en door vermolmd!' 'Een ogenblik,' onderbrak ik hem, wat hem terdege scheen te ergeren, 'zo ik het goed voor heb, wil Ichnaton de heerschappij van zijn god der liefde vestigen. In hoeverre hij hierin reeds geslaagd is, laat ik buiten beschouwing, doch nimmer heeft de wereld een man als hij gekend, een man, die de grondlegger van een nieuwe mensheid kan worden!' 'Nooit,' zei hij schamper, 'nooit, hoor je me? Het is de droom van een epilepticus of van een nevropaat, zich de stedehouder van één of andere godheid te wanen. Een nieuwe mensheid? Dat betekent nieuwe mensen. En waar zal hij die mensen vinden?' Ik haalde de schouders op. 'Laat mij het je zeggen,' ging hij voort, terwijl hij de wijsvinger in mijn maagstreek plantte en de ogen tot smalle spleten dichtkneep, het gelaat ietwat meer opwaarts gericht, dan het waar om het even ook voor nodig was. 'Ik stam uit het kleine volk. Ik ken de slaven van nabij, de handwerkerslui, de vissers, de zeelui, de boeren. de herders en de kameeldrijvers, heel dat uitgebuite volk uit stegen, sloppen en stulpen, een volk van zweet, honger, bloed en drek. Amon of Aton, het laat hen onverschillig. Ichnaton of een ander, het verandert niets aan hun lot. Zolang de wereld niet onderstboven gekeerd wordt, zolang ze niet uit hun stegen, sloppen en stulpen te voorschijn komen om hun haat te koelen aan het bloed der verdrukkers en zich van het absolute gezag meester te maken, is er niets veranderd en blijft alles bij het oude.' 'Ik beweer niet, dat je ongelijk hebt,' antwoordde ik. 'Maar het koelen van die haat en dat bloed zijn er mij te veel aan.' 'Het bloed zal de aarde vruchtbaar maken, de lijken zullen nieuwe verdrukkers afschrikken!' 'Van dergelijke griezeligheden overtuig je Benjamin niet,' kwam Thotmes tussenbeide, 'want hij is een zachtmoedige, net als ik, hoewel ik brokken maak als ik teveel op heb.' 'Ook de zachtmoedigen moeten vallen,' beet de ander van zich af, 'en zij wel het eerst van al. De nieuwe wereld zal geen zachtmoedigheid kennen. Zij zal een harde wereld zijn, een wereld van strijd, arbeid en ontzegging!' 'Nou, nou,' suste de beeldhouwer, 'ik hoop, dat je ons een kans gunt, wanneer het éénmaal zover is, nietwaar Benjamin? Ook in dit beloofde paradijs zullen er nodig zijn, die de straten vegen of de aalputten der nieuwe mensheid leeg maken!' Dan werd hij opeens ernstig en vervolgde nadrukkelijk: 'Maar dat wilde ik je nog zeggen, mijn waarde Imhotep. Ook ik stam uit het volk, net als jij. Mijn vader heb ik nooit gekend en door over mijn moeder te praten, zou ik haar nagedachtenis slechts kunnen besmeuren. Ik heb als knaap honger en ontbering geleden, de schande gekend van de bedelnap en zelfs van de diefstal, ik verberg het niet en schaam me er zelfs niet over, zonder er inmiddels prat op te gaan. Ik zinspeel erop, opdat je weten zoudt, dat ook ik recht tot spreken heb. Ik ken het kleine volk, maar ik ken ook de mens. En laat mij je zeggen, Imhotep, hoe op de dag nadat de koppen zullen gerold hebben, — en waarschijnlijk draag jij van die koppen de inventaris reeds op zak —, de dag nadat de aarde met bloed gedrenkt zal zijn en nog vooraleer men de lijken zal opruimen, uit ditzelfde volk de nieuwe verdrukkers zullen opstaan, even onverbiddelijk als de vorige en onverbiddelijker wellicht, want zij zullen uitsluitend door de haat gedreven worden en deze koelen aan huns gelijken.' 'Onzin,' zei Imhotep geïrriteerd, 'reactionaire onzin. En wat dan nog? Alles moet immers volstrekt anders worden? Uit het bloed zal een nieuwe wereld verrijzen, de tijd van de heerschappij van de geringe man zal aanbreken.' 'Je zegt het goed,' kwam ik op mijn beurt tussenbeide. 'Heerschappij, wat op zoveel als verdrukking neerkomt, geweld, knevelarij of moord. En het volk, dat voor jouw ideaal moest lijden, zal merken, dat het er niets bij gewonnen heeft. En nog zal het lijden en hongeren, want de slimmeriken en de leperds zullen spoedig de buit verdelen en de overigen het verder met hun zweet en tranen moeten stellen.' 'Praat van ouwe wijven. Het bewind zal in de handen van de besten gelegd worden.' 'De besten?' knorde Thotmes gemelijk, 'ik weet wie je bedoelt. Je zelf. Je vrienden en de vrienden van je vrienden. Anders gezegd: zij die het felst haten, zij wier begeerten het heftigst zijn, zij die haten en begeren, zoals jij haat en begeert, Imhotep!' De filosoof bekeek ons vernietigend, maar bovendien, of hij iedere bijzonderheid van ons gelaat terdege in het geheugen wilde prenten voor het moment, waarop der dagen dag zou aanbreken. Hij groette hooghartig en liet ons alleen. 'Die is flink in zijn gat gebeten!' glimlachte de beeldhouwer bezadigd, 'maar de volgende keer steekt hij met een effen smoel weer precies dezelfde redevoering af. Kefertaton, Imhotep, de drommel mag ze voor mijn part allemaal halen... Nou moest je me even verontschuldigen, want een paar lui schijnen afscheid te willen nemen.' 'Ga je gang,' antwoordde ik, 'ondertussen zal ik de nieuw opgedane wijsheid herkauwen.'

Van waar ik stond, in het hoger gelegen gedeelte van Thotmes' atelier, kon ik Tjenuna gadeslaan, die met Imhotep, de voorproever Atenmes en Triphit praatte. Zij was volslank en groter dan ik het mij al die jaren had voorgesteld, constateerde ik met welgevallen. Haar lichaam, zoals ik het destijds in het helle namiddaglicht gezien had, prikkelde mijn verbeelding niet meer, doch ik stelde mij voor, hoe het zijn zou in zijn huidige rijpheid, wanneer zij, voor haar spiegel gezeten omstreeks schemertijd de haren kamde met traag gebaar, voorzichtig de lange wimpers blauw verfde of de okselharen schoor. Het bracht mij eensklaps zo van mijn stuk, dat ik er mij toe bewogen voelde te prevelen: 'Zij is de vrouw van Potifar. Je gaat niet met de vrouw van een weerloze als hij aan de haal. Verdomme, nee, dat doe je niet, wat zij ook zelf mag uitgespookt hebben al die tijd! En daarbij: zij is de minnares van Jozef geweest en aldus voorgoed door hem getekend. Onze wegen moeten gescheiden blijven, wat er ook gebeure. Vooral, wanneer het een vrouw betreft.' Ik verliet het huis langsheen de tuin. Maar er deed iets heftig pijn in mij.

10

RENDEZ-VOUS MET EEN DAME

Het is een herinnering, zéér diep in mij bezonken, zo diep dat zij zou behoren tot wat wij vergetelheid noemen, ware het niet, dat niets zo onberekenbaar en ondoorgrondelijk is al het menselijke hart. Er bestaan muziekinstrumenten, die zonder de aanraking onzer vingers eensklaps meegonzen met de geluiden uit de omgeving. Ook wij, mensen, trillen mede met ik weet niet welke krachten en wat wij in het diepste van ons wezen versloten wanen, kan eensklaps huiveren in ons, tot in heldere klanken en duidelijke beelden de herinnering herkenbaar gestalte verwerft...

Het gebeurde op één van de kermissen uit onze kinderjaren, met tenten, kramen en woonwagens op het dorpsplein in de schaduw van de tempel. Terwijl de andere knapen van mijn leeftijd zich door deze bonte drukte, de overspannen feestelijke en precies hierdoor vreesaanjagende atmosfeer van het kermisbedrijf gefascineerd voelden, stemde daarentegen dit alles mij droef te moede en ook enigermate angstig. Er waren heel wat dingen, die anderen vreugde, maar *mij* hoofdzakelijk weemoed bereidden. Toch oefenden het gedruis der mallemolens, de djengelende muziek en het geschreeuw der kramers ook op mij een zekere trieste bekoring uit, evenals de fantastische en soms zinnenprikkelende afbeeldingen op de spandoeken, de bonte aanplakbiljetten en de voorwanden der tenten: wij ontsnappen niet aan het magnetisme van het verbodene en het geheimzinnige, wie wij ook zijn.

Ik was in de voorste rijen van een dichte menigte terechtgekomen, die voor het podium van een soort van rariteitenkabinet samendromde. De vorige voorstelling bleek net afgelopen en het publiek stroomde naar buiten, terwijl nieuwe kijklustigen reeds ongeduldig naar voren drongen. Ik wilde er niet in en trachtte, door plotse paniek bevangen, mij tégen de stroom in uit de voeten te maken. Doch hoe ik mij ook weerde, vooraleer ik het duidelijk besefte stond ik bij de onfrisse voorhang die tot het geval toegang verleende en had de spullebaas mij uitnodigend, doch tevens dwingend, bij de arm gegrepen. Uit beschroomdheid betaalde ik zonder protest de overigens bescheiden entréeprijs. Zo belandde ik met een groep meer opgewekte toeschouwers in een soort van smerig miniatuurtheater, door huiverende toortsen verlicht, waarvan de walmen zich met een vieze mensenlucht mengden, benevens met andere, onbestemde reuken, die ik (waarom weet ik niet), met de geur in de muffe wachtkamer van onze dorpsdokter in verband bracht. Vooraan had men een primitief verhoog opgetimmerd met een rood pluchen gordijn, dat telkenmale met bevende schokjes opengetrokken werd. Iedere maal was dat een nieuw nummer van het programma, dat de spullebaas lyrische of pseudo-wetenschappelijke commentaren ontlokte, die mij ergerden en verlegen maakten in de plaats van de zielige stumperds, die ons geëxhibeerd werden: een dwerg, niet hoger dan een keeshond die opzit voor een klontje, een man met de schilferachtige huid van een slang (ik vermoed dat hij aan een soort schimmeleczeem leed), een vrouw, wier lichaam ter hoogte van het geslacht ophield, wat ongure commentaren bij de mannen en hoge gilletjes bij hun gezellinnen uitlokte, en ten slotte een kerel die, in een doodskist gestopt, onder het even dicht- en dan weer opengeklapte deksel in een skelet veranderde met starende oogholten, een grijnzend gebit, een weggevreten gat op de plaats van de neus en een expressief krijtachtig bekken, dat de klank van droog hout had, toen de spullebaas er familiaar met zijn vingernagels op kraste.

Dit alles deed mij gruwen, doch het raakte mij niet tot de diepere regionen van mijn wezen; in een paar gevallen vermoedde ik gerustgesteld handige goocheltrucs met spiegels, dubbele bodems, draden in de kleur van de achtergrond, lichteffecten, geforceerde perspectieven en dergelijke hulpmiddelen meer. Alleen bij het laatste nummer, dat met geroffel op de grote trom werd aangekondigd, klemde ik mij huiverend vast aan de bank vóór mij. Op het podium stonden, ditmaal vooraan en vlak in het licht der toortsen, wat iedere trucage elimineerde, twee knapen van mijn leeftijd ongeveer, met alleen een schaamdoekje om, die er heel gewoon zouden uitgezien hebben, ware het niet, dat zij ter hoogte van de lever door een gedrochtelijk aandoende vleesboom aan elkander bleken gegroeid, onafscheidelijk en monsterachtig. 'Het wereldwonder van deze tijd,' oreerde de spullebaas, 'de tweelingen uit het mysterieuze Siam, een land verder dan waar de zon opgaat...' Er trok iets samen in de buurt van mijn middenrif en met de handen voor de ogen vluchtte ik naar buiten, waar ik tegen de zijwand van de tent ging braken met het gevoel, dat mijn hoofd zo dadelijk uiteen ging spatten, terwijl de zure maaginhoud tot in mijn neus drong en overvloedige tranen uit mijn ogen perste. Thuis repte ik geen woord over het voorval, omdat ik wist dat onze moeder mijn afkeer zou delen, vader mij berispen om wat hij ongezonde nieuwsgierigheid zou noemen en ik anderzijds de spot mijner onbehouwen broeders vreesde. Later was er bestendig iets in me, dat er mij van weerhield nog opnieuw aan het lugubere visioen in de tent te denken en metterijd leek het wel, of ik het kermisavontuur geheel vergeten was.

Maar de dingen zijn niet alleen wat zij zijn: zij bestaan ook in functie van de symbolische waarde, die wij ze toekennen, doorgaans zonder het zelf te beseffen.

Samen waren Jozef en ik naar Egypte vertrokken, ik in de waan hem met grote tegenzin, doch anderzijds geheel uit vrije wil gevolgd te zijn. Waneer hij de rechterhand des konings werd en ik mij terugtrok in wijsgerige afzondering, meende ik, dat het ogenblik aangebroken was, waarop wij ieder op onze manier afzonderlijk de eigen lotsbestemming tegemoet traden. Nu ik evenwel op mijn leven terugblik, geef ik er mij rekenschap van, dat er banden bestaan, zowel van het bloed als van de geest, die nooit verbroken worden. In die dagen reeds is het mij echter deels onbewust duidelijk geworden, dat Jozef en ik, willen of niet, aan elkaar gekluisterd waren als het meelijwekkend viervoetige gedrocht met één bloedsomloop (en een ziel, — wie weet?) op de kermis van weleer. Het was een vreselijk beeld, dat tijdens de gelukkige dagen op de achtergrond sluimerde, doch andermaal weer opdook, schril en helder, vol onuitgesproken bedreigingen, met de onafwendbaarheid van het fatum, dat volgens sommige wijzen voor alle eeuwigheid in de loop der sterren geschreven staat, — wat natuurlijk je reinste larie is. Telkenmale herhaalde ik het tot me zelf: 'Wat heb ik nog met Jozef te maken? Noch naar de geest, noch naar lichaamsbouw of gelaatstrekken gelijken wij op elkander. Hij is een heerser, ik een dromer. Voor hem telt alleen de daad. Voor mij telt slechts de gedachte. De belofte, die ik als kind aan onze moeder deed, beklemd door het leed om haar nakende dood, kan niet bindend zijn voor gans het leven. Niets hoeft er uiterlijk te veranderen tussen ons. Zoekt hij mijn gezelschap, welaan dan. Zit hij tegenover mij aan de dis, wat kan het mij deren? Wij zijn vreemden voor elkaar. Laat Jozef Jozef zijn, Benjamin slechts Benjamin en dat er vrede in mij kome.' Maar als ik 's anderdaags in de spiegel keek, gebeurde het, dat ik opeens een uitdrukking in mijn blik aantrof of een kleine rimpel om mijn mond, die ik wel kende, of kwam het mij voor, dat ik onwillekeurig een gebaar maakte, soms slechts een vage beweging van de hand, of de manier waarop ik vaak iemand vanuit de ooghoeken aankijk, die mij aan mijn broeder herinnerde, een klein en heimelijk, doch tevens bodemloos diep en ancestraal gebeuren. Verschenen wij samen in gezelschap, dan drukte menigeen er zijn verbazing over uit, dat wij door zulke nauwe familiebanden verbonden waren, doch ik, die Rachels oudste zoon meende te kennen als me zelf, wist wel beter...

Die avond zat ik weer bij mijn boeken, die ik echter voorlopig terzijde had gelegd, daar de schemering op dit uur het vertrek vervulde en Thoutii, mijn bediende, de lamp nog niet gebracht had. Ik voelde mij moedeloos. Op mijn weg van het paleis naar huis had een ongewone drukte in de straten mij getroffen, die mij aan een jaarmarkt deed denken, doch zonder de nijvere vrolijkheid, welke hiermede doorgaans gepaard gaat. Een karavaan trok voorbij, vergezeld door de scherpe geur der dieren en de hoge kreten der drijvers, die veel nodeloos misbaar maakten, want rustig schreden de kamelen elkander achterna met de eigengereide kop tot de eerste verdieping der huizen reikend. Ik was even blijven kijken; een man uit het volk (ik merkte het aan zijn schamele kleren) vatte post naast mij. 'Graan,' zei hij, 'niets dan graan, allemaal voor de opslagplaatsen van de koning. Met karavanen en scheepsladingen komt het toe.' 'Ja,' antwoordde ik vaag, 'ik heb er ook van gehoord.' 'Men maakt ons wijs, dat het een verstandige voorzorgsmaatregel is,' vervolgde de andere, 'maar iedere dag wordt het brood duurder. Als het zo voortgaat zullen wij weldra niet meer weten, wat we onze kinderen te eten moeten geven...' 'Ik geloof, dat het precies de bedoeling is ervoor te zorgen, dat zulks niet gebeurt...' waagde ik hem in de rede te vallen. 'Nonsens,' spotlachte hij, 'wie trekt zich van ons, arme luizen, wat aan? Heb je ooit gehoord, dat iemand zich wat van ons aantrekt? De Hebreeuw toch niet, wèl?' 'De koning is een wijs man,' antwoordde ik sussend. 'Misschien,' oordeelde de andere bitter, 'misschien. Maar hij ziet nog slechts door de ogen van de Jood, zijn raadgever. Men zegt, dat die ons wil uithongeren...' Toen was ik na een korte groet voortgelopen, opnieuw met twijfel en verwarring in het hart. Een eind verder stond een groep slonzige vrouwen te schelden voor de winkel van een bakker die, vroeger dan het de gewoonte was, de blinden voor zijn uitstalraam had opgehangen. Op andere plaatsen was net hetzelfde gebeurd, hoorde ik zeggen en ik ving verwensingen op, wier bestemming ik zonder moeite raadde. Toen ik thuiskwam voelde ik mij mat en had het gevoel, of het leven plots voor mij zijn goede glans en zijn geruststellende gelijkmatigheid van iedere dag verloren had. Verbitterd kwam ik tot de slotsom, dat Jozefs experiment van de aanvang af tot mislukking gedoemd was. Te sterk voelde ik mij ditmaal weer met hem verbonden, opdat het mij onverschillig zou laten. Maar sterker nog was in mij de kommer om Ichnaton, de tere onbegrepene. Weliswaar werd diens autoriteit bij de massa slechts in geringe mate aangetast door de theologische geschillen, die de oude, rancuneuze priesterkaste smeulend hield, doch ik zag een dreigend gevaar in de ongebreidelde gezagswellust en de roekeloosheid mijns broeders, wie ik in rustige momenten de intuïtie en de durf van het geïnspireerde genie toeschreef, doch die mij daarna steeds weer de vraag deed stellen, of hij niet veeleer een waaghals was, onder een gunstig gesternte geboren, die zich als een koorddanser of een acrobaat in het felle licht der lampen letterlijk àlles schijnt te mogen veroorloven, tot het touw begeeft of plots, wanneer niemand het verwacht, het zweefrek zijn handen voorbij schiet. Ik at met tegenzin en vond die avond zelfs geen behagen in de wonderlijke wijsheid van de Hebreeuwse commentaren bij een oud Sumerisch wetboek, dat ik voor een prikje van een karavaandrijver uit Byblos gekocht had, die zelf niet meer wist waar hij het vandaan had. Met een dof gevoel van moedeloze opstandigheid in mij had ik het opzij geschoven en was languit op het rustbed gaan liggen nabij het venster, van waaruit ik de stroom kon zien, die zich verloor in de paarse deemstering, waarboven onbeweeglijk en scherp geprofileerd de palmen stonden.

Ach, waarom me zelf wijsmaken, dat ik niet wist wat me deerde?

Ik verlangde er uitzinnig naar Tjenuna weer te zien, doch tevens vervulde de gedachte aan het moment, waarop mijn blik nogmaals haar raadselachtige ogen zou ontmoeten, mij met een vage vrees, niet voor haar, doch voor me zelf. Ik bleef haar uit de weg, wat me niet moeilijk viel en eenvoudig hierop neerkwam, dat ik 's avonds zorgvuldig Thotmes' woning meed. Het was nu wel volledig tot me doorgedrongen, dat de Tjenuna van vandaag nog slechts weinig uitstaans had met de Tjenuna van weleer. Vooralsnog wist ik niet, tot welke gevolgtrekkingen mij zulks moest brengen. De eventualiteit, dat de herinnering aan die avond, waaraan ik met zulke gemengde gevoelens van vreugde, vrees en ook een vaag verdriet terugdacht, ook haar zou kunnen vervullen met een gelijkaardige weemoed, nam ik niet in overweging. In de liefde heb ik steeds tot het type van de dienende en dankbare minnaar behoord, die veel meer aan de geliefde, dan aan zichzelf denkt. Alhoewel ik fysisch behoorlijk sterk was, gebeurde het mij wel, wat ook anderen, die zichzelf te weinig geestelijke rust opleggen bij pozen overkomt, dat namelijk de liefdedaad uiterlijk geheel naar behoren voltrokken werd, zonder dat ik er evenwel de vervoerende, diepgaande verrukking van onderging. Maar nooit heb ik mij hierdoor laten ontmoedigen en soms trachtte ik het zelf in de hand te werken omdat de vrouw, met gesloten ogen zacht kreunend in mijn armen, mij meer belangstelling inboezemde dan de eigen bevrediging. Zeer rustig, met een gevoel van innig welbehagen, weemoedig geluk en bewuste trots, kon ik haar aandachtig in dergelijke omstandigheden gadeslaan, hoe naar ziel en lichaam de spanning in gans haar wezen tot het extatische hoogtepunt klom en dan langzaam wegebde tot een stofontheven rust in haar gelaatstrekken en een afwezige, maar verrukkelijke glimlach wanneer zij opnieuw de blik naar mij opsloeg, mij liever dan het eigen genot. Maar hoe gemakkelijk het mij, ééns zover, ook viel me zelf uit te schakelen vermits ik wist, dat zij mij gans toebehoorde in het luisterrijke akkoord van ziel en vlees, zolang ik omtrent de gevoelens van een bepaalde vrouw geen zekerheid bezat, verging het mij net andersom. Soms heb ik Jozefs zelfbewustheid benijd, zonder het hem nochtans te laten merken, want elk nieuw avontuur begon ik opnieuw met de argeloze schroom van de adolescent, die nauwelijks kan geloven wat hem overkomt. Wanneer het beeld van een vrouw mij vervulde, kwam het nooit bij me op, dat de bekoring wederzijds kon zijn, dat zij in haar eenzame uren met vertedering aan mij zou zitten denken, zoals ik dacht aan haar. Nooit slaagde ik erin, me zelf voortijdig als het object van een werkelijk liefdesverlangen te beschouwen. Wat anderen misschien drieste doortastendheid zouden noemen, hield bij mij steeds verband met de gedachte, dat de toenaderende houding en zelfs de tegemoetkomingen van enige vrouw te mijnen opzichte slechts in de ongewone atmosfeer van één of ander uitgelezen ogenblik denkbaar was. Onze huidige Hebreeuwse geleerden zouden dat een minderwaardigheidscomplex noemen, zo ik me niet vergis. Ik vestigde er immers reeds herhaaldelijk de aandacht op, dat ik altijd een eenzame geweest ben en dat de belangstelling die anderen tegenover mij aan de dag legden, mij steeds ten zeerste verraste, voor zover zij niet tot een overigens gauw tot zwijgen te brengen achterdocht aanleiding gaf.

Toen kwam Thoutii met de lamp. Ik had hem als slaaf gekocht, jaren geleden, doch hem, ontroerd door zijn trouw en zijn toewijding, de vrijheid geschonken zonder er mij op dat ogenblik rekenschap van te geven, hoe ik hem hierdoor des te onafscheidelijker aan mij verbond. Ik kon me gewoon niet voorstellen, hoe ik zonder hem mijn leven nog zou inrichten. 'Er kwam een slavin met een boodschap,' zei hij. 'Ik heb ze een fooi gegeven en dadelijk weer weggestuurd, want ze moest niet op antwoord wachten, vertelde ze.' 'Een slavin? Ken je haar?' 'Ik meen van wel,' antwoordde hij met een overlangse rimpel in het voorhoofd, 'zo ik het goed voorheb, behoort ze tot het huis van Potifar, u weet wel, de bevelhebber van de koninklijke wacht.' 'Dank je,' zei ik. 'Het is goed, dat je haar doorgezonden hebt.' Ik ging tot bij de lamp en brak het zegel los. Mijn hart sloeg onbeheerst. Ik las: 'Ik ben alleen. Ik ben altijd alleen, maar thans is Potifar op reis. In 'de Nijlnimf' vergeet je echter je eenzaamheid. Zal ik Benjamin er hedenavond zien?' Meer niet. Even nog trachtte ik er mij van te overtuigen, dat ik de zin van deze boodschap niet begreep. Maar toen zweeg mijn weerbarstigheid en ik glimlachte. Ik bleef zelfs glimlachen, toen ik in gedachten Jozefs sarcastische stem hoorde: 'Hang ditmaal de stommeling niet uit, Benjamin, want vroeg of laat, maar steeds té laat, krijg je er spijt van...' 'De aaneengegroeide tweeling' dacht ik, doch dwong daarna de herinnering tot stilzwijgen.

De liefde is het verrukkelijkste aller spelen, wanneer zij althans niet tot een drama ontaardt, — zolang wij háár dus meester blijven en zij niet de onze wordt, om ons tot slaven te vernederen. En zelfs dan. Ben ik niet steeds de eerste geweest om het feit te beklemtonen, dat er aan slavernij geen schande is? Het heerlijkst is het, wanneer de geliefde in een grote stad woont, die je zelf vertrouwd is. Je begeeft je omstreeks schemertijd op weg naar de plaats van de afspraak. In de ogen der voorbijgangers ben je een vreedzame wandelaar, net als hij, die nog even een luchtje schept of in de stamkroeg een potje gaat dobbelen. Maar er is een wonderbare opgewondenheid in je, die je voortdrijft en je ertoe aanzet te lopen. Opzettelijk nochtans vertraag je je schreden, want het is inderdaad een wonderschone avond, waarin alle pijnen en gejaagdheid van de dag van je afvallen. Je voelt weliswaar enige beklemming in je borst, maar wanneer je diep en aandachtig ademt, komt er een onbeperkte ruimte in je, hoewel je wat beverig blijft in je kuiten, maar dat hoort erbij. Met vertederde blikken zie je, hoe in de huizen de lichten opgestoken worden en achter elk venster vermoed je een liefdesafspraak. De voorbijgangers bekijk je triomfantelijk en met enig medelijden, want zij, denk je bij je zelf, zijn niet op weg naar de bekoorlijkste onder alle vrouwen. Een haveloze steekt murmelend de hand uit en je geeft, zonder vooraf te kijken, hoevéél je geeft. Aan zijn gestamelde dank hoor je, dat het inderdaad véél geweest is, maar het kan je niets schelen. Want reeds boeit je de geur der amandelbomen en de reuk van het water in het stof, als de geur van de eerste zomerregen, waar kinderen met de voeten in een paardendrenkplaats plonsen, of de kleur van een laatste wolk aan de hemel, die verwaait tot een golvende vedersliert, als een kudde schapen op de horizon in het land van herkomst. Hierdoor denk je terug aan je kindertijd en hoe de hand van je moeder op je voorhoofd was als je ziek te bed lag en haar bezorgd gelaat herkende tussen twee vlagen van ijlkoorts in. Telkenmale wanneer je opnieuw bemint, denk je terug aan de stille, nog jonge vrouw, die je moeder was en er is iets heiligends in die gedachte, die veredelt wat buitenstaanders ginnegappend een roekeloos avontuur noemen, met een blik van verstandhouding of een loens knipoogje. In zekere zin keert de man terug tot zijn moeder wanneer hij liefheeft en de priesters van het slag van Kefertaton, die in de tempels de onkuisheid (of wat zij althans zo noemen) vermaledijden en banbliksems over de hoofden van de echte en potentiële zondaars slingeren, weten niet waarover zij het hebben...

Om mij langer te kunnen concentreren op de vervoerende gedachte, dat Tjenuna op mij wachtte, nadat zij zelf niet geaarzeld had mij te laten roepen (moralisten beweren dat de man een veroveraar is, die zich gekrenkt voelt, wanneer een vrouw zonder weerstand te bieden tot hem komt of de eerste haar gevoelens laat blijken, maar ik, Benjamin, zeg je in gemoede dat zulks klinkklare onzin is, en dat in dergelijke momenten alleen tederheid en dank om de goddelijke gave ons vervult), nam ik niet de kortste weg, doch bereikte de buurt, waar 'de Nijlnimf' gelegen is, doorheen een doolhof van stegen en sloppen, wier schilderachtigheid moeilijk de ellende vergoeden kon, die er heerste. Er speelden ongewassen kinderen in de goten, waarin allerhande huisvuil, door vliegen overzwermd, te stinken lag. Op hun beurt omzwermden de kinderen sloom rondzwalpende zeelui van diverse huidskleur of taal en bedelden om een aalmoes. Een summier geklede jonge negerin, geleund tegen de deurpost van een vieze kroeg, wenkte mij terwijl ik voorbij liep, doch zij drong niet aan met de krasse schaamteloosheid van haar inheemse ambtszusters, die beweerden, dat ik haar lieveling of haar schatteboutje was, doch het mij kwalijk namen, dat ik helemaal niet op haar familiariteiten gesteld bleek en nurks haar jurk weer optrokken, die ze royaal tot het middel hadden laten zakken om haar soms inderdaad voortreffelijk gevormde bekoorlijkheden te demonstreren. De koelte van de avond had de inwoners naar buiten gelokt en in de nauwe doorgangen, waar de daken der huizen nauwelijks een armlengte van elkander verwijderd schijnen en slechts een dunne streep van de hemel zichtbaar blijft, bekroop mij de onbehaaglijke indruk tussen een dubbele haag lusteloze toeschouwers te lopen. De stank van het vuil, van de arme-mensenkeukens, van vis, tegen de gevels te drogen gehangen, en van de rinse wijn uit de kaveten hinderde mij weinig (in het dorp mijner jeugd was het niet veel beter gesteld), doch bij het aanschouwen van al die ellende, beklemde mij een oud schuldgevoel, dat heftig contrasteerde met het mij vervullende geluk. Té sterk was ik weliswaar door de gedachte aan Tjenuna bezeten, om mij grondig van mijn stuk te laten brengen, maar wel besefte ik, onverstandig gehandeld te hebben toen ik deze weg koos. Ik moest onwillekeurig weer aan het gesprek met Imhotep denken, ofschoon ik er vandaag niet aan herinnerd wilde worden, dat niet iedereen gelukkig kon zijn als ik, met mate verzadigd aan spijs en drank en nog fris van het bad. Armoede deed mij aan honger denken en de gedachte aan de honger bleek voldoende, om mij Jozefs plannen voor de geest te roepen. Zonder dat ik er mij rekenschap van gaf, is het die avond, dunkt mij, voor de eerste maal terdege tot mij doorgedrongen, hoe grof de leugen is, dat staatslieden en gezagsdragers ons aller geluk zouden beogen en ik vraag mij af, hoeveel eeuwen er nog aan de gesteenten der piramiden moeten knagen, vooraleer de mens zal inzien, dat zijn geluk ook niet aan de overkant ligt van de stromen bloed, zweet en tranen, die zij met zoveel voorgewend idealisme en onder de luidruchtigheid van holle frasen telkenmale weer doen vloeien, hoeveel miljoenen malen de gesternten nog om het zenit moeten wentelen, vooraleer zij gehoor zullen lenen aan tere dromers als Ichnaton, — levensvreemd in een wereld van verdrukking en geweld, in de wildernis geworpen kinderen Gods, die de stem der eeuwigheid gehoord en begrepen hebben door naar het eigen hart te luisteren.

'De Nijlnimf', geheel herbouwd volgens de nieuwe smaak, die Thotmes nurks de 'hoerenstijl' noemde, bleek thans meer dan ooit op uiterlijke praal en pracht afgestemd. Het leven van onthechting en zelfverloochening, door de farao gepredikt, vond praktisch nog slechts bij een kaste van berooide intellectuelen, gering in aantal en zonder invloed, enige weerklank en het zal niemand verwondering baren, dat dezen niet tot de clientèle van Thebes duurste nachtgelegenheid behoorden. Het uitzicht van het ganse geval, een mengsel van nieuwe zakelijkheid en de platste oudbakkenheid, beantwoordde volledig aan de esthetische opvatting van een op korte tijd rijk geworden middenstand, die met vrucht geprofiteerd had van de marktschommelingen, door Jozefs drastische maatregelen in het leven geroepen. Zo herinner ik mij, hoe hij op zekere dag het bevel uitvaardigde, dat voortaan koper en brons nog slechts zouden mogen dienen tot het vervaardigen van wapens en dat de staat alle bestaande voorraden aan de gewone marktprijs zou opkopen. Daar evenwel ieder fatsoenlijk Thebaans koopman er een dubbele boekhouding op nahoudt, — één officiële voor de ontvanger van de belastingen en één stiekeme voor persoonlijk gebruik —, viel het de meesten hoegenaamd niet moeilijk, slechts van een klein deel hunner voorraden aan de officiële prijs afstand te doen, wat op zichzelf nog altijd een behoorlijke transactie bleef, terwijl de rest in de sluikhandel verdween en de betrokkenen op een paar weken tijds schabouwelijke winsten opleverde. Gebeurtenissen als deze en vele andere nog van dezelfde aard hadden een kaste van nieuwe rijken geschapen, wier mentaliteit ik verafschuwde, daar zij hoofdzakelijk uit de wijsheid bestond, dat alles met geld te koop is: aanzien, macht, vrouwen en al wat daar verder bij kijken komt, de waarheid zélf niet uitgesloten. In den beginne verbaasde het mij, dat Jozef niet ingreep, doch toen ik hem onder vier ogen van medeplichtigheid met het mercantiele janhagel beschuldigde, haalde hij lachend de schouders op en beweerde, dat ik van politiek geen mieter verstand had. Daarop volgde het oude verwijt van altijd: 'Jij bent een idealist, Benjamin, doch met idealisme alleen bouw je geen nieuwe werelden op. Als er iemand de dromen van Ichnaton verwezenlijken kan, ben ik het, zij het dan niet op 's konings eigen naïeve manier. Maar je moet een probleem weten aan te pakken...' 'Geef eenieder, wat hem toekomt, roei de maatschappelijke onrechtvaardigheden uit, stel onomkoopbare ambtenaren en rechters aan en er zullen geen problemen meer bestaan,' luidde mijn antwoord. 'Mijn beste jongen,' zei hij onverstoorbaar, 'het ligt immers niet in de menselijke aard, tevreden te zijn! Dat de rijke van zijn rijkdom geen afstand wenst te doen, vergt geen betoog, doch neem met mij aan, dat ook de arme zich slechts in de armoede volledig gelukkig acht, hoe hij de beter bedeelden ook benijdt, want armoede is een roeping, waarvoor je geboren wordt, als voor het priester- of het dichterschap.' 'En de geschiedenis van de woeker met het brons? Is het soms ook uit roeping, dat een bende goochemerds jou in de luren leggen, de gemeenschap bedriegen en immorele rijkdommen in de wacht slepen om er met goud beslagen rijtuigen mee te kopen, een kudde olifanten op stal te houden en ze voor de rest bij de hoeren te verbrassen?' 'De middenstand,' onderbrak hij prompt, 'vormt de wervelkolom van een ordelijke samenleving. Ik gun zijn vertegenwoordigers dergelijke profijten. Ofschoon zij inderdaad weten, dat zij de staat bedriegen, zullen zij ieder van mijn besluiten prijzen als geopenbaarde goddelijke wijsheid, de farao loven en diens grootheid als nooit voorheen belijden. De rijken van huize uit zijn vooralsnog onverschillig en de armen hebben andere katten te geselen...' 'Zodat jouw gezag gevestigd is op de bijval van bedriegers en profiteurs, die er belang bij hebben, jou als de grote man te erkennen?' 'Wat te bewijzen was,' zei hij met gespreide handen. 'Heb jij soms ooit hervormers gekend, zelf de eerlijksten, die elders dan bij de profiteurs en de aspirant-profiteurs van het nieuw gepredikte regime hun eerste aanhangers vonden?'

Er heerste in 'de Nijlnimf' een nog grotere drukte, dan toen ik hier, jaren geleden, met Jozef, Horemheb en Thotmes op die gedenkwaardige eerste avond aanlandde. Thans was er in de vorm van een verdieping omheen de binnenplaats een galerij gebouwd, zo mogelijk nog weelderiger en voor de borst stuitender ingericht dan het overige van het geval. Zij bestond uit de ene kamer naast de andere, met zware tapijten behangen, verlicht door kleine vicieuze lampjes en voorzien van alle mogelijke en tot nadenken stemmende comfort, van waaruit men over de balustrade een prettige kijk had op de drukte beneden, tenzij men er de voorkeur aan gaf de fluwelen voorhangen dicht te trekken. Ik liet deze vooralsnog open en nam plaats bij de balustrade. Ik doe er geen eed op, dat ik mij volkomen op mijn gemak voelde. Voor mijn gevoel heerst er steeds een dubbelzinnige sfeer rondom publieke gelegenheden als 'de Nijlnimf', die weliswaar geen ontuchthuizen kunnen worden genoemd, maar wier aantrekkingskracht niettemin hoofdzakelijk berust in het sensuele klimaat, dat de bezoekers als het ware de indruk geeft, de zonde zeer nabij te frôleren. Terwijl ik daar op mijn uitkijkpost zat, overlegde ik, dat het net zo goed mogelijk was hier avond aan avond in alle eer en deugd zijn slaapmutsje te gebruiken, als te preluderen tot nachtelijke geneugten in de armen van de meest gereputeerde Thebaanse hetaeren. Ik elk geval gaf ik er mij rekenschap van, dat wijsgerige naturen van mijn slag hier overvloedig stof tot meditatie konden opdoen en dat de tijd, die Tjenuna mij liet wachten, geen verloren tijd zou zijn. Met dromerige ironie liet ik mijn blikken over het gezelschap dwalen. Eéns temeer bonsde mijn hart heftiger bij het zicht van al die vrouwen, eerbare en oneerbare, doch oneerbare het meest, die tot een andere wereld dan de mijne behoorden en er wellicht daarom des te begerenswaardiger uitzagen...

Er kwam een bediende om mijn bestelling te noteren, doch eerst vroeg hij discreet: 'Wenst meneer soms gezelschap?' Ik moest even nadenken, vooraleer het tot mij doordrong, wàt hij precies bedoelde. Dan antwoordde ik op de toon van één, die door de wol geverfd is, zoals men dat heet in mijn geboorteland: 'Nee, dank je, ik verwacht een dame. Maar breng me wat te drinken. Iets goeds, — voor twee.' Terwijl de man ceremonieus de kruik ontkurkte, begon ik een praatje met hem, wat ik, meer uit bescheiden- dan uit hooghartigheid, zelden doe, — maar deze zag er mij bijzonder sympathiek uit met zijn mooie geschoren kop en zijn intelligente ogen. 'Een massa volk,' zei ik, om het gesprek op gang te brengen. 'Niet meer dan anders,' antwoordde hij beleefd, doch niet onderdanig. Ik gaf hem een flinke fooi, die hij aanvaardde zonder hinderlijke dankbetuigingen. 'En mooie vrouwen,' vervolgde ik. 'Ja,' beaamde hij, 'maar daar let je mettertijd niet meer op, begrijpt u!' 'Ja,' zei ik, 'dat zal wel.' 'In den beginne is het natuurlijk lastig,' vervolgde hij, 'maar toch moet je zekerheidshalve je zelf ertoe verplichten er van de aanvang af niet op te letten.' Hij was een knappe kerel en ik kon mij best voorstellen, dat deze discipline hem onontbeerlijk leek, want lang niet alle heren, die hier met hun liefje de bloemetjes kwamen buiten zetten, konden prat gaan op een figuur en een distinctie als de zijne. 'Mooie vrouwen maken het leven niet gemakkelijker,' vervolgde ik met een hoofdknik naar beneden. 'Maar onder ons, er is één ding, dat ik niet begrijp.' Hij glimlachte bereidwillig. 'Kijk,' sprak ik nadenkend, 'telkenmale valt het me op, dat de mooiste vrouwen zich doorgaans in het gezelschap van de lelijkste, de domste en de belachelijkste mannen vertonen. Bij de eerste aanblik zie ik hier geen enkele lelijke vrouw, doch wat de mannen betreft wemelt het van kaalhoofden, speknekken en aangevette buiken, om niet over de krommen, de gebochelden en de kreupelen te praten.' 'Ik heb er ook vaak over nagedacht,' antwoordde hij hulpvaardig. 'Een collega van me, die veel gelezen, maar niet alles begrepen heeft, beweert dat zulks verband houdt met de natuurlijke teeltkeuze, — onzin natuurlijk! Ik heb aandachtig om me heen gekeken, meneer, en ik geloof dat het antwoord hierop neerkomt, dat precies de domkoppen en de lelijkerds uit hoofde van hun gebreken er als compensatie naar streven het ver te schoppen in de wereld. De natuur, of de godheid als u dat welgevalliger is, heeft hun tekorten vergoed door de bijzondere gave om het geld op mijlen afstands te ruiken, dunkt mij, en ten slotte heeft ook het geld wat te betekenen. Dat weten de vrouwen opperbest, begrijpt u meneer, en zo krijgen de lelijkerds en de stommelingen ook een kans om... (hij keek me even olijk aan)... om horens te dragen, want, — het ligt voor de hand —, in laatste instantie winnen de anderen toch weer het pleit en voegt de kaalkop, de speknek en de lodderbuik bij al zijn gebreken de dracht van een stel horens als dit der heilige runderen van in de tijd.' Ik vond het een leerzaam gesprek, dat aangenaam de tijd kortte, want het duurde nog een poos vooraleer Tjenuna ten tonele verscheen en mijn nieuwe kennis zich discreet terugtrok, niet zonder een blik van tactvolle en schrandere verstandhouding, of hij zich afvroeg: 'Hoe mag de gesierde schedel in deze trigonometrische combinatie er wel uitzien?'

Tjenuna reikte mij de hand en ik kuste haar geparfumeerde vingertoppen, zoals het van mij verwacht werd. Zij zag er verrukkelijk uit, zodat mij als bij onze vorige ontmoeting het gevoel overviel, dat ik haar deze avond voor de eerste keer met de blikken van een màn aankeek. Eénmaal zover, kon ik onmogelijk de ogen nog van haar afslaan. Naar de mode van die dagen droeg ze de haren strak maar breed achterwaarts uitgekamd, afgezien van een uitdagende, opgerolde lok op het voorhoofd, langs de onderkant binnenwaarts gekruld, zodat ze een zijdeachtige kap schenen te vormen, die haar gelaatstrekken omvatte als een kostbaar en zeer zuiver kleinood. Zij was gekleed in een verrukkelijke witte avondjurk in een stof die de indruk gaf niet veel meer te zijn dan een subtiel schuim op haar lichaam en derwijze gesneden, dat zij even boven haar prachtige borst, de drommel mag weten hoe, werd opgehouden en aldus de schouders vrij liet. Het ganse geval, waarvan de enige versiering een breed ceintuur in zware gouddraad was, sloot eng om haar lichaam en spande zelfs om haar slanke dijen, zodat ik me afvroeg, hoe het haar het lopen niet onmogelijk maakte, vermits zij daarenboven geschoeid was met minuscule sandalen op uitzonderlijk hoge hakken. Zij nam plaats in één van de enorme zetels, die eigenlijk meer van een rustbed hadden (ofschoon het de bedoeling wel niet kon zijn erop te rusten), de benen ingetrokken onder haar lichaam en de arm op de leun. Ik daarentegen zat ietwat stroef op de rand, als een kind op verjaarsvisite bij een vaag familielid. Ik glimlachte, wist niets te zeggen en liep het gevaar een vrij bête figuur te slaan, toen ze mij met een onthutsende, enigszins uit de toon vallende directheid vroeg: 'Wil je zo vriendelijk zijn de gordijnen dicht te trekken, ja?' Ik voldeed aan haar verzoek en ze glimlachte vér, maar dankbaar. 'Het is beter, dat men ons niet samen ziet,' vervolgde ze, 'en zo er lui zijn, die ons opgemerkt hebben, lijkt het me verstandiger hen in de waan te laten, dat het om een doodgewone afspraak van geliefden gaat.' Ik had mijn hand op de hare gelegd en hierbij gedacht, dat het alles veel vanzelfsprekender ware geweest, had ik haar van de aanvang af in de armen genomen. Want hieraan had zij zich natuurlijk verwacht, ofschoon ik er niet aan dacht, haar in een zo équivoque milieu te willen bezitten, zoals dat tussen man en vrouw behoort. Bij haar laatste woorden voelde ik mij verstrakken, trok de hand terug en mompelde: 'Neem me niet kwalijk.' 'Natuurlijk vind je het gek, dat ik je liet roepen,' hernam zij, 'doch het geldt een heel belangrijke aangelegenheid, waarover ik met je praten wil.' 'Een zakelijk onderhoud,' sneerde een arrogante kwelduivel in mij, 'misschien vraagt zij je wel voor haar rekening een scheepslading graan op de kop te tikken, povere dwaas, die je wel altijd blijven zal!' 'Het gaat om Jozef,' ging ze verder, 'om Jozef en om mijn man. Er is iets verschrikkelijks gebeurd.' Er werd iets koud in mij; ik voelde de bleekheid als een masker over mijn gelaat schuiven. Het visioen, dat mijn kinderjaren vergald had, kwam mij weer met onthutsende scherpte voor de geest en ik zei toonloos: 'Heb jij wel eens ooit een Siamese tweeling gezien, Tjenuna?' Ze keek met onbegrijpend aan, doch scheen dermate door eigen zorgen gekweld, dat ze zo goed als geen aandacht aan mijn vraag besteedde. Zij nam eensklaps mijn handen in de hare en drukte ze tegen haar borst. 'Ik schreef je, dat Potifar op reis is. Maar hij is niet op reis. Gisteren werd hij op bevel van de koning aangehouden.' Ik stond op, zonder het zelf te weten. 'Er kwamen twee mannen van het speciale politiecorps, door Jozef met het oog op de staatsveiligheid opgericht, en zij arresteerden hem zonder enige andere verklaring dan een absurde beschuldiging van hoogverraad, absurd, want niemand is als hij de koning toegewijd. Het bevel tot aanhouding was door Jozef getekend, zeiden ze, alsof dat een afdoende verklaring was. Jij, Benjamin, bent toch des konings vriend, is het niet?...' 'Ja,' mompelde ik, 'ik ben zijn vriend. Doch wat hier gebeurt is iets zo vreselijk,' voegde ik er somber aan toe, 'iets zo monsterachtig en bovendien iets dat zo diep reikt, dat ik me afvraag, of er enige kans op welslagen bestaat...' Eerlijk gezegd geloof ik, dat ik zelf niet precies wist, wat ik bedoelde met deze woorden; hoewel er uiterlijk weinig merkbaar van was, vervulde mij een paniekstemming, waarvan de wortels veel verder schenen te reiken, dan het nog omvadembare feit van de arrestatie van een man, voor wie ik niet bijster veel sympathie koesterde, omdat ik hem als een stuntelige dwaas beschouwde. Het was een verbijstering, die veel nauwer verband hield met angstvisioenen zonder gestalte, peilloos diep in mij verborgen, zonder dat ik het ooit geweten had, dan met mijn bekommernis om Potifars lot. Er zijn inmiddels vele jaren, veel lief en leed overheen gegaan; uitgesloten is het niet, dat de herinnering mij begoochelt, maar toch geloof ik, dat er reeds op dàt ogenblik ergens in mijn achterhoofd het nog gestalteloze besef ontkiemde, dat niets mij nog vrees zou kunnen inboezemen, wanneer ik ééns deze paniek te boven kwam, die de eenheid van mijn wezen door een bodemloze, voorouderlijke huiver dreigde te vernietigen. Ik fixeerde Tjenuna's vergulde sandaal, of ik het beeld van dit subtiele kleinood voor de eeuwigheid in mijn geest wilde griffen. Sommigen zullen zulks bespottelijk vinden en slechts met een meer pathetische beschrijving mijner zielsgesteldheid vrede nemen. Het is evenwel nu eenmaal zo, dat in de korte spanne tijds, nu heel mijn innerlijk, zoëven nog uit zijn voegen gerukt en van zijn samenhang beroofd, zich opnieuw concentreerde op dit ene punt, — de sandaal omheen de tere voet van de heerlijkste vrouw, die ooit mijn levensweg kruiste —, een nieuwe periode aanbrak in mijn bestaan, een periode van verzet en later van strijd die mij nog meer dan voorheen van Jozef verwijderde, maar er anderzijds op wees, hoe dan ook, dat wij uit hetzelfde zaad geboren waren.

Ik zei: 'Stel je gerust, Tjenuna. Misschien zal het me zelf in de gevangenis brengen, doch Potifar haal ik eruit, ja, ik zweer je, dat ik hem eruit haal, al komt de onderste steen de bovenste.' Zij antwoordde beheerst: 'Ik wist, dat je me niet in de steek zou laten, Benjamin. Er is iets tussen ons, waar geen woorden voor nodig zijn, maar dat er altijd geweest is.' Ik begreep, dat de tijd van voorbehoud en struisvogelpolitiek voorbij was en ik sprak, bewust van eigen kracht, doch zonder laatdunkendheid: 'Natuurlijk dacht ik, dat je mij om een heel andere reden liet roepen.' Zij sloeg traag de blik naar me op. 'Maar dat doet niets ter zake,' ging ik voort, 'neen, het doet heus niets ter zake.' Nochtans had ik het gevoel, dat de tranen mij als bij een ontgoocheld kind in de ogen zouden springen. Het was haast bitter, dat ik op gesmoorde toon vervolgde: 'Zo iets overkomt vanzelfsprekend alleen maar Jozef, de geluksvogel!' Zij antwoordde niet, doch vooraleer ik er mij rekenschap van gaf, dat zij haar armen om mijn hals geslagen had, voelde ik, hoe zij zacht mijn lippen zoende. 'Opdat je weten zoudt, Benjamin, dat je onzin praat. Ik ontzie Potifar niet, want in zijn kinderlijke argeloosheid is hij het, die mijn leven vernietigd, of het althans iedere betekenis ontnomen heeft. Maar zolang hij gevangen gehouden wordt, ben ik hem toewijding verschuldigd. Beschouw deze woorden niet als een uitdaging om je ijver te prikkelen. Ik weet, dat wij elkaar hebben moeten, Benjamin. En ik weet ook, dat niemand zijn noodlot ontloopt. Nu ga ik. Neen, je hoeft me niet te vergezellen: ik kom wel veilig thuis.'

Verward keek ik haar na terwijl zij het vertrek verliet en met tevens koninklijk en zeer vrouwelijk gebaar nog even over de schouder droevig naar me glimlachte.

In weerwil van mijn onuitsprekelijke verwarring stond mijn besluit vast.

11

DE STENEN ZULLEN HET UITSCHREEUWEN

's Anderdaags maakte ik mijn opwachting bij Jozef, wiens hoofd-kwartier zich in één van de zijvleugels van het koninklijk paleis be-vond. De ganse nacht had ik geen oog dicht gedaan, maar toch voelde ik me volkomen fit, gespannen door de geestelijke en lichamelijke strijdvaardigheid, die bij mij wel meer met grote zenuwladingen ge-paard gaat. Slechts later volgt meestal de instorting, doch dan is al-les voorbij en kom ik er weer gauw bovenop. Ik was innerlijk zeer kalm, doch onder de effenheid der beheersing lag de opgehoopte ener-gie gereed om tot uitbarsting te komen. Aldus mijn gemoedstoestand, toen ik Jozefs enorme werkkamer binnenviel, waar hij brieven dicteer-de aan een schat van een modieuze secretaresse in een jurk, welke nauwelijks tot het begin van haar dijen reikte en die op zijn wenk met de geruisloosheid van een huispoes uit het gezichtsveld ver-dween.
'Ik moet je spreken,' begon ik zonder enige vormelijke inleiding, 'en onmiddellijk nog wel!' 'Hoe vroeger op de dag, hoe schoner volk!' gekscheerde hij in het dialect van onze geboortestreek, hoewel wij mettertijd de gewoonte hadden aangenomen ook onder ons beiden hoofdzakelijk Egyptisch te praten. Met een royaal gebaar nodigde hij me uit plaats te nemen. Ik liet me niet door de imposante schrijfta-fel, die ons van elkander scheidde, uit mijn lood slaan, en ik grin-nikte om de berekening, die erop neerkwam zijn bezoekers in een veel lagere zetel dan de zijne te doen plaats nemen. Het is trouwens een feit, dat Jozef, hoe dan ook, me vaak geërgerd, maar in diepste wezen eigenlijk nooit geïmponeerd heeft, en dat wist hij wel. Ik staarde hem in de ogen en vroeg: 'Wat ben je met Potifar van zins? Is het je bedoeling laattijdig wraak te nemen om wat je als Tjenu-na's minnaar is overkomen, zoveel jaren geleden?' Het eerste schot bleek wel ongeveer in de roos te zijn. Gekrenkt keek hij me aan. 'Je hebt een geringe dunk van je broeder, Benjamin. Waarmee heb ik dit misprijzen verdiend?' Ik zou geen tijd verliezen met ijdel over en weer gepraat, had ik me voorgenomen: 'Laten we niet om de pot draaien. Je hebt Potifar in de gevangenis gestopt. Ik nam de meest voor de hand liggende reden in overweging. Dat is alles.' 'Eigenlijk ben ik je geen rekenschap verschuldigd. Maar je bent mijn broeder. Als er onder ons beiden één is, die nooit vergeet, dat

we broeders zijn, kinderen van Jacob en Rachel, dan ben ik het wel, Benjamin.' 'Laten we niet redetwisten over onze familiale gevoelens,' hield ik voet bij stuk. 'Potifar werd gearresteerd, waarschijnlijk zonder grond. Daarom ben ik naar je toe gekomen. Ik vraag je om een duidelijk antwoord, van man tot man.' 'Heeft Tjenuna je gezonden?' 'Dat doet er niet toe!' 'Neem me niet kwalijk, het doet er enorm veel toe!' 'Nou, goed dan. Tjenuna heeft mijn hulp ingeroepen.' Hij legde zijn handen tegen elkander en het hoofd steunend op zijn achterwaarts gestrekte duimen, bracht hij ze voor het gelaat in een houding van diepe concentratie, die (met onbehaaglijk stemmende zekerheid drong het eensklaps tot mij door) ook mij vertrouwd was. 'Alles bij elkander een pracht van een vrouw,' mompelde hij dromerig. 'Soms heb ik het betreurd, dat ik haar zo gauw losliet.' Ik bleef onbewogen, of hij het over een vreemde had. 'Een pracht van een vrouw, waarachtig... Ontroerend, dat ze dadelijk naar je toe gekomen is.' 'Ontroerend of niet, ik heb de indruk, dat er hier een schandelijk machtsmisbruik gepleegd wordt. Laat mij je zeggen, dat ik het een uiting van verregaand slechte smaak vind, precies háár man als slachtoffer uit te kiezen.' Hij rees op uit zijn zetel en ging met gekruiste armen over en weer lopen. Zijn prachtige figuur had met de jaren nog aan luister gewonnen, terwijl het op de maarschalksinsignes na eenvoudige militaire uniform hem uitstekend kleedde. Ik liet er ditmaal geen gras over groeien: 'Op zijn zachtst uitgedrukt, mijn waarde Jozef. Maar zonder het Egyptische gebruik er doekjes om te winden: in Kanaän heet zo iets een ploertenstreek.' Hij keek me aan, zonder vijandigheid, docht het mij. 'Potifar is een godslasterlijke stommeling,' antwoordde hij, 'en altijd is hij een godslasterlijke stommeling geweest. Hij was het al in de tijd, toen hij twee jonge mannen in dienst nam in een huis, waar zijn onbevredigde vrouw op het punt stond te verkwijnen of gekheid uit te halen. Hij is een even grote stommeling gebleven, tot op de huidige dag.' Ik knikte, noch instemmend, noch afkeurend: 'Men gooit de mensen niet in de gevangenis omdat ze dom zijn, zoniet waren al de stenen van al de piramiden samen niet voldoende om het nodige aantal gevangenissen te bouwen.' 'Je zegt daar al zo iets,' grinnikte hij. 'Maar als Potifar in de gevangenis zit, is het wel terdege aan zijn gebrek aan hersenen toe te schrijven. Hij heeft gecomplotteerd tegen de veiligheid van de staat. Laat je dat voldoende zijn en steek je neus niet in een wespennest. Zo blijven wij beiden vrienden.' 'Het is mij helemaal niet voldoende,' snauwde ik, 'en jij zelf weet best, dat er geen belachelijker contrast denkbaar is dan de hele Potifar en de gedachte aan een complot tegen de veiligheid van de staat. Het is om je dood te lachen. Geloof jij heus zelf aan die formule?' 'Het is een zeer goede formule,' zei hij op docerende toon, 'die onder alle omstandigheden op eenieders instemming kan bogen, een voortreffelijke formule, al zeg ik het zelf.' 'Je regeert een land niet met abstracte formules. Welk is het misdrijf waarvan Potifar beschuldigd wordt?' Hij haalde de schouders op: 'Je mag het best weten,' zei hij luchtig, 'het is eigenlijk helemaal niets bijzonders.' Ik zat gespannen als een kat op muizenjacht, doch liet hiervan niets blijken en speelde voorgewend achteloos met de ivoren papyrussnijder die op de schrijftafel vóór me lag. 'Enige dwarsdrijvers legden de handen in elkaar om het gezag van de vorst te ondermijnen. Het is niet de eerste maal, dat ik moet ingrijpen. Toen de voornaamste samenzweerders ingerekend waren, bleek uit het verhoor, dat ze zich ook tot Potifar gewend hadden die, door angst bevangen, niet op hun voorstellen durfde in te gaan.' 'Nou,' onderbrak ik hem triomfantelijk, 'je ziet dus...' 'Er is één kleinigheid, die je in je ijver over het hoofd ziet, beste. Als officier was het zijn plicht mij onmiddellijk te waarschuwen. Maar hij bleef stom als een vis, wat op zoveel als medeplichtigheid aan hoogverraad neerkomt. Dus krijgt Potifar zijn verdiende straf en laten we hopen, dat het er de anderen moge van weerhouden nog grotere dwaasheden uit te halen.' Ik geef toe, dat ik mij aanvankelijk ontwapend voelde, doch dan verwierf weer het fanatisme, waarmee ik hierheen gekomen was, de bovenhand: 'Uit dialectisch standpunt bekeken is je redenering de juiste. Potifar heeft zijn plicht als officier verzuimd en krijgt zijn gerechte straf. Goed. Ik doe geen beroep op de logica, — jouw logica bedoel ik. Maar er bestaat een hogere logica, Jozef, en voor wie in rechtvaardigheid regeert, kan alleen dié concrete logica van de menselijke liefde en van de menselijke goedheid van belang zijn.' 'De mens is niet goed,' onderbrak hij sarcastisch, 'de mens is ofwel een geile aap, ofwel een verscheurend dier, dat zijn broeder bemint, zoals de krokodil haar prooi. Wie de sterkste klauwen en de scherpste tanden bezit, legt de anderen zijn rechtvaardigheid op. Indien er waarachtig een hogere logica bestaat, zoals jij beweert, komt die hierop neer, dat de mensen niet beter vragen dan in overeenstemming met die natuurwet geregeerd te worden. Wie het anders aanpakt, wordt als een slappeling beschouwd en aan de dijk gezet. Het geweld, alleen het geweld vertegenwoordigt de opperste wijsheid en al de rest is kattestront. Of ben je onze heilige boeken vergeten?' 'Jij toch was het, die destijds onze heilige boeken als dwaze folkloristische bakerpraatjes doodverfde?' haastte ik mij zijn woordenvloed te stuiten. 'Maar inderdaad, ze bevatten meer woestheid en haat dan verzoenende liefde, daar kan je gelijk in hebben. Ik weet ook, dat je maling hebt aan alles, wat ik hoog schat. Bovendien kan je Potifar een ernstige tekortkoming aanwrijven. Maar Potifar *is* en *blijft* de man van je vroegere minnares, Jozef, en een dergelijke pikante bijzonderheid interesseert het publiek, je aanhangers zowel als je tegenstrevers, véél sterker dan al jouw politieke spitsvondigheden!' Hij haalde de schouders op, of hij vond, dat onze discussie reeds lang genoeg geduurd had. Doch ik voelde, dat ik ditmaal voorgoed de zwakke plek getroffen had. Hij mediteerde op een geenszins van sympathie verstoken toon: 'Er zijn weinig dingen, waar wij het over ééns kunnen worden, Benjamin. Jouw vervloekte kijk op de wereld is de mijne niet en genoeg scheidt ons, om elkander van harte naar de duivel te wensen. Toch haat ik je niet. Ondanks je vele tekortkomingen, je zwakheid vooral, een man uit ons ras onwaardig, waardeer ik je scherpzinnigheid en haat je niet. Niet dat ik je argumentatie de juiste vind,' voegde hij er als correctief aan toe, 'maar ze lijkt mij vrij handig gevonden. Handigheid wordt door mij op prijs gesteld, dat weet je.' 'Dank je,' antwoordde ik droog. 'Daarom,' ging hij verder, 'wil ik je mijn goed hart tonen. Potifar is en blijft een slapjanus, waar niemand wat van te vrezen heeft, ik minder dan wie ook. Dus schrijf ik het bevel, dat men hem vrij late. Ofschoon ik me schaam over mijn toegeeflijkheid.' 'De ellende onder de mensen schuilt hierin,' besloot ik verzoenend, 'dat zij zich niet om hun toegeeflijkheid, zoals jij het uitdrukt, doch om hun goedheid schamen.' Hij gromde iets vaags en hechtte zijn zegel aan het document, waarop hij in zijn nerveus geschrift een paar regels gekrabbeld had, en overhandigde het mij. 'Je beschermeling zal terstond op vrije voeten gesteld worden. Maar let erop, dat hij zijn smoel houdt. Er is niets gebeurd. Laat hem bij voorbeeld kou gevat hebben. Of waterpokken, dat is net wat voor hem! De geruchten over zijn arrestatie: praatjes, door onverantwoordelijke elementen rondgestrooid om Ichnatons gezag van liefde in het teken van Aton te ondermijnen.' 'Ik dank je,' zei ik sober. 'Ik had erop gerekend, dat je niet anders handelen zoudt.' 'Leg ook Tjenuna het zwijgen op,' beval hij, 'want met vrouwen weet je nooit, waar je ze te pakken hebt,' terwijl hij me tot bij deur vergezelde. Hij kneep de ogen half dicht, doch ik zag ze flikkeren onder zijn fraaie lange wimpers: 'En nou kan je rustig met haar naar bed. Een knul met principes als de jouwe, zou nooit met haar naar bed gaan, zolang de man achter slot en grendel zit, nietwaar?' 'Je hebt het laatste woord,' mompelde ik bitter. Hij klapte mij vrolijk op de schouder en vond, dat ik hem ditmaal de pret wel mocht gunnen. Maar op dàt moment verafschuwde ik hem. Had hij mij scherper doorzien, dan ik me zelf kende?

Wanneer ik het paleis verliet, trof mij een voor het middaguur ongewone duisternis, of aan het uitspansel de zon verstorven was. Achter mij pletsten de eerste druppels op de stenen neder, wanneer ik de mij van jaren her bekende koninklijke gevangenis bereikte.
Kaptah, de bewaarder, herkende mij onmiddellijk en begroette mij met een mengsel van kameraadschappelijkheid en eerbied. Hij was weinig veranderd en haast niet ouder geworden, dacht ik. Op de borst droeg hij het lint met bronzen palmen van de orde van Aton. Hij scheen ontgoocheld, dat het ditmaal geen kruik wijn was, die ik te voorschijn

haalde, doch slechts een papyrusstrook, zij het dan ook met Jozefs zegel bekleed. De donder ratelde over de gevangenis, of zware gevechtswagens achter paarden in gestrekte draf over het dak dreunden. Tegelijk werden definitief de sluizen des hemels geopend, zoals onze nationale barden het noemen, en ruiste de regen neer in een zwaar gordijn van wondere geruchten. Het was een verademing. 'Neem me niet kwalijk,' zei Kaptah aarzelend, 'je weet immers, dat ik niet lezen kan?' 'Hindert niet,' zei ik. 'Dit document bevat het bevel, dat Potifar onmiddellijk in vrijheid moet gesteld worden. Je kunt me rustig geloven... Kom, verlies geen tijd. Het is een bevel van Jozef, de Hebreeuw, je weet wel, mijn broeder, die nog dagelijks met de grootste achting over je spreekt! Maak voort, dan laat ik je vandaag nog zes kruiken van de allerbeste Nijlwijn bezorgen, iets van patersvaatje!' Hij fleurde even op, doch de zorgelijke plooi week niet van zijn verfomfaaid rood gelaat. Er was iets dat hem tot in de ziel moest geraakt hebben. 'Ik kan je helaas niet helpen,' zei hij ontgoocheld, 'mijn gevangenis is niet meer, wat ze ééns geweest is, zie je. Je broeder, die de godheid behoede, heeft ze zo goed als ten gronde gericht... Ja, mijn wedde trek ik natuurlijk, doch een mens leeft niet bij brood alleen, nietwaar? Neem het mij niet kwalijk, dat ik het je zo openhartig zeg. Er blijven mij nog slechts een paar landlopers, een handjevol kippendieven en één moordenaar over, zacht als een lam, die zich tot het ware geloof bekeerd heeft en de hele dag godsdienstige zangen uitgalmt. Ik word er gewoon misselijk van. De goede oude tijd is voorbij, de tijd van de gemoedelijkheid, toen de gevangenisbewaarder een vader was voor zijn jongens...' 'Nou, de kruiken wijn zal je in elk geval hebben,' onderbrak ik hem, zonder ongeduld te laten blijken, 'doch vertel me nu gauw, waar ik Potifar dan wèl vinden kan.' Hij haalde de schouders op. 'Niemand heeft het recht het te weten. Het is zelfs gevaarlijk erover te praten. Het verstandigst ware, het aan Jozef zelf te vragen. Er wordt gezegd, dat tegenwoordig de gevangenen aan de arbeid gezet worden in de vallei ten zuiden van de stad, waar men de koningen begraaft, een onherbergzaam oord, alleen door wilde dieren en grafrovers bevolkt...' 'Men zegt zoveel,' opperde ik, ditmaal nogal kort aangebonden, 'ik moet zekerheid hebben. Als je me die zekerheid geeft, krijg je beslist de kruiken wijn, die ik je beloofde.' 'Goed,' antwoordde hij, alleen nog weerbarstig voor de vorm, 'maar kan je zwijgen?' 'Als een verzegeld koningsgraf,' stelde ik hem gerust, 'niemand zal weten, dat jij je neus voorbij gepraat hebt. Ik neem de verantwoordelijkheid ervoor op mij.' 'Nou dan, luister. Ten slotte ben je de broeder van de Hebreeuw. Maar in elk geval weet *ik* van niets. Luister goed. Het is slechts enkele maanden geleden, dat er een paar officieren kwamen, vergezeld door soldaten uit Jozefs lijfwacht, ongemanierde en brutale rekels, je weet wel. Mijn gevangenen werden uit hun cellen gejaagd en in rijen van drie geplaatst,

— met zweepslagen voor wie zich niet genoeg haastte. Het was ongehoord, zo iets. Toen de colonne zich in beweging zette, volgde ik ze op veilige afstand. Na een lange mars, haast te zwaar voor mijn krachten, bereikte men het Koningsdal, waar de groep achter een hoge prikkeldraadversperring verdween. Ken je de grote weg naar het Koningsdal?' Ik knikte. 'Die volg je tot voorbij de derde heuvel. Daar vind je aan je linkerhand naast een oude graftombe een pad, dat steil bergopwaarts leidt door een wildernis van struikgewas. Als je dat pad inslaat, kom je vanzelf terecht.'

Nogmaals herhaalde ik mijn belofte en begaf mij op weg, ondanks de regen. Jozefs document had ik veilig onder mijn kleed weggeborgen. Spoedig lag de stad achter mij en betrad ik de verlaten vlakte, die zich buiten Thebe uitstrekt, een slecht befaamd oord, volgens het volksgeloof de uitgelezen verblijfplaats van spoken, boze geesten, rovers, grafschenders en gevaarlijk gedierte. Het vergt geen betoog, dat de verder gelegen koninklijke begraafplaats hieraan niet vreemd was. Ik geef toe, dat men zich bezwaarlijk een meer geschikt voorgeborchte des doods kan voorstellen dan deze stenige woestenij, waarboven zich slechts hier en daar het lugubere profiel van een dode, als het ware zelf tot steen geworden boom aftekende. Ik vergewiste er mij van, dat ik het nog steeds volop woedende onweder met zijn gekartelde barsten in de hemel als gloeiende bladnerven dankbaar zijn moest, want tweemaal wees een verdord wolvenkreng en éénmaal een neergestuikte roofvogel langs de kant van de weg erop, hoe vernietigend de zon hier in gewone weersomstandigheden woedde.

Moeizaam worstelde ik tegen de wind en de stortvloed op, onverschillig voor de ontketende elementen. Geen ogenblik bleef de donder van de lucht en onafgebroken scheen het uitspansel in vuur en vlam te staan. Een ogenblik hapte ik naar adem, — ik had het steil oplopende pad doorheen het struikgewas bereikt —, terwijl ik de sluik neerhangende haren en het water uit mijn ogen veegde. Toen eensklaps met een vervaarlijk knetteren de bliksem vlakbij insloeg, trok ik instinctief het hoofd tussen de schouders en zag, met een gevoel van vreemde vervoering in het hart, hoe uit een verdorde bessenstruik een steekvlam scherp omhoogpriemde en in een oogwenk het schrale gewas volkomen verteerde. Het was op nauwelijks enkele schreden afstands gebeurd. Het vergde geen overleg om te beseffen, dat ik een vogel voor de kat ware geweest, indien ik mij niet had gedwongen gevoeld even uit te blazen. 'Als de duivelen der hel mij bij de schabbernak wilden grijpen,' grinnikte ik luidop en uitdagend, 'dan hebben ze ditmaal achter het net gevist. Mijn tijd is blijkbaar nog niet gekomen.' En zachter, in mezelf gekeerd, voegde ik eraan toe: 'Er is nog té veel te doen.' Wat ik er precies mee bedoelde, begreep ik op dat ogenblik zelf niet, doch het schonk mij een intens gevoel van vreugde en ik herhaalde bedachtzaam en luidop: 'Er is nog té veel te doen,' waarna ik het tegen de stormwind uitschreeuwde.

Het regende nu van langsom minder hard en van de plaats waar ik stond, kon ik zien, hoe het noodweer in noordelijke richting overdreef. Ik wrong het vocht uit mijn kleren en liep dan voort. Kort daarop brak de zon door en boven de vallei trilde een majestueuze dubbele regenboog, wat ik als een gunstig voorteken beschouwde. Het water verdampte tot een beweeglijke, zilverachtige nevelbank, die er de oorzaak van was, dat ik volkomen onverwacht met de neus voor een hoge, vijandig aandoende versperring stond, met daarachter een brede gracht, en op regelmatige afstanden lemen wachttorens, stug, angstwekkend en luguber. Ik volgde de afsluiting, tot ik de toegangspoort bereikte, waar twee sombere soldaten automatisch op borsthoogte de lansen kruisten. Erg imposant zag ik er niet uit in mijn doorweekt plunje, dat wist ik wel, doch ik was vastbesloten mij niet voor de gek te laten houden. Wijdbeens op de weg geplant keek ik ze in de ogen. 'Bevel van Jozef, de Hebreeuw, raadsman en kanselier des konings. De gevangenisbewaarder moet mij onmiddellijk te woord staan. Wie Jozefs bevel over het hoofd ziet of dwarsboomt, zal op mijn getuigenis met de oren aan de poort gespijkerd worden!' Een grote mond opzetten is in dergelijke omstandigheden nog het veiligst vrijgeleide: na een blik van wederzijdse verstandhouding lieten zij mij door en groetten martiaal. Slechts nadien dacht ik eraan, dat mijn eenvoudig, kort gewaad van Hebreeuwse snit, veel gelijkenis vertoonde met het uniform, gedragen door de boden van de farao, de beste lopers in den lande, die vaak met boodschappen als de mijne gelast werden.

Binnen de omheining had men lange rijen zwart geteerde houten loodsen opgetimmerd, die tussen opslagplaatsen en koestallen het midden hielden. Er waren er zovele, dat zij een slordig en naargeestig dorp vormden. Het geheel deed denken aan het kamp van een leger te velde, aangetast door een of andere vreselijke epidemie, waarvan de uitgestorvenheid mij verbaasde, tot ik eensklaps, toen ik op goed geluk af een hoek omsloeg, pijnlijk getroffen bleef staan door een vreselijk en ongerijmd schouwspel. Onder luid geschreeuw van zwaar gewapende bewakers, die lange lederen zwepen vol knopen hanteerden, sleepte een haveloze groep gevangenen aan dikke touwen een reusachtig blok graniet voort, niet op ronde balken, zoals ik het bouwvakarbeiders dikwijls zonder overdreven krachtsverspilling had zien doen, doch gewoon door het zand, wat een dergelijke taak tot een krankzinnig en misdadig opzet maakte. De bewakers schenen het nochtans doodnormaal te vinden en hun knallende zwepen over de blote ruggen zetten tot grotere krachtsinspanning aan. Het waren naakte, uitgemergelde sukkels van verschillende leeftijden, waaronder ik verscheidene afgeleefde grijsaards bemerkte, alsook vrouwen en kinderen, die men gezet had aan een werk, dat zelfs de grofste

149

boer zijn ossen bespaart. Eén begaf onder de inspanning en stuikte in elkaar, doch zo lang geselden de zwepen zijn uitgeputte lijf, tot hij rechtkrabbelde en weer verbeten aan het touw ging zeulen, de opengesperde ogen vol vrees voor meer slaag. Ontzet wendde ik de blik af met een gevoel van duizeligheid en niet-begrijpen. Dan vermande ik mij en richtte me tot de opzichter, een verzopen individu met een volkomen afgestompte muil, het ideale type voor een dergelijk baantje: 'Jozef de Hebreeuw zendt mij hierheen. Ik heb een boodschap voor de gevangenisbewaarder.' 'De commandant, bedoel je,' antwoordde hij sloom, terwijl hij me van het hoofd tot de voeten opnam, of hij zich belangstellend afvroeg in hoeverre ik bruikbaar zou zijn om een handje toe te steken. 'Mij om het even,' zei ik, 'de commandant als je er de voorkeur aan geeft. Ofschoon ik hier niet veel zie, dat een soldaat waardig kan genoemd!' Hij wees met de zweep in de richting van een naburig gebouw, ditmaal in steen opgetrokken. 'Daar,' zei hij, 'daar vind je de commandant, als hij je er tenminste niet uittrapt.' Zonder hem verder een blik waardig te keuren, begaf ik me in de aangewezen richting, opzettelijk langzaam lopend en met de waardigheid van één die terdege weet, wat men hem verschuldigd is. De commandant zag eruit als een ietwat verbeterde uitgave van de opzichter, doch waar bij deze laatste de domheid de voorrang bekleedde, trof mij bij hem vooral de mateloze eigendunk. Toen hij nors 'Binnen!' gebulkt had en ik doorweekt en haveloos in de deuropening verscheen, monsterde hij me aandachtig. 'Wat moet je?' snauwde hij me toe en greep meteen naar de zweep, blijkbaar het onafscheidelijk attribuut van deze heren, die vlak naast hem op zijn tafel lag. 'Wat moet je?' herhaalde hij, daar ik gemelijk zwijgen bleef. 'Neemt u me niet kwalijk,' zei ik ten slotte rustig, 'doch we werden niet aan elkander voorgesteld. Ik gaf u hoegenaamd de toelating niet mij te tutoyeren.' Hij rees op, een kolos van een vent, en bleef mij ietwat voorovergebogen staan aanstaren van onder zijn wenkbrauwen als kleerborstels, de handen op het tafelblad vóór hem, waar de kaarten van een patience lagen. 'Wat moet je?' brulde hij als een bezetene, zodat de vloer onder mijn voeten trilde, gereed om mij met huid en haar op te vreten. Mijn schouderbreedte en borstomvang, waar ik vooralsnog zo prat op ging, maakten ditmaal niet de geringste indruk, docht het mij. 'U bent geen beminnelijk mens,' antwoordde ik, 'neen, hoegenaamd geen beminnelijk mens!', of het voor hem bijzonder belangrijk was te weten, wat ik over hem dacht. Zijn oren gloeiden naast zijn kaalgeschoren schedel. Hij kwam langzaam naar me toe, de handen op de rug. 'Pas op,' meesmuilde ik, 'ik geef je de raad niet onbehoorlijk te worden. Ik ken de beruchte kniestoot in de onderbuik, weet je wel. Als je mij ertoe dwingt hem toe te passen, sla je de eerstvolgende drie weken een modderfiguur bij je vrouw!' Hij was bepaald een cholericus, want hij sloeg mijn goede raad (die beroemde kniestoot, — een inval van het ogenblik) volkomen in de wind. Ik begon stilaan in te zien, dat ik niet precies de verstandigste partij gekozen had door heibel met hem te zoeken, doch ik kon de gedachte aan de uitgemergelde stumperds, daarbuiten voor het steenblok gespannen, niet van me afzetten. Daar ik echter helemaal niet van zins was me door deze ontketende cycloop tot purée te laten slaan, haalde ik mijn papyrus voor de dag en stopte het hem in de letterlijke zin des woords onder zijn neus. 'En nou geen gekheid meer,' sprak ik zo kordaat mogelijk, met de intonatie, die ik van Jozef had afgeluisterd, wanneer hij zich tot zijn ondergeschikten wendde. 'Een bevel van Jozef de Hebreeuw, raadsman des konings, kanselier van het rijk. Je kan toch lezen, wàt?' Hij rukte het document uit mijn handen. 'Denk om de goede manieren!' kon ik niet nalaten op te merken. Ik zag, dat hij moeite had om het bericht uit te spellen, doch ten slotte slaagde hij erin en keek me ietwat verdwaasd aan. 'Het is goed,' gromde hij met een donkere blik, 'bevel is bevel!' 'Verstandig gevonden,' prees ik hem ironisch, 'dat heb je fijn uitgekiend. Als beloning veroorloof ik je, mij voortaan te tutoyeren...'

Dat deed de maat overlopen. Terwijl krakend de wereld om mij in elkaar stortte, besefte ik in een laatste helderheid nog vaag, dat het aan een klap tegen mijn onderkaak te wijten was. Als een ultieme flits uit het rijk der levenden schoot het mij te binnen, dat ik het opzettelijk verwaarloosd had hem te zeggen, wié ik eigenlijk was.

Toen kwam er een tijdlang niets meer. Een poos later liep ik opnieuw door de stortregen. Zo kwam mij tenminste de eerste gewaarwording voor, wanneer ik mijn ogen opende. Twee mannen goten emmers water over me uit en de commandant stond er met zijn stierekop grinnikend bij, de armen over de borst gekruist. Ik trachtte op te staan, doch voelde, dat mijn polsen stram gebonden waren en meteen kreeg ik een trap voor mijn achterwerk, die mij met het gelaat tegen de vloer deed bonzen. Tranen van pijn sprongen in mijn ogen, doch ik vermande mij, wentelde mij op de rug en keek de andere in het gelaat. Diep en vaag in mij was het gestalteloze besef, dat het zijn nut kon hebben, deze vernedering te ondergaan. Hij stond daar met een grijns, of hij het thans wel leuk zou vinden naar mijn opschepperij te luisteren. Het was mijn redding, ik voelde het onmiddellijk. 'Mijn waarde commandant,' zei ik effen, 'het is in het leven steeds gevaarlijk er voortvarend op los te gaan, ook al ben je sterk als een nijlpaard en stom als een ezel. Want niet steeds weet je, wie je vóór je hebt. Jozef koos niet de eerste de beste uit om hem een dergelijke vertrouwelijke boodschap op te dragen, – een boodschap, die zowat als staatsgeheim mag worden beschouwd. Mijn naam is Benjamin. Ik ben Jozefs broeder, vertrouweling van Ichnaton, onze koning, en intimus van Horemheb, jouw opperbevelhebber.'

Ik had zeer langzaam gesproken, om hem de tijd te gunnen mijn woorden terdege te overdenken, want hij behoorde ogenschijnlijk niet tot de vlugsten. Ik zag hem verbleken en zijn mond viel open. Hij gaf de andere twee met de hand een vaag bevel. Met de grootste voorkomendheid hielpen ze mij op de been en maakten het touw om mijn polsen los. Hij stond erbij als een rund, dat een dondersteen op zijn hersenen gekregen heeft. Ik nam me voor, verder geen moeilijkheden te zoeken. 'Je hoeft helemaal niet zo sip te kijken,' schertste ik, gedwongen, 'het was gewoon een vergissing en een goeie grap ook nog, mijn waarde commandant. Iedereen in jouw plaats zou net hetzelfde gedaan hebben!' Er was iets meelijwekkends aan zijn hulpeloosheid. 'Kom nou, maak je geen zorgen, eh... hoe heet je ook? Mij mag je gerust Benjamin noemen.' 'Ik heet Kanopu,' antwoordde hij kleintjes, 'en ik kan niet anders doen dan Benjamin, de broeder van de doorluchtige ziener, nederig te verzoeken het stilzwijgen over dit incident te bewaren.' 'Kom, kom,' lachte ik royaal, 'je hoeft dergelijke kleinigheden niet dadelijk te dramatiseren. Het was een fijne mep, dat is alles. Je moest me maar eens vertellen, hoe je het doet. Het kan van pas komen. Jozef zal er niets van weten. Hij zou zich een aap lachen en die pret gun ik hem niet!' Hij beschouwde zijn vergrijp als te ernstig, om op mijn gekscheren in te gaan en gaf een wenk aan de wachters, die onmiddellijk met een kruik en de nodige schalen op de proppen kwamen. 'Voor het overige kan ik Benjamin slechts onderdanig smeken mijn gastvrijheid te aanvaarden, als blijk van mijn goede bedoelingen te zijnen opzichte.' 'Nou,' trad ik hem bij, 'een kleine verfrissing heb ik er wel aan verdiend. Op je gezondheid!' Het was een koppig wijntje, met een scherpe smaak, die aan peper en andere felle kruiden denken deed. Godlof behoor ik tot hen, die het vermogen bezitten niet dronken te worden, zolang ze er zelf geen zin in hebben. Het is een kwestie van wilsconcentratie die, wat mij betreft, doorgaans feilloos werkt. Kanopu daarentegen bleek, zoals ik het trouwens bij cholerische naturen wel vaker opmerkte, hoegenaamd niet tegen de edele vloeistof opgewassen. Wij dronken rechtopstaand en telkenmale de schalen gevuld werden, hieven wij ze plechtig en krijgshaftig naar elkander op.

Na de vijfde sprak hij met een dikke tong en had hij moeite om het evenwicht te bewaren. Ik stelde voor te gaan zitten en schonk ditmaal zelf, véél voor hem, weinig voor mij, want ten slotte kon ik niet het onmogelijke van mijn organisme vergen. Hij kwijlde en de wijn liep langs zijn blauwe stoppelbaard; dan staarde hij me lodderig aan en stamelde: 'Kijk, Benjamin, wanneer je éénmaal samen een stuk in je kraag hebt gehad, kan je geen vijanden meer zijn, is het wel?' 'Nee,' stelde ik hem gerust, 'de dronkenschap is de opperste verzoening onder de mensen van goede wil. Een man, waarmee je éénmaal je zelf onder de tafel gedronken hebt, kan nooit meer een vijand van je zijn. Dat is een natuurwet.' 'Dan ben je ook niet meer boos op me?' vroeg hij, het wiegende hoofd schuin opwaarts naar me geheven. 'Neen,' antwoordde ik, 'ik ben trouwens nooit boos op je geweest. Ik vind je een fidele vent, die zijn plicht doet zoals het een man betaamt en als ik, hoe dan ook, bij Jozef voor je ten beste kan spreken, zal ik het beslist niet nalaten.' 'Dat is mooi van je,' lalde hij, hikkend dat het een aard had. 'Ik ben helemaal geen kwaaie,' betoogde hij, 'neen, ik ben heus zo'n kwaaie niet. Als mijn vrouw er niet vandoor was gegaan met een Babylonische snoeshaan, die als een wijf naar de parfum stonk, zou ik me nooit tot dit baantje geleend hebben...' Ik spitste de oren. 'Mij dunkt, dat je een fijne baan hebt ingepikt, een heel interessante baan in dienst van 's lands veiligheid!' 'Neen,' stotterde hij, of hij struikelend achter zijn eigen woorden aanstrompelde, 'met je permissie, helemaal geen fijne baan.' Hij richtte zich zo goed en zo kwaad het ging in zijn volle lengte op en bonsde met zijn vuist op de borst. 'Neen, helemaal geen fijne baan... Een schijtbaan, hoor je me? Ik ben een soldaat, Benjamin, een braaf soldaat, begrijp je? Ik was steeds gewoon kerels van stavast, die wat voor me over hadden, te commanderen en geen levende lijken!' 'Levende lijken?' opperde ik tevens zo discreet en zo nadrukkelijk mogelijk, opdat hij niet van deze gedachte zou loszwalpen. 'Levende lijken,' beaamde hij, terwijl hij met de linkerhand een vaag kringvormig gebaar beschreef, waarmee hij waarschijnlijk het ganse kamp bedoelde, 'niets dan levende lijken, stuk voor stuk ten dode opgeschreven, allemaal met een nummer erop. Niemand komt hier ooit uit. Niemand. Precies zo weinig eten en precies zoveel werk en slaag, dat de sterksten er ten hoogste na een jaar onder bezwijken. Ik ben geen begrafenisondernemer en ook geen sluipmoordenaar, als je dàt maar weet!... Zij die langer leven dan de geoorloofde termijn, moet ik echter het hoofd laten inslaan, wurgen of de keel opensnijden. Heb je ooit zo iets gehoord voor een soldaat?' Hij zag er dronken uit als een zwijn, doch ik voelde er mij volkomen zeker van, dat hij er zo maar niet op los zat te lallen. Hij boerde vervaarlijk: 'Alleen met jonge vrouwen hebben we soms geduld, als ze tenminste aardig en van goeie wil zijn. Je begrijpt het wel, niet? Wij mogen ook een pretje hebben in deze woestenij. Als je soms zin hebt?... Kom, laten we drinken en vergeten.' Hij dronk. Vanzelfsprekend was ook op mij de wijn niet volledig zonder invloed gebleven, doch ik voelde mij toch nog behoorlijk in orde, zonder zulks echter te laten blijken. 'En waaraan hebben deze stumperds zich schuldig gemaakt?' informeerde ik, met een hoofdknik naar het venster. Hij haalde de schouders op. 'Weet ik veel... Geen van hen heeft een dossier. Ze worden zo maar gearresteerd en hierheen gestuurd. Ik ken meestal niet ééns hun namen. Ze hebben alleen een nummer, als ze hier komen. Men zegt, dat het landverraders zijn, die...' 'Die de veiligheid van de staat in gevaar brengen!' vulde ik aan. 'Inderdaad,' zei hij, 'waar haal je het?' 'Gewone misdadigers worden immers in de gevangenis gestopt? Maar vertel me eens, ik zag slechts een klein groepje gevangenen, die een steenblok voortsleepten. Een schandalige knots van een steenblok, veel te zwaar voor hun krachten. Waar zijn de anderen?...' Hij wees vaag voor zich uit. 'Werken in het dal... Wegenbouw... Wegen waar nooit een kat langs zal komen! Wegen voor de geesten!' Hij lachte op lugubere toon. 'Van zonsopgang tot zonsondergang... Het zwaarste werk opzettelijk op het heetst van de dag. Kan ik het verhelpen?... Bevel is bevel... Bevel van hogerhand: *ik* ben een soldaat en, bij de goden, een goed soldaat ook!' 'Waarom leen jij je tot dergelijke praktijken?' drong ik vinnig aan, zonder ditmaal mijn weerzin te verbergen. 'Bevel van hogerhand, ik zei je toch... Ook die geschiedenis met mijn vrouw, weet ik veel. Een man op mijn leeftijd wordt geen keuze gelaten: die moet aanvaarden, wat men hem nog wil toevertrouwen. Reeds jaren is het leger om zeep. Elk kind in Egypte kan het je vertellen. Geen toekomst meer voor een officier...' 'Jozef reorganiseert het leger,' zei ik nadenkend, 'zo je wil...' 'Heeft geen zin,' viel hij me in de rede, 'hèm interesseren alleen jonge melkmuilen, snotneuzen uit zijn eigen formaties...' De laatste woorden schenen een zo grote inspanning van hem gevergd te hebben, dat hij daarna weer volkomen in zijn dronkenschap wegzonk, als een drenkeling, die zich het wrakhout ontglippen laat, dat hij even te pakken had. Vooraleer hij definitief slagzij dreigde te maken, op melancholische toon onverstaanbare klanken mompelend, greep ik hem bij de kraag en hielp hem derwijze rechtop, wat heel wat moeite van me vergde met zo'n knaap. 'Luister, Kanopu,' zei ik scherp articulerend en luid, 'ik ben de broeder van Jozef, hoor je me?' 'Ja,' mompelde hij, 'dat ben je.' 'In orde. Luister nou goed naar me, of je dronken bent of niet. Zul je goed naar me luisteren?' Hij knikte berustend. 'Als ik van Jozef gedaan krijg, dat men je een partij extravoedsel zendt, sta jij er dan borg voor, dat het aan de gevangenen uitgereikt worde?' 'Je bent knettergek,' antwoordde hij, 'dat zal de Hebreeuw nooit dulden. Hij zou het sabotage noemen. Daar staat de doodstraf op. Je maakt me niets wijs, al ben ik zo dronken als een tijger.' 'Ik weet, wat ik zeg. Jij hoeft er het hoofd niet over te breken. Beloof je het mij?' 'Ik ben zo geen kwaje,' lalde hij vertederd, 'ik ben een eerlijk soldaat. Ik beloof het je. Soldatenwoord is erewoord.' 'Goed,' besloot ik, 'ik hou je aan die belofte. Soldatenwoord is erewoord, vergeet het niet. Het is nu mijn tijd. Laat Potifar roepen. Je hoort nog wel van me. Je zult het niet betreuren, als je inderdaad je belofte gestand doet!' 'Potifar?' zei hij, en scheen diep na te denken. Dan ging hem een licht op en hij reikte de papyrus aan één van beide soldaten, die bij de deur post gevat hadden, stram, onverstoorbaar en blijkbaar blind uit gewoonte voor het dwaze tafereel, dat zich in hun aanwezigheid afspeelde. Het was die dag ongetwijfeld zijn laatste krachtsinspanning, want nauwelijks een oogwenk later snurkte hij als een kudde olifanten. 'Help hem naar bed en geef hem een flinke portie maagzout, als hij wakker wordt. Je kan er bij mij in een goed blaadje door komen!' beval ik de tweede soldenier, terwijl ik mij naar buiten spoedde.

Het duurde even, vooraleer ik in het gebroken mannetje, dat op me toe kwam strompelen, mijn vroegere meester Potifar herkende. Hij liep gebogen en leek wel twintig jaar ouder geworden, sedert Jozef en ik zijn huis verlaten hadden. 'Het zijn de jaren,' mompelde ik, 'de twee of drie dagen, die hij hier vertoefd heeft, kunnen er niets mee te maken hebben. Het zijn de jaren. Natuurlijk zijn het de jaren.' Ik ging naar hem toe. Hij bleef staan, weifelend. Ik verhaastte mijn schreden. Hij kromp ineen, of hij slaag verwachtte. Er brak iets in mij. Opeens drong het tot me door, dat het de eerste maal in mijn leven was, dat ik een zwakkere vrees inboezemde, ik, die steeds hun vertrouwen genoten had, precies als dit van dieren en kleine kinderen, die rustig of vrolijk werden in mijn tegenwoordigheid. Ik kwam naderbij. Nog steeds herkende hij me niet. Vreesachtig hief hij de ogen naar me op, mat en tevens glazig. 'Niet slaan,' kermde hij, 'niet meer slaan.' Mijn keel werd toegeschroefd door grenzeloos medelijden. Ware hij met wonden bedekt geweest, ik zou zijn wonden gekust hebben. 'Potifar,' zei ik hees, 'Potifar, kijk me aan, herken je me niet? Ik ben Benjamin, je vroegere dienaar, Benjamin, de Hebreeuw. Je bent vrij! Je kan weer gaan en komen, zoals je er zin in hebt! Kom, wij moeten dadelijk weg van hier...'

Of hij mij ditmaal begreep, weet ik niet, doch ik gunde me zelf niet de tijd om het uit te zoeken. Ik sloeg mijn arm om zijn schouder, met vooralsnog slechts die ene kleinmoedige bedoeling: zo haast mogelijk uit dit oord van helse vervloeking weg te komen. Ik moest aan Jozef denken, de kanselier, evenals aan Kefertaton, de vlijtige zedenhoeder, en aan Imhotep, de profeet der revolutie. 'Allen zitten ze achter de opperste waarheid aan, zoals ze een hoer zouden nalopen,' dacht ik bitter, 'en voor alle drie komt de verwezenlijking dier waarheid neer op wat ik hier gezien heb. Doch ééns zullen zelfs de stenen deze onrechtvaardigheid uitschreeuwen, ééns, als de tijd gekomen is, — ééns, als misschien de wereld vergaat in een voor de eeuwigheid nauwelijks merkbare huivering van de kosmos. O Ichnaton, heerlijke, ontroerende dwaas, die in de aangeboren goedheid van de mens gelooft! Wat er ook gebeure, ik zal je trouw blijven, ook wanneer je me niet begrijpen zult.' Want diep in mij was een grote zekerheid en een aangrijpend geloof, waar ik geen naam voor wist, maar dat mij met een felle warmte doorstroomde.

12

KIKKERGEKWAAK EN NACHTEGALENZANG

Na een moeizame tocht door de vochtige hitte, die wel onvermijdelijk op het onweder moest volgen, bereikte ik met de volslagen uitgeputte Potifar omstreeks schemertijd de poorten van Thebe. Ik huurde er een draagkoets, waarmee ik hem thuis liet brengen. Zijn erkentelijkheid wuifde ik van me af, want ik wilde verhinderen, dat hij zich tegenover mij op enigerlei wijze verplicht achtte.

Het verbaasde mij, dat Tjenuna de daaropvolgende dagen niet van zich liet horen. Doch misschien vond ik het wel beter zo. Ik werkte hard, las en wandelde veel om mijn geest te bevrijden van de tegenstrijdige indrukken, die hem in de laatste tijd bestormd en mijn evenwicht, benevens mijn gemoedsrust, waaraan ik zoveel belang toekende, naar mijn zin té grondig verstoord hadden.

Doch wat baatte het? Geen dag ging voorbij, zonder dat ik getroffen werd door de in het oog springende tekenen van Jozefs bewind. Ofschoon ik wist, dat hij sceptisch stond tegenover de leer van Ichnaton (ik wist het, hoewel hij er mij nooit openlijk over gesproken had), moedigde hij een geloofsfanatisme aan, dat de koning onmogelijk welgevallig kon zijn. Op drastische wijze werd paal en perk gesteld aan de aanbidding der populair gebleven oude goden, die onder het kleine volk nog zeer levendig was en tot nog toe oogluikend werd geduld. Kwamen niet veel gebroodroofde priesters aan de kost door de verkoop van amuletten en kleine, ruw afgewerkte beeldjes van de in ongenade gevallen godheden, die zeer vlot door de man in de straat gekocht werden en op clandestiene huisaltaren een plaats vonden? Nieuwe verbodsbepalingen verschenen op de Thebaanse muren en als afschrikkend voorbeeld werden met meer misbaar dan nodig was, de vonnissen der overtreders door de stadsomroepers afgekondigd. Zover ging het, dat Jozef de namen van de vroegere koningen, die immers ketters waren geweest, van de openbare gebouwen en monumenten liet wegbeitelen. Ware het niet zo bedroevend geweest als uiting van op de spits gedreven onverdraagzaamheid, dan zou ik er de spot mede gedreven hebben. Er zijn echter dingen, waarmede men tenslotte de spot niet meer drijven kàn en van die tijd af zou mijn zin voor humor in arren moede vaak in gebreke blijven. Ik vroeg hem om rekenschap, doch hij lachte om mijn verontwaardiging: 'Ik word het stilaan gewoon, dat jij in de contramine bent. Maar individualisten als jij zijn, godlof, vrij zeldzame verschijnselen in onze moderne tijd. De massa vraagt niet beter, dan in het gelid te marcheren en voelt er zich kiplekker bij. Des te nauwgezetter ik het te volgen spoor uitstippel, des te geestdriftiger zal men mij prijzen.' 'De vrije gedachte, de innerlijke vrijheid van de mens, die zal je nooit uitroeien!' wierp ik hem voor de voeten. Het was een argument, dat blijkbaar niet de geringste indruk op hem maakte: 'Larie, mijn beste jongen! Noch de gedachte, noch het geweten is ooit vrij geweest of zal het ooit worden. Geef het volk de meest volstrekte vrijheid en het zal hoegenaamd geen raad meer met zichzelf weten. Het zal op de knieën smeken, dat men het opnieuw voorschrijve, wat het màg en moét geloven.' 'En het zal je wellicht ook vragen, dat het in jouw beruchte nieuwe gevangenissen gestopt worde, denk je ook niet?' snauwde ik wrang en moedeloos. Hij haalde de schouders op, daar er aan mij immers geen zalf te strijken was: 'Wie het over gevangenissen heeft, lastert mijn beleid. Mijn opvoedingskampen vertegenwoordigen de grootste en verst strekkende staatkundige innovatie van onze vooruitstrevende tijd. Wie gevaarlijk blijkt voor de gemeenschap, wordt verwijderd en onder veilig toezicht geplaatst, tot hij uit zichzelf tot betere inzichten komt en opnieuw in het sociaal verband kan opgenomen worden als een nuttig en volwaardig element.' 'Uit zichzelf, je zegt het goed! Een vulgair misdadiger heeft het oneindig beter dan hij, die er een eigen mening op nahoudt en derwijze in jouw opvoedingsinstituten terecht komt, om daar systematisch uitgehongerd, murw geranseld te worden en ten slotte te bezwijken onder een nutteloze en krankzinnige arbeid, uitgedacht door sadisten, die door de oude farao's zelfs aan galeiboeven niet werd opgelegd.' 'Ik weet niet, of jij duizend jaar te laat of duizend jaar te vroeg geboren bent, mijn waarde Benjamin, doch in elk geval hoor je niet in een grootse eeuw als de onze thuis!' 'Evenmin als Ichnaton, die met lede ogen moet toezien, hoe zijn rijk van zon en liefde steen voor steen door jouw driestheid, machtswellust en volstrekt gebrek aan moreel verantwoordelijkheidsbesef ten gronde wordt gericht.' 'De farao had naast zich een man met praktische zin nodig, één die van aanpakken weet en die wijsgerige dromen of mystieke bespiegelingen in praktische verwezenlijkingen en een bruikbare politieke tactiek omzet. Dat er nu en dan wat dwarsdrijvers moeten worden opgeruimd, speelt geen rol voor het aanschijn der eeuwigheid. De mens is niets, de gemeenschap is alles.' 'Weet jij, dat je me soms verrassend sterk aan Imhotep doet denken?' Hij keek mij onderzoekend aan en glimlachte vaag: 'Die neem ik nog wel te grazen, wacht maar tot de eerste keer, dat hij er mij een gelegenheid toe aan de hand doet!' Ik voelde mij vermoeid en hulpeloos en zat er ietwat verslagen bij, terwijl hij op professorale toon doceerde: 'Het individu moet ten bate van een grootse gedachte kunnen uitgeschakeld worden. Misschien heeft deze gedachte op zichzelf weinig belang en is ze niet ééns bijster origineel. Doch de gemeenschappelijke bewogenheid, de gemeenschappelijke impuls en de gemeenschappelijke bereidheid tot het hoogste offer heiligt iedere idee, of ze Amon heet of Aton. Wanneer zij het hele volk bezielt, zal zij Egypte voorgoed tot het machtigste rijk ter wereld maken.' Gans mijn wezen kwam in opstand en als een vlam sloeg eensklaps uit mijn lijdzaamheid een heilige verontwaardiging op. Mijn stem klonk misschien onbewogen, maar mijn lichaam trilde, — een blad in de wind: 'Wat jij als de waarheid der toekomst verkondigt, is niet anders dan een nieuwe vorm van godslasterlijk barbarendom!' Hij schudde medelijdend het hoofd, doch ditmaal liet ik mij niet van mijn stuk brengen: 'Geen van beiden hebben wij ooit met onze heilige boeken gedweept. Minder dan ooit geloof ik, dat een god ons uit wat bijeenveegsel van leem en slib naar zijn beeltenis in elkaar geknutseld heeft, want dan zou het een verdomde prutser geweest zijn. Maar in dit kinderachtige verhaal schuilt één onloochenbare wijsheid, Jozef, die men niet ongestraft met de voeten treedt: de mens is het meest goddelijke schepsel dat uit het niets van de chaos te voorschijn trad, één en onvervangbaar, van de geringste onder de bedelaars tot de meest vergoddelijkte onder de koningen. De bestemming van deze mens ligt in hem zelf, doch nooit, hoor je me, nooit in het crapuleuze afgodendom van gemeenschap, volk of staat. Het individu is de enige ware, tastbare werkelijkheid en jouw gemeenschap heeft slechts betekenis in zoverre zij die individuele, enige en onvervangbare mens geluk en vrijheid waarborgt. Zo niet, is zij een monsterachtige moloch, waarboven ik zonder de geringste aarzeling iedere anarchie verkies!' Nooit had dit alles mij zo duidelijk voor de geest gestaan. Het bleek een onuitsprekelijke opluchting het hem in het gelaat te slingeren en nog hijgde ik zacht van ontroering, toen hij mij grinnikend tussen de benen gooide: 'Het is wel een vreemde lotsbestemming, een dichter als jij tot broer te moeten hebben, Benjamin.' Ik beet agressief van me af: 'Dat zal wel. Eigenlijk bedoel je, dat ik in het opvoedingskamp geen gek figuur zou slaan, is het niet?' 'Je draaft door,' antwoordde hij. 'Jij bent immers een Hebreeuw en geen Egyptenaar? Hoe zou het in mijn geest opkomen, jou de idealen van het verjongde en dynamische Egyptische volk op te dringen?' 'Loop naar de duivel!' snauwde ik en maakte aanstalten om hem te verlaten. 'Als het zover komt, doen we het samen, dan kun jij de weg korten door mij je moraalfilosofie van naaldje tot draadje uiteen te zetten!' schertste hij vriendschappelijk. Zijn behoefte om het gesprek derwijze te besluiten, maakte mij minder balorig. Hij merkte het dadelijk: 'Eigenlijk ben je een goeie, trouwe kerel, ofschoon van iedere praktische politieke zin verstoken, Benjamin. En ik heb méér voor je over, dan je wel denkt. Moest er iets zijn, dat ik voor je doen kan, zeg het me dan.' 'Dat kan je,' hapte ik toe, zonder over zijn aanbod na te moeten denken. 'De partij graan, die wij samen gekocht hebben, werd eergisteren geleverd, een gans pakhuis vol, twee derden voor jou, één derde voor mij, zoals afgesproken. Ik vraag niet meer van je, dan een schriftelijk bewijs op zegel, dat mij het recht verleent er enige wagens van bij Kanopu, de commandant van jouw pedagogisch instituut in de buurt van de koningsgraven te laten bezorgen, terwijl je me bovendien een uitdrukkelijk bevel ter hand moet stellen, dat mijn tarwe tot de laatste korrel voor de voedselvoorziening der gevangenen bestemd is en als supplement op de gewone rantsoenen moet uitgereikt worden. Dat vraag ik je als bijzondere gunst.' Hij streelde nadenkend zijn korte baard, of hij aarzelde: 'Van jouw graan, bedoel je?' 'Van het mijne. Wat dacht je?' 'Nou,' besliste hij dan resoluut, 'je zal niet van me kunnen zeggen, dat ik een harteloze kerel ben. Je weet trouwens best, dat ik je steeds je zin geef. Je hebt mijn woord.' 'Het is een druppel in de zee, mompelde ik, 'maar ik dank je in elk geval.'

Ik liet mij door een dergelijke tegemoetkoming geen zand in de ogen strooien. Sedert onze prilste kindsheid kende ik Jozefs behoefte om voor het publiek de fraaie rol te spelen (vaak genoeg had ik in mijn eentje tot publiek gediend) en ik wist zeer goed, dat woorden, die hij duldde in *mijn* mond, een ander onverbiddelijk een plaats zouden doen toewijzen in de vermaledijde rij van Kanopu's ten dode opgeschreven onderhorigen.
Ondertussen ging het leven zijn gang. Dagelijks kwamen te Thebe scheepskonvooien toe of karavanen uit de meest afgelegen hoeken van het rijk en ook van ver over de grenzen, zodat de oogsten uit de vier windstreken de koninklijke schuren, benevens de opslagplaatsen van gokkers en avonturiers binnenstroomden. 's Avonds praatte ik in de kroegen met varensgezellen en kameeldrijvers, wat mij stijfde in de overtuiging, dat overal ter wereld de mens dezelfde is. De drommen vreemdelingen brachten verteer en nering, er werd geld verdiend en opgemaakt, voor de middenstand en de rijken brak een gulden tijd aan en bij de eerste aanblik leek het wel, of de dagen van weleer, waarover Thotmes destijds met zulk een weemoed gesproken had, waren weergekeerd. Thebe leefde in een roes, die mij verontrustte, want ofschoon de rijkdom en de brooddronkenheid op ergernisbarende wijze werden uitgestald, was het aantal bedelaars bij dag en beurzensnijders bij nacht nooit zo groot geweest. Inmiddels was ik achter de elementaire waarheid gekomen (want Jozefs lessen in de economie wierpen vruchten af), dat de rijkdom van de enen slechts ten nadele van de anderen tot stand kan komen. De prijs van het brood steeg tot het drievoudige; de armtierige vis, die men met grote netten uit de Nijl ophaalt en die, in de zon gedroogd, zowat de dagelijkse kost der armen vormt, was welhaast

niet meer te betalen: voor het kleine volk waren het donkere tijden. Wanneer ik soms door de achterbuurten liep en zo mild mijn middelen het mij veroorloofden aalmoezen gaf, kregen de woorden van Imhotep, de profeet van het gewelddadige verzet, een nieuwe betekenis voor me, zonder dat ik er echter toe besloot zijn fanatisme als onvermijdelijk te aanvaarden. Vaak speelden zich nabij de stadspoorten vreemde tonelen af, als haveloze groepen plattelandsbewoners er samenschoolden, tot ze er bij uitzondering in slaagden het hart der wachters te vermurwen, hun aandacht te verschalken of doodgewoon verjaagd werden onder de bedreiging van zwaarden en lansen. Een soldaat, zelf een jongen van buiten, die met tegenzin zijn diensttijd volbracht, gaf mij hiervoor een verklaring, die de juiste bleek te zijn. Buiten wat ze voor zichzelf onontbeerlijk achtten, hadden de boeren al hun voorraden aan de ambtenaren des konings en aan officieuze sjacheraars verkocht, — de slimmeriken uitgezonderd, wier schuren en zolders volgepropt waren en die met een behoorlijke kans op welslagen rustig zaten te wachten, tot de honger nog groter en de prijzen nog hoger zouden worden. De kleine man was het kind van de rekening. Verbitterd en opstandig, greep soms een enkeling naar de kling van de struikrover en stroopte de karavaanwegen af, doch Jozefs soldaten waren waakzaam en patrouilleerden dag en nacht, tot zelfs in de meest afgelegen oorden. De anderen, tot de bedelstaf gebracht, trokken in haveloze benden naar de steden, waar rijkdom en weelde heersten, zoals het ten onrechte op het platteland van mond tot mond ging. 'Maar overal worden ze natuurlijk aan de poorten weggejaagd,' vervolgde de soldaat. 'De gelukkigsten zijn zij, die op één of andere manier binnen de muren geraken, — mijn kameraden en ik knijpen wel eens een oogje dicht, zie je —, en erin slagen voor diefstal of een of andere opzettelijke baldadigheid voor een poos in de gevangenis gestopt te worden. Daar mogen ze tenminste rekenen op een korst brood van tijd tot tijd...'

Jozef, die als géén de kunst verstond om de wisselende omstandigheden uit te buiten, liet inmiddels langs de wegen, bij voorkeur door de armoezaaiers gekozen, grote borden en spandoeken aanbrengen, waarop een weldoorvoed militair vol botte zelfgenoegzaamheid stond te glunderen, en die de jonge lieden er toe aanzetten, dienst in het leger te nemen. Zogenaamd om het gevaar van het morrende plebs te keren, vormde hij onder de middenstands- en burgerjeugd een soort van vrijscharen, het *Zwarte Corps* genaamd, die hij indrukwekkende, sombere uniformen liet aanmeten, met doodshoofdscarabeeën opgevrolijkt, en veelal door priesters van de lagere orde volpropppen met allerhande leuzen over God, vaderland, staat, volk en gemeenschap, welke er als koek in gingen. Zij werden militair gedrild en stapten vooraan in allerhande optochten, want in de laatste tijd werd ieder voorwendsel goed genoeg geacht, om indrukwekkende parades te organiseren. De leden van Jozefs milities muntten uit door hun systematisch aangekweekte schofterigheid en bij de Thebanen waren zij hoegenaamd niet populair. Wanneer één onder hen zich alleen in een achterbuurt waagde, liep hij er gevaar uitgejouwd, afgeranseld en met verhakkeld uniform door stegen en sloppen gejaagd te worden. Zulks lokte door de overheid oogluikend gedulde strafexpedities vanwege de kornuiten van het slachtoffer uit, die niet zelden met moord en doodslag eindigden. Bij een dergelijke gelegenheid werd de pooier Horwesthotes, die zich met moeilijk te achterhalen bedoelingen bij het Z.C. had laten inlijven, door handlangers van Imhotep het hoofd ingeslagen. Er was aan de genaamde Horwesthotes weinig verloren, doch in de roes van een door wijn en grootmuilerij in het leven geroepen heroïek, proclameerde men hem op de avond van zijn begrafenis tot martelaar des volks. Zo kwam het, dat een kleine souteneur het op korte tijd tot de rang van nationale held bracht en Jozefs vrijscharen voortaan opstapten op de logge tonen van een krijgshaftig lied, zijn onfrisse nagedachtenis gewijd, waarin voor mijn vrij geraffineerde smaak te veel sprake was van bloed, vaderland en soortgelijke heldhaftige ingrediënten meer.

Ja, Egypte beleefde een vreemde tijd. Telkenmale hoopte ik (met een mengsel van vreugde en vrees in het hart), dat Jozef ééns de door hem ontketende krachten niet meer in bedwang zou houden, als één die te paard zit op een op hol geslagen ros. Telkenmale weer bleek uit onze zuurder wordende gesprekken evenwel, dat hij de gebeurtenissen steeds een schrede vooruit bleef en er zelden iets van belang voorviel, waarbij hij zelf de hand niet in het spel had en doelbewust de teugels hield. Meer en meer vervreemdden wij van elkaar, hoewel hij steeds zijn best deed, om althans uiterlijk tussen ons beiden de goede verstandhouding te handhaven.

Eenzamer dan ooit voltrok zich mijn leven. Alleen Thotmes zag ik regelmatig en soms Horemheb, thans opperbevelhebber van het leger, doch die er zich moest bij neerleggen, slechts de uitvoerder van Jozefs bevelen te zijn. Slechts zelden vertoonde ik mij aan het hof. Meer en meer trok Ichnaton zich in wijsgerige bespiegelingen terug, vertrouwde erop, dat mijn broeder volop bezig was metterdaad Atons rijk der liefde administratief, organisatorisch en politiek te vestigen, en bekommerde zich voor het overige uitsluitend om de aanleg der nieuwe hoofdstad Achetaton, die ginds in het Noorden door zijn beroemde bouwmeester Bek werd opgetrokken. Niettemin was er soms in mij nog de hoop, dat het volk spontaan in verzet zou komen. Doch het was een dwaze hoop, want van revolutionaire theoretici als Imhotep begreep het vooralsnog geen klap en uit zichzelf zou het wel nooit in beweging komen. Het morde, plunderde soms de winkel van een bakker, sloeg het huis en de inboedel van een woekeraar kort en klein, of ranselde een belastingontvanger af, doch daar bleef het bij. Wanneer er een militair defilé werd gehouden, juichte het opgewonden toe, het Z.C. ten spijt, het stroomde samen, als Jozef van op het balkon van de grote tempel één van zijn beroemde redevoeringen uitsprak en voor het overige verdrong het zich omheen sportvelden of arena's, die in groten getale werden aangelegd. Weemoedig en verontrust stelde ik vast, dat Jozef erin geslaagd was, zelfs lagere afgoden nog dan staat en gemeenschap te doen aanbidden. Zo was er de Nubische worstelaar Usimantor, die meer populariteit dan de koning genoot, geloof ik, en door iedereen familiaar Usimantor, de Zwarte Suikerdot genoemd werd, de drommel mag weten waarom. Deze kleinschedelige, maar potige nikker hield er een kudde witte olifanten met gemeen roze tuigages op na, doste zich bij voorkeur uit in lichtgroene of paarse zijde, droeg zware ringen door neus en oren en was reeds jarenlang de ongekroonde vorst van het Thebaanse plebs, dat hem op de handen droeg. Het behoorde tot zijn specialiteiten armen en benen van zijn tegenstrevers in de knoop te leggen en ze dan onder het publiek te keilen, zodat ze er in negen op de tien gevallen de nek bij braken. Voor zijn aanhangers belichaamde hij het ideaal van de moderne held; wie zich een krenkend woord over hem liet ontvallen, raakte aan de eer der Thebanen en liep groot gevaar ter plaatse gestenigd te worden. Jozef overlaadde hem met eerbewijzen en plantte hem als levende nationale glorie naast de dode nationale glorie Horwesthotes: een worger en een pooier, het ging het volk recht naar het hart. Meer dan al het overige ontmoedigde het mij in de mens en ik begreep, dat niemand ooit de mentaliteit van de massa doorgrond, en er als Jozef gebruik en misbruik van gemaakt had. En wanneer ik me afvroeg, waaraan hierbij zijn welslagen was te danken, luidde het antwoord, dat zulks alleen moest worden toegeschreven aan het feit dat, wat om het even hij ook ondernam, hij nooit rekening hield met het bakervertelsel der menselijke waardigheid, zoals hij het misprijzend noemde.

En wat restte mij, Benjamin, jongste zoon van Jacob en Rachel? Soms stond in mij het verlangen op om uit Thebe te vluchten en terug naar Kanaän te keren, waar in mijn jeugd het leven simpel en goed was geweest. Dan voelde ik er mij zeker van, dat in de eenvoudige arbeid des lands en de verzorging der dieren met hun trouwhartige ogen, voor mij de late wijsheid school, de berusting, de gemoedsrust en de vrede van iedere dag, slechts omgeven door mensen, wier ruige onbehouwenheid en kinderlijk bijgeloof hen er niet van weerhield het van tijd tot tijd goed met elkaar te menen. Maar neen. Telkenmale kwam er mij iets aan dergelijke dagdromerijen ontrukken, — de belofte aan Rachel? —, iets dat mij steviger nog aan Egypte en Thebe kluisterde, — en wie weet, aan Jozef, de ziener, maar Jozef mijn broeder ook?

Ik had die namiddag een lange wandeling langsheen de lommerrijke rechteroever van de Nijl gemaakt, waar de velden door bosschages afgewisseld worden en waar de rijke Thebanen er hun weelderige zomerverblijven op na houden. De komst van de avond vervulde mij met een wrange weemoed, want terwijl zich achter de stad aan de overzijde van het water het dagelijkse wonder van de zonsondergang voltrok met de zwart gekartelde lijn van de daken en van de palmboomaanplantingen onder een hemel als vloeiend amber, met één enkele, lang gerekte wollenbank er doorheen, – paars eiland met rode oevers in een zee van bovennatuurlijke gloed –, beklemde sterker dan ooit de vraag mijn hart, hoe het mogelijk kon zijn, dat in deze heerlijke wereld, waar plaats te over was voor eenieder en voor iedereen ruimschoots de gelegenheid om gelukkig te zijn, de mensen leefden als de vijandige beesten des wouds, verzot op bloed, eer en bezit, elk om beurten jager en prooi.

In dergelijke gepeinzen verdiept kwam ik bij de houten aanlegsteiger, waar net de touwen van de veerpont waren losgeworpen, die op de maat van het lome gezang der roeiers en het trage geplas der riemen langzaam wegvoer. Verveeld keek ik het vaartuig na, want het kon wel meer dan een uur duren, vooraleer de trossen weer aan deze oever zouden uitgeworpen worden. Ik nam mij noodgedwongen voor de tijd te korten door nog een eindje om te lopen en daarna in de landelijke kroeg nabij het water mijn dorst te lessen. Dus kuierde ik de dicht begroeide heuvel op, beheerst door een vervallen tempel uit de tijd der oude goden, — enigszins verbaasd, dat het brede pad naar boven er zo goed onderhouden uitzag. Halverwege bemerkte ik echter, hoe het naar een nieuwerwets landhuis leidde, dat zich blank in de valavond verhief achter een goed onderhouden grasveld, waarvan slechts aan de rechterkant de effenheid verbroken werd door een drietal hoogstammige sparren en een enkele ijle zilverberk. Omheen de pelouse liep aan beide zijden een schoon geharkte rode weg van steenslag, palend aan brede bedden waar in bonte mengeling zowat al de bloemen van dit seizoen in milde overdaad stonden te bloeien. Minder dan door de bloemen, die de avond met een haast drukkend aroma vervulden, werd ik geboeid door een vrouw die, de rug naar mij toegekeerd, met voorzichtige vingers en trage ouderwetse gebaren het onkruid wiedde. Meteen besloot ik verder te lopen, daar het geenszins met de goede manieren strookte, de onbekende te bespieden.

Maar over haar schouder heen keek ze eensklaps op. Verrukt staarden wij elkander aan, beiden té verrast om dadelijk te spreken. Ze kwam nochtans rustig op me toe en maakte het hek open: 'Benjamin!' sprak ze beheerst, 'oude, trouwe Benjamin. Ik wist wel, dat je zou komen!' Ik bad om de kracht stug te blijven doch ik vermoed, dat het trillen van mijn stem mij verried. 'Het is een toeval, Tjenuna,' antwoordde ik onzeker, 'heus, het is louter toeval. Ik waande je al die tijd in de stad. Ik miste de boot en om het wachten te korten liep ik het pad op met de bedoeling de tempel van nabij te bekijken.' 'Neen,' hield ze vol, 'het is geen toeval. Je waande mij in de stad, je miste de boot en je wou de tempel bekijken. Natuurlijk. Maar toch is het geen toeval. Er is tussen ons beiden nooit van toeval sprake geweest. Wees welkom.' Zij reikte mij de hand. Ik herkende haar voorjaarsachtig parfum van vroeger. Er zette mij iets toe aan, haar vooral niet in de waan te laten, dat ik haar opzettelijk was komen opzoeken. 'Geen toeval dan, lieve Tjenuna. Maar toch was er geen haar op mijn hoofd, dat vermoeden kon, jou hier aan te treffen.' 'Mijn beste Benjamin, nog altijd even scrupuleus als vroeger?' informeerde ze glimlachend en schoof haar arm onder de mijne. 'Maak je geen zorgen, hoor! Ik heb immers ook mijn vertrek uit de stad opzettelijk geheim gehouden om Potifar allerhande praatjes te besparen!' 'Praatjes?' Ze haalde de schouders op, of ze iets van zich wilde afschudden, dat haar hinderde: 'Ach, ten slotte mag jij het wel weten. Als iemand het weten mag, ben jij het immers? Ik hoef niet stil te staan bij wat er tussen Jozef en mij geweest is. Het behoort tot het verleden, onherroepelijk. Nadien heb ik andere mannen liefgehad.' 'O,' mompelde ik toonloos, 'je hebt andere mannen liefgehad. Dat is erg interessant.' Een man is onredelijk in de liefde, — hij wil immer de eerste komen, maar daar schuilt de dwaasheid, heb ik later overlegd: de laatste minnaar van een vrouw te zijn, dàt lijkt mij het ware. Zij sloeg geen acht op mijn onhoffelijke, zij het veeleer pijnlijke reactie. 'Ik dacht, dat ik ze liefhad,' verbeterde zij, 'tot het mij ten slotte duidelijk is geworden... Maar neen, ik wil je oordeel niet beïnvloeden, Benjamin. Ik ben wie ik ben! Mijn huwelijk met Potifar is daarom op een volstrekte mislukking uitgelopen. Verbaast je dat?' Nooit had ik haar ogen zo week en smekend gezien. 'Neen,' antwoordde ik naar waarheid, terwijl ik vóór me uit tuurde en als het ware tot mij zelf praatte, 'wat zou het mij verbazen? Hij is niet opgewassen tegen het leven. Hij is een kind gebleven, ondanks zijn grijze haren. Als een vrouw van een man moet houden, zoals ze een kind zou liefhebben, loopt het mis. Onherroepelijk.' 'Daarom, Benjamin, had ik het recht eerlijk tegenover me zelf en ook eerlijk tegenover hem te zijn. Slechts voor de buitenwereld bleven wij man en vrouw; reeds jaren lopen onze wegen uit elkaar. Aldus heeft in mijn hart de bitterheid plaats gemaakt voor een rustige vriendschap, zo ik dit woord gebruiken mag voor het gevoel, dat mij wellicht hoofdzakelijk door medelijden wordt ingegeven. Ik heb steeds gedacht, dat ik sterker zijn kon en roekelozer. Thans weet ik, dat je iemand die je nodig heeft, niet als een hond van je wegschopt. Maar wel eiste ik het recht op, te gaan en te komen wanneer en waar ik er zin in had. Ik deed hem dit landhuis kopen om mij hier van tijd tot tijd alleen en vrij

te voelen.' 'Waarom vertel je me dit alles?' vroeg ik moedeloos, 'je hoeft het me niet te vertellen, Tjenuna, ik weet immers dat je hem niet in de steek gelaten hebt?...'
Wij hadden de overzijde van het grasveld bereikt en betraden het landhuis, met ongemene smaak ingericht en geheel doordrenkt van Tjenuna's persoonlijkheid, zo kwam het mij voor. Slechts toen wij plaats genomen hadden in een ruim vertrek van de bovenverdieping, dat met een groot terras uitzicht bood op de avondlijke stroom aan de voet van de heuvelen, beantwoordde zij mijn laatste woorden. 'Ik vertel het je, Benjamin, omdat ik wil dat je mij volkomen zoudt kennen. Ik ben niet de roekeloze vrouw, die uit verveling of door een voorbijgaande blinde drift bezeten Jozefs geliefde werd,' zegde zij, terwijl ze met het gelaat afgewend twee schalen uit een ebbenhouten commode kreeg, die ze vulde zonder er een dienaar bij te roepen. De hemel stond thans parelgrijs en ijl boven het blauwig geboomte. 'Ik was jong, voelde mij tekort gedaan en wenste het leven aan mijn wil te onderwerpen,' vervolgde zij rustig. 'Je onderwerpt echter het leven niet aan je wil, dat weet ik thans. Maar toen wist ik het nog niet.' De schemering, die als een tedere tegenwoordigheid tussen ons beiden groeide, vervulde mij met een warme behoefte tot oprechtheid. 'Ik droeg je in die tijd geen goed hart toe, Tjenuna,' sprak ik hoofdschuddend, 'want toen jij in ons leven gekomen bent, is de ellende met Jozef begonnen.' 'En toch was het voor mij, dat je ten bate van Potifar in de bres bent gesprongen?' Ik grinnikte vaag, keek haar aan, doch wendde onder de glans van haar ogen spoedig de blik af: 'Tot voor enkele minuten nog meende ik, dat het hoofdzakelijk omwille van de rechtvaardigheid was, de menselijkheid, het geloof in alles, dat mij nog lief in deze trieste wereld is. Maar thans weet ik, dat ik het voor jou deed Tjenuna, om alles, wat mij op die avond in 'de Nijlnimf' zo heerlijk aan je scheen, je ogen, die je als een trage streling naar me opsloeg, je verrukkelijke kapsel, je tere schouders, je jurk, die als een dunne roomlaag op je lichaam lag, je broze voet met donkerrode nagels in een kleine sandaal. Daarom deed ik het. Ach, Jozef wist het wel, en misschien is het precies daarom, dat hij mijn verzoek inwilligde, — hij speelt met ons, zonder dat wij het beseffen —, maar *ik* had de mond vol grote woorden.' 'Je hoeft je zelf niet te kleineren,' onderbrak ze en legde de hand nadrukkelijk op mijn voorarm, 'het is niet zo eenvoudig, nauwkeurig te weten, waarom men sommige dingen doet en andere verwaarloost. Dat zeg ik natuurlijk voor jou, want ik zou geen vrouw zijn, indien ik me niet door je woorden gevleid voelde.'
Op de stroom voer een schip voorbij en ik hoorde het roeierslied der bemanning, vèr, maar duidelijk. 'Het is de veerpont,' overwoog ik zonder veel overtuiging en voegde er luider aan toe: 'Nou moest ik maar gaan!' Maar ik geloofde het zelf niet en de gedachte alleen deed me

pijn, een duidelijke, lichamelijke pijn. 'Denk je?' vroeg ze glimlachend. 'Wat doe ik hier?' antwoordde ik hulpeloos, 'waarom zeg je niet, dat ik thans gaan moet?' 'Ik zeg niet, dat je gaan moet, al drong je er nog zo stoer op aan! Voor het overige denk ik, dat ik het weet. Verontschuldig mij een ogenblik, dan zal je het ook weten!' Zij verliet het vertrek en ik liet mij dieper in mijn leunstoel zinken. Weldadig kwam de avondlijke vrede over mij. Buiten ruisten de bomen op de adem van een lome bries, zonder het getsjirp der krekels volledig te overstemmen. Op de kaden aan de overzijde brandden de eerste lichten en trokken lange, grillig spiegelende dwarsstrepen over het water, dat op dit uur de aanblik van beslagen zilver bood. Ik sloot de ogen, met krampachtige overgave aan de vraag, of een man gelukkig kan zijn, als hij het zelf zéér innig verlangt, als hij zich weet te beperken en niet het leed van de ganse mensheid op zijn zwakke schouders zoekt te tillen. 'Ik weet het niet meer,' prevelde ik tot de stilte, 'zou ik dan na de belofte aan onze moeder de hoeder mijns broeders niet wezen en, als Caïn, de vervloekte, de verantwoordelijkheid van mij afschudden?'

Tjenuna was mij zeer zacht genaderd, — ik had niets van haar komst gemerkt. 'Zou het misschien hierom zijn, dat Benjamin blijven zal?' vroeg zij en haar zangerige altstem bracht mij in vervoering. Zij stond vóór me in de gracieuze heerlijkheid van het breed uitvallende kapsel met de voorwaartse krul op het voorhoofd, de naakte schouders zo zuiver dat ze haast lichtend schenen in de toenemende duisternis, en de witte, nauwsluitende japon met het strakke ceintuur om de broze taille, — een koningin. Haar liefelijkheid doch ook de harmonie van haar verschijning met de vredige avond sloegen mijn twijfel en wat mij overbleef aan weerbarstigheid met verstomming. Sprakeloos rees ik op. Zij droeg een kleine lamp, die slechts in een enge kring haar intieme klaarte verspreidde. Zij zette ze neer bij het hoofdeinde van het grote rustbed en trok de witfluwelen gordijnen dicht overheen de zomernacht. Het leek mij alles eensklaps vanzelfsprekend.

Ik nam haar in de armen. Zo intens keken wij elkander aan, dat tezelfdertijd onze ogen zich schier met tranen vulden en opeens moesten wij er beiden om lachen. Zulks verdreef alles, wat mij nog vreemd had kunnen schijnen. Zij zegde zeer natuurlijk, maar met ernstige beklemtoning, of ze er lang over nagedacht had, en zelfs de pathetiek van haar opwaartse blik onder de luifel harer blauwe wimpers was volkomen natuurlijk: 'Dit moet je eerst van me weten, Benjamin: ik heb je lief. En verder heeft voor mij niets nog belang in dit leven. Ik heb je lief en ik verlang hartstochtelijk naar je. Ik weet zeer goed, wat ik zeg: hartstochtelijk. Nooit heb ik naar een man verlangd, zoals ik op dit ogenblik naar jou verlang. Ik schaam er mij niet over. Van wat ik doe ben ik volkomen bewust, want ik ben geen kind meer zoals indertijd.' Ik zei: 'Soms heb ik mij vroeger ingebeeld vrouwen lief te hebben. Het was een kortstondig gevoel, uitbrandend na de eerste voldoening, ofschoon in zijn beperktheid steeds gaaf en eerlijk. Maar nooit is er één met zulke overgave en zulke zuiverheid tot mij gekomen. Tot voor een korte poos heb ik getwijfeld. Thans twijfel ik niet meer. Ik heb je lief. Dat is alles. Jij bent de vrouw, die er altijd op de achtergrond geweest is, misschien reeds in mijn knapentijd in Kanaän. Dat ik het niet eerder geweten heb...'

Ik boog mij naar haar toe. De rechterarm om haar heen geslagen, voelde ik de welwillendheid in haar lenden. Ik proefde de overgave van haar lippen week op mijn lippen, terwijl haar tong, speels en zeer spits mijn tanden raakte. Ik hield de adem in. Zij zelf maakte na lange tijd aan deze eerste omhelzing een einde. Ik had haar tot de eeuwigheid willen laten duren. Wij namen plaats nabij de lamp. Zij betastte als met verbaasde vingertoppen mijn gelaatstrekken en streelde dan mijn haren, zacht knisperend onder haar aanraking. Ik huiverde en vroeg: 'Waar kijk je zo aandachtig naar?' Zij, met iets vergenoegds spinnends, als een poes, die vraagt om geaaid te worden: 'Naar je ogen. Je hebt ogen als die van een baby.' 'De ogen van mijn moeder,' zei ik, 'ik kan het heus niet verhelpen.' 'Wat voor een vrouw was je moeder?' 'Vind je het erg belangrijk, Tjenuna?' 'Erg belangrijk. Even maar, voor er verder tussen ons beiden...' Het ontroerde mij heftiger, dan ik blijken liet. Ik staarde voor me uit, als wilde ik Rachels beeltenis in de deemstering buiten de lichtkrans van de lamp uit de voorbije tijd oproepen: 'Als ik aan haar denk, is ze jong en lief, en ook mooi, net als jij, Tjenuna. Doch het leven had haar geslagen en zij had er niet tegenop gekund. Waar zij kwam, verstoorde zij de stilte niet en niemand lette veel op haar. Zij was teder en goed en had een grote behoefte aan genegenheid. Zo was mijn moeder.' 'Ja,' sprak zij verdroomd in mijn armen, 'zo moet zij geweest zijn, ik geloof je. Maar baby-ogen heb jij in elk geval!' 'Let dan op voor die baby,' gekscheerde ik, wierp de weemoed van me af, drukte haar heftig tegen mij aan en zoende haar opnieuw op de mond met een felheid ditmaal die haar deed steunen.

Hoeveel tijd er verlopen was, vooraleer wij weder tot ons zelf kwamen, weet ik niet. Duidelijk besef ik niettemin dat ik vóór die nacht nooit precies geweten had, wat het wel betekent een vrouw tot in haar diepste wezen lief te hebben en te voldoen. Herhaaldelijk hadden wij elkander bezeten, zonder dat het recht duidelijk was, wie nam of wie genomen werd, schaamteloos en zonder voorbehoud. Haar hoofd lag schuin op het kussen naar me toegewend in het lange, zijige haar, dat ik traag strelend om haar aangezicht schikte. Dan hield ik mij een poos stil en vroeg mij af, waar ze met haar gedachten vertoefde en of ze ook nú nog bij me was in de vrede, die mij geheel vervulde. Of dreef ze verder op de late golven van de onderworpen en toch trotse vervoering, die haar onder mijn verrukking had doen kreunen, nadat ze telkenmale gefluisterd had, dat het dàn moest gebeuren? Zij bezat een vrij grote ervarenheid in de liefde, dat merkte ik wel, die mij echter niet krenkte, of ik op korte tijd veel rijper was geworden, bereid alles te dulden wat menselijk is. Ze opende de ogen. Ik zag zich haar gelaatstrekken ontspannen tot een rust, die ik bij haar vooralsnog niet kende. Ze bleef mij aankijken en lachte ingehouden, — klaarblijkend om mijn aandachtige ernst, haar hand strelend in mijn nek. 'Ja,' zei ze, 'nog steeds baby-ogen, ondanks alles. Het enige trouwens wat je van een baby hebt. Dus neem ik er vrede mee, je hoeft je er niet ongerust in te maken.' Zulk een diepe vertedering kwam over mij, dat ik een ogenblik opnieuw vreesde mijn tranen niet te kunnen bedwingen, wat mij verlegen maakte, — tranen ook van dankbaarheid om de mildheid, de rijpe goedheid, waarmede zij zich overgegeven had aan mijn verlangen. Hunkert men zó naar de dood, wanneer men weet, dat het ogenblik gekomen is? Ik sprak heel ernstig, of voor de eerste maal sedert alle tijd een man zulks zei tot een vrouw, en beter nog dan daarstraks begreep ik de zin mijner eigen woorden: 'Ik heb je lief.' En daar ook in een dergelijk moment haar zin voor humor niet afliet, voegde zij er speels aan toe: 'Als je het zo bekijkt, heeft God het toch maar prachtig voor elkander geknutseld, vind je ook niet?' Ik vroeg, ernstiger dan ik het zelf verwachtte: 'Geloof je in God, in de God van Ichnaton?' Zij kreunde traag en rekte zich als een jonge poes in de zon op een raamkozijn, de borsten hoog en de handen in de hals. 'Definitief sedert deze nacht!' en omhelsde mij opnieuw. Ten slotte vroeg ze, de gordijnen te openen. Het was een zoele nacht, doch koel in vergelijking met de warmte binnenskamers. Aan de overzijde van de Nijl leek Thebe een verschijning uit een legende onder het licht van een hiëratische maan. Een korte poos bleef ik staan kijken, doch zij drong aan, dat ik dadelijk weer bij haar zou komen. Terwijl zij zich in mijn arm nestelde en haar borsten thans koel aan mijn borst lagen, steeg uit de verte van het geboomte opeens het broze gezang van een nachtegaal. Zij luisterde zonder te verroeren, doch met de grijze ogen wijd open. 'Iedere nacht is hij daar, al een hele week lang.' De vervoerde roep stierf uit, doch werd in de verte hernomen en zo verschillende malen, of het een boodschap gold, doorgegeven van keel tot keel en van kruin tot kruin. Dan was het weer stil en nog steeds verrukt, doch zonder opgewondenheid, streelde ik haar lichaam. Indien ik na deze eerste nacht haar zelfs niet had weergezien, zou ik tot het einde van mijn dagen onthouden hebben, hoe onder de vingers en de palm mijner linkerhand haar lichaam met zijn smaak van verse amandelen was: de huid van een fijne korreligheid, doch glad aan de binnenkant der dijen en op de buik, de borsten flink ontwikkeld, doch stevig, met minuscule paarsbruine rozeknopjes erop, die verstrakten en derwijze broos schenen te worden bij de geringste aanraking, en overal onder haar huid waren het lange, stevige spieren en zelfs haar kleine geslacht was stevig en vast. Ik verlangde ernaar nogmaals haar stem te horen. Daarom mompelde ik: 'Wij hebben veel tijd verloren, Tjenuna. Wij hadden het eerder moeten weten.' Zij richtte zich half op: 'Ik heb het altijd geweten, mijn liefste, doch jij was te trots, of nog niet rijp hiervoor. Jij kon de gedachte aan Jozef niet van je afzetten.' Een pijn als de prik van een zeer dunne, fijne naald, schoof door mij heen. 'Jozef?' stamelde ik vermoeid, 'immer weer Jozef, ook deze nacht?' 'Niet zoals jij denkt, mijn dwaze Benjamin,' hernam zij geruststellend, 'Jozef behoort tot een voorgoed afgestorven verleden. Niet naar hem was het, dat gans mijn wezen verlangde. Jou had ik lief, van in aanvang reeds, doch je merkte het niet, je hebt het nimmer gemerkt, tenzij één enkele maal, doch toen ben je gevlucht. Het is alles lang geleden, — let er maar niet op. Maar zoals het vanavond tussen ons beiden was, is het nooit met Jozef of wie ook geweest, dat moet je beslist weten.' Er stond een groot geluk in mij op, en tevens was het een rust, zoals ik ze nooit gekend had, zelfs niet toen daarstraks na de eerste verrukking de wereld om mij heen langzamerhand haar normale vormen weer placht aan te nemen. 'Neen,' zei ik, 'ik hoef er niet op te letten. Ik was nog een kind, jij reeds een vrouw. Ik geloof, dat wij toen nooit hadden kunnen beleven, wat wij deze nacht beleefden, want ook in de liefde, je hebt gelijk, is rijpheid alles.' 'Rijpheid, Benjamin,' trad zij mij bij, 'dat moet het zijn. Het zal niet zo heel lang meer duren, vooraleer ik zienderogen een oude vrouw word. Doch naar het lichaam of de geest heb ik nooit liefgehad, of mij met zulke bereidheid weggeschonken, zoals ik mij aan jou gegeven heb en geven zal, schaamteloos en volledig, wanneer of hoe jij ook wil. Tot mijn laatste ademtocht zal je mijn bloed zijn, voorgoed en onuitroeibaar, — een bestendige aanwezigheid. Dit zegt jou Tjenuna, Benjamin, en nooit heeft ze het een andere man gezegd, want verstandige vrouwen vinden het een dwaasheid, zoiets tot een man te zeggen...'

Zij vlijde zich opnieuw koesterend tegen mij aan. Ik zag hoe zij nog gelukkig glimlachte, toen zij insluimerde en hoorde haar zacht mijn naam murmelen. Dan doofde ik de lamp.

13

SCHIMMEN UIT HET LAND VAN HERKOMST

Aldus de aanvang van een liefde, die als een zon mijn verdere bestaan doorstraald heeft, zij het hoofdzakelijk helaas in mijn herinnering, en waarvoor ik het lot tot mijn laatste ademtocht dankbaar zal blijven. Heb ik Potifar inderdaad tekort gedaan? Ik geloof het niet. De gedachte, dat er een immanente rechtvaardigheid bestaat welke op kortere of langere termijn toch steeds weer triomfeert, ook zonder dat wij er ons rekenschap van geven, is mij zeer lief en sterkte mij in de overtuiging, zonder dat ik het als een verontschuldiging aanvoer, dat hij op haar sedert jaren reeds geen rechten meer kon laten gelden. Ik geloof niet, dat ik er mij eerlijkheidshalve van beschuldigen moet, tot op het ogenblik onzer verhouding in liederlijkheid mijn dagen gesleten te hebben (mocht ooit iemand deze woorden lezen, dat hij dan zelf oordele naar de oprechte getuigenis, die zij inhouden en waarin ik niets verzwegen of niets door flatterende kronkels opgeluisterd heb), doch wat er ook van zij, al het vroegere verdween in het niet sedert Tjenuna's overgave, ofschoon ik mij mettertijd was gaan voorstellen, dat wat de dichters verkondigen over de grote liefde, slechts verzen in de wind zijn om de voldoening onzer vleselijke begeerten een aureool van goddelijkheid te verlenen, dat er helemaal niet bij hoort. Ik had mij vergist. Zij werd het brood en de wijn mijner dagen, het zout en prikkelend pigment van mijn bestaan. Ieder uur, niet bij haar gesleten, was voor mij een kwelling. Niettemin legde ik mij soms op, haar in dagen niet te zien, opdat nooit de gewoonte onze gevoelens vervlakken zou en wij elkander steeds weer vol innerlijke spanning zouden weervinden. Zo wij in de mate van het mogelijke onze liaison geheim hielden, was het niet uit schaamte, doch om Potifar tot op zekere hoogte in de ogen der wereld te sparen en vooral om de onthutsende zuiverheid, die ook onze intiemste stonden en de schijnbaar meest ongeremde liefkozingen doorstraalde , niet te laten schenden door de roddelpraatjes der Thebaanse hoge wereld. Wat mij betreft, ik voelde mij volkomen over de affaire met Jozef heen en wist, dat het een ándere vrouw was, van God en mensen verlaten, die zich destijds aan hem gegeven had. Deze rustige zekerheid beschouwde ik als het teken, dat ik aan haar borst een volwassen man geworden was. Ik zou mij hoogst ondankbaar betonen, zo ik beweerde, dat mijn vroegere minnaressen mij verveeld hadden. Geen enkele evenwel was mij langdurig blijven fascineren, zoals Tjenuna mij fascineerde door de talloze wonderen, mij onophoudelijk door haar ziel en haar lichaam geopenbaard. Waarschijnlijk was het de eerste maal, dat niet alleen een mooi vrouwenlichaam, — en hoe onvergelijkbaar mooi was het hare niet —, doch ook een ziel mij boeide door het innerlijke licht, dat haar gans vervulde, de door alles heen bewaarde innerlijke klaarte, die grotere zuiverheid waarborgt dan het vroom zelfbedrog, waarin zovele zogenaamd kuise echtgenotes zichzelf opsluiten en zich een rad voor de ogen draaien. Ondertussen overschreed het geluk, mij door haar geschonken, ruimschoots de grenzen van onze liefde zelf en bestraalde het weldadig ook al het andere, dat mijn leven uitmaakte. In mijn geboorteland heerst het bijgeloof, dat soms onder de mensen een engel kan neerdalen, hun sterfelijke gedaante aannemen en derwijze hun bestaan delen. Slechts helderzienden merken, dat het geen gewone aardling is. Zulk een engel was Tjenuna, overlegde ik vaak, door de hemel gezonden om het ras der mensen beter te maken, — een hemel, waaraan ik nochtans niet geloofde, dat hoef ik er niet aan toe te voegen!

Na verloop van tijd, stelde ik bovendien met een onuitsprekelijk gevoel van bevrijding vast, — het duurde reeds een poos, overwoog ik verbaasd, doch ik had er mij tot nog toe geen rekenschap van gegeven —, dat de gedachte aan Jozef voor mij niet langer de obsessie van vroeger was. Thans besefte ik, dat ik mij naast hem steeds als de mindere had beschouwd, zonder mij ooit af te vragen, waaraan een dergelijk gevoel diende toegeschreven en of er wel enige grond voor bestond, ja, of zelfs mijn onbestendigheid met vrouwen, die overigens om geen bestendigheid vroegen, niet een streven was geweest om mij zelf en met mij zelf deze minderwaardigheid te ontvluchten. Door Tjenuna was ik genezen. Niet dat ik mij met Jozefs optreden verzoend voelde. Doch de wijze, waarop zij beheerst maar zonder voorbehoud mijn liefde beantwoordde, verlegde de grenzen mijner beperktheid. Ik voelde mij innerlijk gegroeid, gelouterd in het wilde vuur onzer nachten en bereid mij met hem te meten, mocht ooit het ogenblik daartoe aanbreken. Rustiger dan voorheen kon ik thans *over* en *met* hem praten. Nimmer liet ik hem hier echter iets van merken, omdat iedere tegemoetkoming ten opzichte van een man als Jozef dra naar medeplichtigheid zweemt.

Uit deze tijd dagtekent een gebeurtenis, die volgens de terminologie mijn broeders 'in gulden letters zou geboekstaafd blijven in de geschiedenis van ons volk', maar die mij eigenlijk onverschilliger liet, dan ik fatsoenlijkheidshalve kon laten blijken.

Zonder mijn medeweten, — waarom trouwens, zou hij mij geraadpleegd hebben, nietwaar? —, zond Jozef boden naar het land van Kanaän teneinde ook dáár de oogst, en niet alleen de oogst, doch insgelijks het vee en verder àl wat met geld te betalen is, op te kopen. Reusachtige karavanen stroomden naar Egypte, soms gevolgd door enorme kudden slome runderen, zodat men zich afvroeg, hoe het mogelijk was, dat deze trage ossen, koebeesten en zelfs schapen de eindeloze tocht hadden afgelegd zonder te bezwijken van vermoeienis, honger en dorst of zonder aan rovers ten prooi gevallen te zijn. Toen ik Jozef hierover nieuwsgierig ondervroeg, vertelde hij trots dat hij langs de karavaanwegen, oude en nieuwe, honderden afspanningen had laten optrekken, beheerd door Egyptische ambtenaren, waar zich voor mensen en dieren voedsel in overvloed bevond, terwijl zijn ingenieurs zelfs tot op de meest verzengende plaatsen waterputten hadden geboord en kunstmatige bronnen tot stand gebracht die het leven draaglijk maakten in gewesten, waar wij destijds met ontzetting gezien hadden, hoe gebeenten of verpulverde krengen van kamelen en muildieren dienst deden als lugubere bakens langs het troosteloze pad. Doorheen het gebied der moerassen, ginds in het noorden, liep thans een moderne verkeersweg, waarvoor duizenden slaven grind en steenslag hadden aangesleept en die de doortocht van dit godvergeten oord tot een wandeling maakte. Ik twijfelde geen ogenblik aan de waarheid zijner woorden, doch kon mij niet geestdriftig betonen. In gedachten zag ik de ziekelijke, verdroomde gestalte van de farao, die het rijk van de geest had willen vestigen, doch gedoemd was (ik wist het thans voorgoed) om voor het rijk van de stof en de aardse macht te zwichten.

Onze landslieden ontpopten zich ook in Egypte als gewiekste handelslui, — wat ze overigens steeds waren geweest en grotendeels de oorzaak bleek van de onrechtvaardige doch niettemin slechte faam, die zij bij de nabuurvolkeren genoten —, en kwamen van lieverlede in grotere drommen opzetten. Je kon ze zowat overal ontmoeten en geenszins verloochen ik de ontroering, die mij beving, wanneer ik opnieuw de spraak van het platteland in Kanaän hoorde of de profetengestalten uit onze stam, de staf in de hand, naast de dieren in de straten van Thebe zag voorbij schrijden, trots en zwijgzaam. Het verbaasde mij enigszins, dat Jozef hen de hand boven het hoofd hield, hij, die destijds slechts misprijzen voor het eigen volk placht te betonen, maar waarschijnlijk had hij wel de hogere belangen van de staat op het oog, overlegde ik sarcastisch. De Egyptenaren zagen deze vredelievende Hebreeuwse invasie met lede ogen aan, temeer daar zij gepaard ging met een tijdelijke verslapping in het zakenleven. Jozef nam echter gewiekst de gelegenheid te baat om een bevel uit te vaardigen, dat de broodprijs met dertig procent verlaagde. Hieruit werd geconcludeerd, dat zulks een gevolg was van de drukke handelsbetrekkingen met het Noordoosten, zodat de Joden niet langer gevaar liepen, afgeranseld te worden tijdens samenscholingen, door vijanden van het regime in de hand gewerkt, zoals het tot dusver enkele keren gebeurd was. Van Thotmes vernam ik, dat Imhotep, de revolutionair, aan deze gebeurtenissen niet vreemd was. Toen mijn broeder weinig later de reorganisatie van het leger aanvatte, zodat de ganse industrie bij de militaire wederuitrusting werd betrokken en de geldmagnaat, zowel als menige middenstander, op korte tijd nogmaals zijn kapitalen verdubbeld zag (men haalde het voorbeeld aan van een schoenmaker, op één dag rijk geworden door de verkoop van een partij infanteriesandalen, die ten gevolge van een destijds nietig verklaard contract sinds de aanvang van Ichnatons regering op zijn zolder hadden liggen beschimmelen) was er niemand, afgezien van wat men doorgaans als het gepeupel bestempelt, die voorlopig nog gehoor leende aan Imhoteps opruiende toespraken. Deze was er echter de man niet naar, om er zo gauw het bijltje bij neer te leggen, en insgelijks door Thotmes, die mij de indruk gaf over confidentiële inlichtingsbronnen te beschikken, kwam ik erachter, dat de profeet van de revolutie thans naar een verzoening streefde met de aan lager wal geraakte Amonpriesters van weleer, die, hun haveloos uitzicht en hun door Jozef onlangs uitgevaardigde vogelvrijverklaring ten spijt, onder het volk nog steeds een benijdenswaardig prestige genoten. 'Zolang Jozef de geldzakken spaart, zal het wel niet veel uithalen,' besloot de beeldenmaker, 'want met geld koop je nog steeds de boter. Niet Aton zal overwinnen, doch de brandkast, hoe dan ook, let op wat ik je zeg. Wat de liefde van Ichnaton niet vermocht, zal je broeder door het geld tot stand brengen. En als het zich daar toe beperkt, mogen we ons gelukkig prijzen...'

Het behoorde tot Jozefs gewoonten persoonlijk aanwezig te zijn, wanneer de aankomst van een belangrijke karavaan werd aangekondigd. De wachters aan de stadspoorten had hij de opdracht gegeven de reizigers tot op het grote plein voor het koninklijke paleis te leiden, waar zij door hem verwelkomd werden, wat ongetwijfeld zijn populariteit ten goede kwam. Zijn aanhangers stroomden samen, wandelaars, lanterfanters en zonnekloppers volgden hun voorbeeld, soldaten in hun keurigste uniformen vormden een dubbelfront en, na met de hem kenschetsende trotse hoffelijkheid het karavaanhoofd begroet en het personeel geschouwd te hebben, sprak mijn broeder dan één van zijn vele beroemde redevoeringen uit, waarin hij de vreemdelingen prees om hun ondernemingslust, de vredeswil van Egypte beklemtoonde, de duistere intriges van binnen- en buitenlandse vijanden welsprekend aan de kaak stelde en Aton loofde, doch hem tevens op subtiele wijze met de God of de godheden der vreemdelingen identificeerde, terwijl hij nooit naliet bovendien even stil te staan bij één van de belangrijke punten uit zijn politiek, sociaal of militair programma. Hij kende het geheim om op ogenschijnlijk ongekunstelde wijze toejuichingen uit te lokken, om daarna met een autoritair gebaar, of bijvalsbetuigingen hem onverschillig lieten, ja, zelfs hinderden, stilte te eisen, het gelaat opwaarts geheven, of hij van de hemel zelf de nodige inspiratie verwachtte.

Aldus gebeurde het, dat er een karavaan uit Kanaän arriveerde, aangevoerd door een stokoude grijsaard, die door twee zijner onderhorigen tot bij Jozefs hoge gestoelte moest geleid worden, daar zijn ledematen hem nog nauwelijks konden dragen. Hij bood hem een plaats naast de zijne, want aan voorkomendheid ontbrak het hem in dergelijke omstandigheden niet, en wilde het welkomstwoord uitspreken, toen hij zijn blik als het ware vastgeklonken voelde in de ogen van één, die hij voor een gewone kameeldrijver hield, en die hem doordringend aankeek, een grote, ruige kerel, met reeds menig grijs haar in baard en haardos. Het kostte Jozef grote moeite om zijn aandacht te blijven concentreren en ooggetuigen hebben mij verteld, dat hij diep ontroerd was. Van onder zijn oogleden bestudeerde hij van opzij het gelaat van de grijsaard naast hem, zonder evenwel zijn toespraak te onderbreken. Wat in de aanvang slechts een vaag vermoeden was geweest, groeide van langsom tot een onuitwisbare zekerheid: het *wàs* de oude Jacob, onze vader, en de man met de grijze haarklissen kon slechts Ruben zijn, die ons destijds het leven redde. Toen hij daarna de blikken over de eerste rijen liet dwalen, waar tussen de vredig kauwende kamelen de anderen hadden plaats genomen, herkende hij ze allen: Simeon, Levi, Juda, Zabulon, Dan, Gad, Aser, Issacar en Nephtali, zij allen samen, de vreesaanjagende cyclopen uit onze jeugd. Blijkbaar had alleen Ruben hem herkend of — wie weet — was alleen hij getroffen geworden door de gelijkenis met de verloren gewaande broeder. Na de plechtigheid nodigde Jozef hen allen uit in zijn paleis (slechts zo kan ik de woning noemen, die de koning hem ter beschikking had gesteld) en liet mij in allerijl door zijn vleugeladjudant ontbieden. Ik kwam nog net bijtijds om te zien, hoe hij voor de onbegrijpende Jacob knielde en om diens zegen smeekte, terwijl hij zich bekend maakte als hij die, gelokt door het avontuur, het vaderlijke huis en de vaderlijke kudden ontvlucht was, zonder echter te zinspelen op de rol, die hierbij door de anderen was gespeeld. Het leek mij een ontroerende vertoning en ik stond er wat onhandig bij, tot Jozef me door een blik van verstandhouding te kennen gaf, dat het thans *mijn* beurt was. 'Mijn naam is Benjamin,' zei ik zonder veel geestdrift, 'je herinnert je wel, de kleine Benjamin. Hoe gaat het met jullie allemaal?' Het moge aanstellerig klinken, doch iets anders vond ik er niet op, en gelukkig drukte de oude man ons met zoveel pathetische nadruk aan zijn hart, dat niemand op mijn dwaze houding veel acht sloeg. Dikke tranen rolden tot in Jacobs verwarde baard, terwijl hij ons vervoerd aankeek en met een door emotie gebroken stem ietwat mekkerend, doch triomfantelijk sprak: 'De korenschoven, jongens, herinneren jullie zich nog wel de korenschoven?' De anderen knikten balorig, — of veeleer achterdochtig, kwam het mij voor, of zij zich niet bepaald op hun gemak voelden. Ik was de korenschoof, die zich onwennig onthield, zoals ik het mij destijds had voorgesteld, dacht ik, niet zonder een gevoel van innige tevredenheid. Eén voor één omhelsde Jozef hen plechtig, en ik volgde noodgedwongen zijn voorbeeld, of er die laatste nacht in Dothan geen vuiltje aan de lucht ware geweest, wat de ietwat gespannen atmosfeer gevoelig ontlaadde. Ik maakte mij zelf het verwijt, dat het met mijn familie- en filiaal gevoel, eenieder aangeboren, bepaald bedroevend gesteld was, doch diep onder de indruk van mijn zelfkritiek kwam ik niet.

Diezelfde avond organiseerde Jozef in de daartoe speciaal afgehuurde 'Nijlnimf' een grootscheepse welkomstplechtigheid tijdens welke de wijn, nadat Jacob zich had teruggetrokken, zoals het een waardig grijsaard betaamt, bij beken vloeide en die tot een waar orgie zou ontaard zijn, ware het niet, dat de danseressen (door mijn broeder onder de fraaiste aan het hof gerecruteerd) de anderen, gewend aan kroegdeernen en boerekonten, die naar hooi en koemest roken, geheel van hun stuk brachten, daar zij niet wisten, hoe zij moesten omgaan met deze zo goed als naakte en toch niet hélemaal blote schoonheden, die zij in hun argeloosheid op zijn minst voor prinsessen van den bloede hielden. Een flink aantal jaartjes ouder waren ze inmiddels ook geworden, zulks mag ik niet uit het oog verliezen, en ik vertrouwde erop, dat zij later hun schade wel zouden inhalen, ofschoon Ruben, de eenzaat, mij naderhand vertelde dat zij inmiddels allen gehuwd waren en vaders van bloeiende kroosten.

Een maand bleven zij in Thebe vooraleer huiswaarts te keren. Niet voor lang echter. Terwijl de oude Jacob op staatskosten een prachtige woning toegewezen werd, die vroeger aan de priester van Isis had toebehoord, waar tientallen slaven vlogen op zijn geringste wenk, reisden de broeders af met de bedoeling hun vrouwen, kinderen en kudden hierheen te halen, om deze laatste van de hand te doen en zich definitief in Egypte te vestigen, waar Jozef hun een welvarende en luisterrijke toekomst voorspelde in de legers, die hij volop bezig was op oorlogsvoet te brengen. Spoedig werd door veel andere Hebreeuwen hun voorbeeld gevolgd en talrijk waren de door mijn broeder getroffen maatregelen, die deze intocht bevorderden. Zij die niet in het land van Gosen bleven hangen, vestigden zich te Thebe bij voorkeur in bepaalde buurten, bewaarden hun landaard, kleding en zeden en werkten derwijze het kosmopolitische karakter van de rijkshoofdstad in de hand, zonder echter de vaderlandse zeden prijs te geven. Ik ontmoette mijn familieleden zelden; meer dan ooit waren wij vreemden voor elkaar geworden en ik spande er mij niet toe in enige wijziging in deze toestand te brengen. Alleen met Ruben had ik contact, daar hij van de anderen was weggegroeid en de allures aangenomen had van een eenzaam, oud roofdier, dat zich van de kudde heeft afgescheiden, door eenieder gewantrouwd. Ik houd van eenzame naturen als hij en er was iets aan zijn uitzicht van melancholische leeuw aan lager wal, dat mij vertederde. Ondertussen bleek Jacob, onze vader, ge-

bleven wie hij steeds geweest was: een ontoegankelijke, half my-
tische (zij het dan opgeleefde) gigant, die voor mij veeleer een abstract,
dan een reëel begrip belichaamde.

Neen, het gezelschap van mijn verwanten zocht ik niet en zelfs na
jaren wist ik hun vrouwen en kinderen nog niet uit elkander te houden, wat mij de naam verleende een beetje getikt te zijn. Vooropge-
zetheid? Ik heb er in mijn leven steeds naar gestreefd mij niet te
laten opmerken, niet nodeloos in het oog te lopen, en precies hierom
was het, dat ik soms onze vader goedendag ging zeggen. Kinderlijke
gevoelens waren hieraan grotendeels vreemd, — waarom het niet
openhartig bekennen? —, want steeds had ik, Benjamin, mij uitsluitend de zoon van onze moeder gevoeld, en té goed wist ik, hoe veel
hij haar, de tedere en broze tekort had gedaan.

Het was omstreeks schemertijd, dat ik hem aantrof in de tuin van
zijn woning, die rustig gelegen was op een klein schiereiland in de
stroom waar omheen een idyllische baai enkele rijkeluishuizen door
het groen verscholen werden.

'Wie komt daar?' vroeg hij, en het viel me op, hoe dun zijn stem
geworden was. 'Ik ben het,' antwoordde ik, 'Benjamin, je laatstgeborene.' 'Kom naderbij, dat ik je zien kan. Ik zou je niet herkend hebben, zo slecht zie ik nog op mijn oude dag.' Ik trad nader, met het
enerverend gevoel, dat hij wèl dadelijk gezien had, dat ik het was.
Een grijsaard kan grilliger zijn dan een kind of vrouw en deze uiting van zijn geestelijke aftakeling deed mij ondanks alles pijn.
Want ik wist, dat hij verre van blind was en ofschoon hij voorwendde star vóór zich uit te turen, moest ik in schijn slechts de blik afwenden, om mij er rekenschap van te geven, hoe onderzoekend hij mij
aankeek. 'Je had vroeger moeten komen,' zei hij gemelijk, 'dan had
je Jozef, je broeder, kunnen omhelzen. Jozef komt iedere dag hierheen.'
'Dat zal wel,' antwoordde ik onverschillig, 'Jozef komt kijken, hoe
het met de korenschoven gesteld is. Maar de mijne is er een van
prikkeldraad: zij blijft rechtop staan. Misschien is dat een karak-
tertrek, die ik met Ruben gemeen heb, ondanks de verregaande verschillen tussen Lea en Rachel, zijn moeder en de mijne.' 'Je mag hem
niet, wèl?' informeerde hij zacht, zonder echter volledig zijn ergernis eronder te houden. 'Wie bedoel je?' vroeg ik om tijd te winnen,
'Ruben?' 'Neen, mijn beste Benjamin, je vader kan je niets verzwijgen. Jozef is het, die je niet mag en het berokkent mijn oude hart
groot leed, dat er naar verlangd heeft ééns in vrede al mijn kinderen
om mijn sterfbed geschaard te zien.' 'Ik wens niet beter, dan dat die
dag zo lang mogelijk uitgesteld blijve,' sprak ik dubbelzinnig, 'ik
gun ieder zijn plaats onder de zon. Ook jou, vader, ofschoon je rustig weten mag, dat je in mijn jeugd niet veel voor me betekend hebt
en dat ik je zou moeten haten om het onrecht, onze moeder aange-
daan.' Hij schudde het hoofd, zoals het een wijze betaamt. En weer

was een gevoel van aftands medelijden voor de opeenstapeling van zelfbegoocheling, bedrog en eigenwaan in hem mij niet geheel vreemd. 'Je bent een afvallige, Benjamin, je bent ons allen, je vader, je broeders en je volk afvallig in Jozef, de door de Heer begenadigde, en Jozef is het, die je in ons allen haat!'

Bij me zelf dacht ik, dat ik maar beter kon gaan; ik zou Tjenuna die avond ontmoeten en wilde mijn humeur niet laten bederven. Vreemd, overlegde ik: precies de gedachte aan háár was het, die er mij scheen van te weerhouden, hem mokkend alleen te laten. 'Haten?' mijmerde ik luidop. 'Neen, ik haat niemand. Ook Jozef niet. Zèlfs Jozef niet. Je haat geen stuk van je zelf, zoniet kan slechts een touw met een stevige lus eraan uitkomst brengen. Ik ben te zwak om enig levend schepsel te haten. Ik haat slechts de onmenselijkheid. Haar haat ik en haar zal ik bestrijden, zolang mij hiertoe de kracht gegeven is.' 'Wat bedoel je,' onderbrak hij mij met zijn thans koude, hoge stem en ik wist, dat hij zich opwond, 'wat bedoel je? Ik eis, dat je op duidelijke en onderworpen toon tot me spreekt, zoals je broeders het doen! 'Duidelijk wel,' trad ik hem bij, 'duidelijk, maar niet onderworpen, zoals mijn broeders. Ik ben geen van hen. Ik ben een vrij mens, ofschoon de wereld nog niet rijp is voor vrije mensen, — zeker niet de wereld van verdrukking en knevelarij, zoals Jozef, de ziener, zich de ideale samenleving voorstelt.' Hij wendde voor, dat hij geen acht op mijn laatste overweging sloeg, doch staarde verheerlijkt vóór zich uit, de ogen op een denkbeeldig punt in de ruimte gericht. 'Jozef,' fluisterde hij, 'Jozef, mijn uitverkoren zoon, mijn kleine ziener, zoals ik hem sedert zijn kindertijd pleeg te noemen. In hem voltrekt zich de hoogste roep van ons bloed. Zoals destijds in mij de Heer der heerscharen gesproken heeft, spreekt hij thans in hem met grenzeloze wijsheid en waar hij gaat, zal het volk hem volgen.' Bitter viel ik hem in de rede: 'De volkeren hebben steeds bij voorkeur valse profeten gevolgd en de goed afgerichte hond hoort de hand te likken, die de zweep hanteert.' 'De meester weet wat goed is voor zijn hond, en wie liefheeft spaart de roede niet,' zei de oude plechtig. Ik haalde de schouders op: 'Ik weiger te geloven in de ene wijze, die de kudde leidt,' zei ik hard, haast snauwend. 'Zij die de geschiedenis van ons volk geschreven hebben keken de sterken naar de ogen, de sterken, die nooit anders dan hun eigen ambities gediend hebben. Zo zullen ze ook jou naar de ogen kijken. Maar ze zullen handig moeten zijn opdat ik, Benjamin, de ondankbaarste onder je zonen, er zich niet zou over moeten schamen, wie zijn vader was. Je rijkdom, je aanzien, ze berusten op leugen en bedrog. Niet je wijsheid, doch je handigheid heb ik als kind en jonge knaap honderdmaal horen prijzen, met veel knipoogjes en dingen, die men erbij begrijpen moest, zonder dat ze werden vermeld. Zo is ook Jozefs glorie op leugen en bedrog gevestigd, ofschoon er misschien meer zelfbegoocheling en zelfbedrog bij te pas komt, dan 'het in jouw goede tijd het geval was.' Tot mijn verbazing wond hij zich niet op, ofschoon hij mij, om zijn aard getrouw te blijven, op zijn minst zou hebben moeten vervloeken. Hij zei op ontmoedigde toon: 'Je was steeds de vreemdste en de minst handelbare onder mijn zonen, Benjamin. Doch ik wist niet, dat je in de kudde ééns het zwarte schaap zoudt zijn. Je ziet, dat ik rustig ben en dat je cynische bekentenissen mij meer pijn dan ergernis baren. Spreek vrijuit. Wat heeft je zo diep in het leven verbitterd, dat de roem van de meest begenadigde onder je broeders je slechts gal en edik naar de lippen drijft?' 'Een kanjer van een vol-zin voor onze heilige boeken,' dacht ik, doch zonder weerbarstigheid ditmaal. En luidop: 'Ja, ik bèn het zwarte schaap, zie je. En minder dan dàt, want het zwarte schaap loopt mee met de hoop, ofschoon nau-welijks geduld door de anderen en door de honden het vaakst in de poten gebeten. Ik ben het schaap, dat de kudde ontvluchtte, driest en onverzoenbaar, met het vaste voornemen, er nimmermeer toe te behoren.' Een poos zweeg ik. Achter het geboomte glansde nostalgiek het laatste licht van de zonsondergang; twee-, driemaal fladderde een vleermuis over onze hoofden met onhandige bewegingen en vaag geritsel. In de verte blafte een hond. Ik hoorde het water klotsen langsheen de keien op het nabije strand. Zonder dat de oude er mij toe aanmoedigde, nam ik plaats aan zijn zijde. Ik voelde mij loom, om-dat ik zonder haat was, — ik wist het immers wel, doch ik betreurde het niet. Het verbaasde mij schier, toen ik me zelf opnieuw hoorde praten, meer tot de stilte, dan tot Jacob in het donker naast mij. 'Wat er ook gebeure, Jozef zal steeds mijn broeder blijven. Ik weet het en verzet er mij niet langer tegen. Doch nooit zal ik tot de bewoners van zijn wereld behoren. De koning, ofschoon jong van jaren, is voor-tijdig oud en aangevreten door ongeneeslijke kwalen. Of hij verblind in Jozef is, of alleen maar levensmoede en tot het uiterste ontgoo-cheld in de mens, weet ik niet. Maar ééns heb ik ervan gedroomd een burger te worden in zijn rijk van liefde en rechtvaardigheid.' 'Slechts de Heer onzer vaderen zal het rijk van liefde en rechtvaardigheid op aarde vestigen,' zei vermanend de beverige stem naast mij in het donker. 'Een stem uit de duisternis,' mompelde ik binnensmonds, en luider: 'De stemmen der zogenaamde wijsheid zijn steeds weer stemmen uit de duisternis.' Ik vervolgde langzaam en nadruk-kelijk, opdat er op dit stuk tussen de oude en mij geen misverstand zou kunnen ontstaan of voortbestaan: 'Ik geloof sedert lang niet meer in jullie Heer der vaderen. Ik geloof niet in jullie goddelijke rechtvaardigheid, die slechts dient om de macht der machtigen te bevestigen en als balsem voor de weerloosheid der weerlozen. Des te erger, zo ik door deze wèl overwogen woorden de schande over ons geslacht breng. Ik heb het geloof in de schone wanen afgelegd. Van al wat sedert honderden, ja, misschien duizenden jaren de priesters ons voorhouden, weten wij niets. Hier zitten wij beiden in de nacht, jij, de vader en ik, de rebelse zoon, ogenschijnlijk in de navel der schepping. Van één ding slechts zijn we zeker: dat we mensen zijn, — stof onder de sterren. En dat alle menselijke geluk en alle menselijke leed door mensen veroorzaakt wordt. Zij die het niet met Jozef ééns waren en thans creperen van honger en dorst in zijn veelgeprezen gevangenissen, zij vervloeken geen God of geen goden, doch Jozef is het, die zij vervloeken en geen God of geen goden zullen hun leed stillen. Zij zullen sterven, omdat in Jozefs wens is, dat zij sterven.' 'De wil van de Heer voltrekt zich in Jozef...' trachtte hij te onderbreken. 'Wij weten niets,' beet ik woest van me af, 'en omdat wij niets weten, weiger ik te aanvaarden op om het even wiens getuigenis, dat er onder ons zijn, die opstaan en beweren, dat zij de geheime tekens van het lot hebben doorgrond en derwijze het recht verworven om ons met het mes op de keel de opperste wijsheid voor te houden, in de naam van één of andere God voor persoonlijk of gemeenschappelijk gebruik.' Ik wond mij langzamerhand op, doch meteen onderbrak Jacob mij: 'Het volk, ons volk vooral, heeft behoefte aan helden, wijzen en heiligen. Jozef begreep het en daarin schuilt zijn onvolprezen genie.' 'Ons volk, ieder volk heeft behoefte aan waardigheid. En dat heeft geen enkele onder jouw helden, wijzen en heiligen begrepen, die de godheid gebruikten als dekschild voor hun uitspattingen, hun ontucht, hun eigenbelang en hun smerig streven naar macht.' 'Een man moet weten, wat hij wil in het leven,' viel de oude snibbig in de rede, 'jij bent een man, die niet weet, wat hij in het leven wil.' 'Ik weet het beter dan wie ook,' zei ik strak, 'rechtvaardigheid wil ik, voor me zelf en voor de anderen. Voor een ieder. Roem en eerbewijzen laten me koud: hondedrek in de straatgoot. Een dak boven mijn hoofd, genoeg om niet van honger om te komen en een vrouw om bij te slapen, dat is alles wat ik vraag, — voor me zelf, doch ook voor mijn buurman.' 'Je bent een materialist,' grijnsde Jacob misprijzend, 'je bent ontoegankelijk voor de verheven gedachten en hooggestemde idealen welke je volk steeds aan zijn boezem gekoesterd heeft.' Ik glimlachte in het donker. Waarschijnlijk bemerkte hij mijn glimlach niet; het lag trouwens niet in mijn bedoeling hem door mijn ironie meer te krenken, dan noodzakelijk was. 'Noem mij rustig een materialist. Een vuig materialist: dat is de precieze uitdrukking, waar Jozef zo van houdt. Inderdaad, een materialist: een huis, brood op mijn tafel en een vrouw in bed. Heb je er ooit over nagedacht, dat de wereld moet binnenst buiten gekeerd worden, om voor eenieder een dergelijk platvloers ideaal te verwezenlijken? Al het dynamisme van Jozef, benevens diens klaarheid van geest en doortastendheid in mijn handen gelegd, zouden er in geen duizend jaar toe volstaan. De inspanning zou nochtans de moeite lonen, weet je! De dwingelanden en de geweldenaars zouden van hun voetstuk moeten

geramd worden, zoals de koning destijds de beelden van de valse goden liet slopen. Het geloof, dat de enen verheven en de anderen laag
geboren zijn, zou ik uitroeien, want wie de schoot zijner moeder verlaat is naakt voor het aangezicht der eeuwigheid. Het goede der aarde zou opnieuw naar eenieders verdienste verdeeld worden en de
wetten zouden niet langer dienen als een instrument in de hand van
het gezag, doch als een middel om elkaars vrijheid en vrede te waarborgen. Want de mens zou vrij zijn, Jacob, vrij, vrij om desnoods
de goden te loochenen of met de goden van zijn eigen keuze zalig te
worden!...'
De grijsaard antwoordde niet, doch het was zijn stilzwijgen, dat mij
de nutteloosheid van dergelijke ontboezemingen deed inzien. Ik
zweeg, plots beschaamd, want ik herinnerde mij, hoe ik er Imhotep
destijds op gewezen had, dat de deemstering der oude geweldenaren nieuwe geweldenaren in het leven zou roepen en hoe, na verloop
van tijd, alleen maar zou blijken, dat de rollen waren geruild geworden. Deze gedachte stemde mij droevig en mat besloot ik: 'Maar
wat baat het? De wereld is, zoals zij is. Onze beide werelden zullen
er altijd verschillende zijn. Vergeef me. Ik ga nu maar.' Hij legde zijn
hand zegenend op mijn voorhoofd, doch ik hield me, of ik het niet
gemerkt had. 'Het behoort bij zijn rol,' dacht ik schamper. 'Wat kan
je anders van een man verwachten, die als een profeet de eeuwigheid
wil ingaan, dan dat hij zijn rol tot in de geringste details tot het bittere einde blijft spelen?'

In plaats van de veerpont te nemen, huurde ik bij het havenhoofd
een kleine boot en liet mij door de schipper naar de overzijde roei-
en. De wind van de stroom en het geplas van de riemen in het water
kalmeerden mij; ik begreep thans niet, hoe ik mij tot een twist met de
oude had kunnen laten verleiden.
Tjenuna omhelsde mij lang en nadrukkelijk, de ogen met haar lange
wimpers gesloten. Daarna gebruikten wij samen het avondmaal, niet
zoals gewoonlijk in één van de gelegenheden nabij het water, doch
in het vertrek van de bovenverdieping harer woning, waar zij haast
voortdurend verbleef en waar ik de heerlijkste tijd uit mijn leven heb
doorgebracht. Zonder dat gewoonte of intimiteit tussen ons beiden
iets vermocht te vervlakken (hoe menige vrouw had mij destijds na
de tweede of de derde liefdenacht haar laatste geheim niet prijsge-
geven en mij aldus onherroepelijk van haar vervreemd?), was het een
onuitgesproken ritueel geworden samen plaats te nemen op het grote bed, waar een bruinrood kleed met een rustig patroon overheen
lag. Uren konden wij er in het getemperde licht van de lamp liggen
praten, vervuld door de innige vrede, die wij slechts in elkanders
aanwezigheid vonden. Soms was het langzaam dat de hartstocht aan
het smeulen ging, zodat het geruime tijd vergde, vooraleer ik haar

gans had uitgekleed en haar lichaam zich onder mijn behoedzame strelingen koesterde als een blank en warm wonder, alleen onderbroken door de delicate haargroei van de schoot. Andermaal gebeurde het evenwel, dat wij als bezetenen in elkanders armen vielen en zich onze liefde als een felle vlam kort en laaiend uitwoedde, waarna wij elkander in een eindeloze rust wedervonden, terwijl wij ons niet uitgeput, doch jonger en sterker dan tevoren voelden.

Die avond echter was er bij haar een ingetogenheid, welke ik voorheen nooit gekend had. Zij zat met de voeten ingetrokken onder haar lichaam, terwijl ik, op de rug gelegen, het hoofd in haar schoot nestelde en voelde, hoe haar hand aaiend over mijn haren streek, zeer teder, doch tevens iéts afwezig. Ik sloeg de ogen naar haar op en verdiepte mij in de vertrouwde aanblik van haar gelaat, waaromheen haar lokken ditmaal in losse krullen hingen. Ze nam mijn hand en legde ze op haar rechterborst, die vol en stevig aanvoelde. Ik meende haar te begrijpen, ging rechtop zitten, zoende haar in de hals en ontknoopte de rugsluiting van haar japon. Meer vertederd dan opgewonden was het, dat ik haar daarna gadesloeg, toen zij het hoofd in de boog van mijn voor- en bovenarm vlijde. 'Ik weet heus niet, hoe ik het je zeggen moet...' begon ze uit zichzelf, terwijl ze de benen introk en ze over de mijne heen legde, of ze er behoefte aan had, mij zo dicht mogelijk bij haar te voelen, — maar op een ándere manier dan gewoonlijk, zo kwam het mij voor. 'Zeggen?' informeerde ik, 'wat heb je mij zo heel bijzonders te zeggen?' Zij bleef opzettelijk de blik afgewend houden, doch er kwam een ontroering in haar stem, die mij diep vertederde: 'Wat er tussen ons gebeurd is, lieve Benjamin, is een geschenk van de hemel, waarop ik niet meer rekende... Een vrouw is gauw oud in dit land, weet je. Maar met jou is heel mijn leven opnieuw begonnen en alles, wat mij voorgoed onmogelijk scheen, is op die korte tijd opnieuw mogelijk geworden. Heb je me nog steeds lief, Benjamin?' 'Ik heb je lief, Tjenuna,' zei ik traag, iedere pathos zorgvuldig vermijdend. 'Ik heb je lief.' 'Zo is het goed,' antwoordde zij, 'dit wilde ik eerst opnieuw van je horen, want ik zou de gedachte niet kunnen verdragen je aan me te binden, zonder die grote zekerheid.' 'Wat bedoel je, Tjenuna?' vroeg ik, ditmaal nadrukkelijk.

Zij richtte zich op, zodat haar borst even mijn gelaat raakte en er kwam iets extatisch in haar blik: 'Ik verwacht een kind van je!' zegde zij zeer zacht, ofschoon een juichende klank elk woord vervulde. Eerst schrok ik, doch liet het niet blijken, — ik had mij liever de hand laten afhakken, dan het te laten blijken. Of het een uiting was van de grenzeloze tederheid, die ik voor haar koesterde, of het daarentegen aan een sedert lang in mij op ontwaken wachtende droom beantwoordde, wist ik op dàt ogenblik niet, doch het was in volle oprechtheid des gemoeds, dat ik na een kort stilzwijgen antwoordde:

'Ik heb steeds naar een kind van je verlangd, Tjenuna.' Zij glimlachte en er scheen iets mijn keel dicht te schroeven. Het zou niet in mij opgekomen zijn, haar thans te willen bezitten. Een man echter weet aanzienlijk minder van de vrouwen af dan hij het zich gewoonlijk voorstelt en ik betwijfelde het dus, of zij zich deze nacht zou willen geven. Nooit echter is zij zo volkomen de mijne geweest, als juist die keer, of een onuitsprekelijke dankbaarheid ons beider lichaam vervulde. Een waas van gelukzaligheid lag over haar gelaat, toen zij in mijn armen insluimerde, zoals het haar gewoonte was.

Ik daarentegen kon de slaap niet vinden. Vóór mij lag een nieuwe wereld, wier dimensies ik nooit bevroed had: het kind, Tjenuna en ik. Toch was er een onverklaarbare vertrouwdheid in die gedachte. Ik wist, dat het niet anders kon, dat het nooit anders gekund had, dan dat zij een kind van me zou krijgen.

Vooralsnog wilde ik mij niet verdiepen in de mogelijke vraagstukken, die door de geboorte zouden oprijzen, want dadelijk verwierp ik de lafhartige oplossing het kind voor de zoon of de dochter van Potifar te laten doorgaan. De gedachte aan Potifar vervulde mij met een diep onbehagen, doch het werd spoedig opgelost door de weemoedige vertedering, waarmede Tjenuna's rustige slaap, als een gesloten bloemkelk omheen haar tot leven gewekte schoot, mij vervulde.

Zonder haar wakker te maken stond ik op en vatte post bij het venster. 'Een kind,' zei ik luidop, 'een kind van mij en haar.' Voor de eerste maal besefte ik, dat mijn bestaan niet langer nutteloos was, dat het voortaan een doel zou bezitten en ook al mijn vroegere daden (ook die, waaraan wellicht de herinnering mij met schaamte kon vervullen) een welbepaalde zin hadden bezeten. Moest ik de nacht zegenen, waarop Jozef er mij toe bewogen had met hem de wraak der broeders en derwijze ons geboorteland te ontvluchten?

Dan herkende ik opeens weer de oude verbetenheid. 'Mijn kind zal moeten leven in de wereld, die Jozef geschapen heeft...' overlegde ik desolaat.

Het was alsof ik onder de aanraking van de nachtelijke koelte de plotse hardheid van mijn eigen ogen kon voelen.

14

NACHTELIJKE AVONTUREN

Ondanks haar toestand, die mij bezorgd en teder om haar maakte, had Tjenuna mij het verbod opgelegd haar iedere dag op te zoeken: ze beweerde, dat ik een vrij man moest blijven, wat verstandig was van haar. Ik voelde inderdaad soms de behoefte alleen te zijn, in te keren tot me zelf, om met des te groter onbevangenheid naderhand haar hoofd aan mijn schouder te voelen. Maar het gebeurde, dat over mij een vage weemoed kwam (de weemoed is steeds het ware klimaat van mijn leven geweest), vervuld door de kommer om haar en om het ongeboren kind, dat soms dagenlang mijn gedachten in beslag nam door het beramen van honderd antwoorden op de vraag hoe ik er een goed en gelukkig mens van zou maken in een wereld, die mij van langsom meer met angst, weerzin en opstandigheid vervulde.

Hoe dan ook, die avond was ik de stad ingetrokken en ten slotte in 'de Scharlaken Krokodil' beland, in de hoop er mogelijk een paar kennissen aan te treffen. Mijn verwachting werd niet beschaamd, want uit een verlaten hoek wenkte de beeldenmaker Thotmes. 'Het wordt tijd, dat je weer eens boven water komt,' verwelkomde hij mij, 'het is niet goed je vrienden te ontlopen. Waar hang jij tegenwoordig uit?' Ik beantwoordde zijn nieuwsgierigheid met een vaag handgebaar. Bijgevolg vermoedde hij, dat ik in een zwaarmoedige bui was (ik voelde mij niet somber doch alleen maar zwijgzaam die avond), en drong niet aan.

Wij dronken aandachtig en ik liet de blik over de aanwezigen weiden. 'Vreemd,' zei ik na een poos, 'anders zie je hier steeds dezelfde stamgasten. Maar vanavond ontwaar ik slechts vreemde gezichten.' Thotmes keek me onderzoekend aan: 'Het is een hele poos geleden, dat je nog hier bent geweest, is het niet?' Ik knikte bevestigend. 'Dus weet je niet, dat 'de Scharlaken Krokodil' in de laatste tijd een uitermate slecht befaamde instelling is geworden?' informeerde hij. 'Slecht befaamd?' glimlachte ik, 'eigenlijk heb ik nooit bemerkt, dat de slechte faam van een kroeg de klanten verdrijft. Integendeel.' 'Je begrijpt niet, wat ik bedoel,' antwoordde hij geheimzinnig, 'politiek slecht befaamd bedoel ik. Tegen een hoerenkast koesteren burgerij en middenstand in Thebe geen bezwaren. De prostitutie vormt trouwens een hecht bestanddeel van de geordende samenleving, of ken je de wetten niet, welke Jozef in dit verband heeft uitgevaardigd?' 'Laat Jozef erbuiten,' sprak ik korzelig, 'hij hangt me de keel uit, met of zonder wetten.' 'Nou,' lachte de beeldhouwer gul, 'dan ben je in het rechte humeur!' 'De duivel hale hem,' besloot ik, waarna wij een poos zwegen.

Inmiddels bleven de klanten toestromen. Met de kin in de handpalmen geleund, de ellebogen op het ruwe tafelblad, sloeg ik hen gade. Ondertussen dronk ik meer dan ik hebben kon, — zo scheen het mij althans toe. Nochtans voelde ik me niet beneveld. De wijn zat behoorlijk op zijn plaats in mijn maag, doch ik vermoedde, dat het zou volstaan mij op te richten en een eindje te lopen teneinde eensklaps de dampen naar mijn hoofd te doen stijgen en in een ommezien dronken te worden. Daarom bewoog ik zelfs de ogen niet en bleef star overheen Thotmes' schouder vóór me uit turen, terwijl ik zei: 'Ik zie wat.' 'Wat zie je dan?' 'De lui die binnenkomen. Het zijn er van twee bepaalde soorten; sommigen geven de indruk berooide intellectuelen of artiesten te zijn, de anderen, en die zijn in de meerderheid, lijken mij dompelaars, slaven of kleine ambachtslui. ('Ik ben toch dronken,' dacht ik bij me zelf, 'het is gewoon idioot op zo iets te letten. Wat kan het me schelen, verdomd er nog aan toe.') Of neen, er is nog een tussensoort, waar ik geen naam voor kan vinden en die hier helemaal niet thuishoort.' 'Rustig aan,' grinnikte de beeldhouwer bedaard, 'rustig aan. Maar met de tussensoort heb je het ook al bij het rechte eind. Het zijn priesters aan lager wal. Nee, geen priesters van het nieuwe geloof, die hebben hier niets verloren! Priesters uit de goede oude tijd zijn het, jaren geleden uit hun ambt ontzet, omdat ze het met Amon hielden of er gewoon te laat aan dachten hun huik naar de wind te hangen. Maar stil, daar komt men met het lijk!' Een man daalde de trap af, terwijl luidruchtige toejuichingen opstegen. 'Zorg ervoor, dat hij je niet dadelijk in de gaten krijgt,' vervolgde Thotmes, 'want allicht houdt hij ons voor handlangers van Jozef en dan zwijgt hij als vermoord.' De vreemdeling was thans in het licht der toortsen gekomen, zodat ik in hem Imhotep herkende, die ik destijds in Thotmes' atelier ontmoet had. Ogenschijnlijk lette hij niet op de toejuichingen, doch ik zag niettemin zeer duidelijk, of de wijn veeleer mijn luciditeit aangescherpt dan afgestompt had, dat hij van puur plezier om zijn populariteit de tenen in zijn sandalen krulde. (Maar dat wist *ik* alleen, overlegde ik geamuseerd en had aldus het prettige gevoel een ingewijde te zijn, die zich zo maar niet zonder meer nog in de luren laat leggen). Met een autoritair gebaar hief Imhotep de hand op, zodat de bijvalsbetuigingen eensklaps bedaarden. Vorsend schouwde hij middelerwijl in het rond en sprak met gekunstelde ongekunsteldheid: 'Volk van Thebe, spaar mij dergelijke toejuichingen. Het is thans niet het ogenblik om te juichen.' Er klonk instemmend gemompel. 'Het is daarentegen een tijd om te rouwen,' vervolgde hij. 'Een lange reeks van rampen is over dit land neergestreken. Een dwaas ontheiligt de troon en een vreemde nietsnut, ja, een heiden, heeft u rampzaliger dan de geringste onder de slaven gemaakt!' Luid gejouw volgde op deze woorden. 'Je moet toegeven, dat hij gauw tot de kern van de zaak komt,' zei ik. 'Ik geloof zelfs, dat die vreemde nietsnut familie van me is.' 'Hou je fatsoen,' gromde Thotmes tussen de tanden, 'als ze ons in de gaten krijgen, slaan ze ons beiden de schedel in.' 'De tijd tot handelen is nog niet aangebroken,' vervolgde Imhotep bezwerend, 'maar ééns komt de dag, dat Egypte in het bloed van de opstand zijn oude waardigheid zal weervinden.' Weer klonken geestdriftige bijvalsbetuigingen of hij zijn toehoorders beloofd had hun te trakteren; het horen van het woord 'bloed' oefende overigens beslist een opwekkende invloed uit. 'Ik vraag het u in gemoede, volk van Thebe! Wie onder jullie kan met zijn hand op het hart verklaren, dat hij niet tot de getroffenen behoort van het door de Jood ingestelde regime? Bekijk uw kleren, aanzie de gezichten van uw gezellen! Uw kleren zijn verfomfaaid of gescheurd, uw gezicht is gegroefd en vermagerd door zorgen, ellende en honger.' Hij gunde nogmaals zijn publiek enkele seconden, opdat het de tijd zou hebben instemmend te morren, wat het dan ook prompt deed. 'De volksmisleiders doen al wat in hun macht ligt om hiervan de aandacht af te leiden, doch de koning is een slaaf van de Jood, zelf een stroman in de handen van de geldzakken. Het ganse staatsapparaat is corrupt, volk van Thebe, uitsluitend ten dienste gesteld van een minderheid, die teert op uw zweet en bloed.' Ik gaapte om er mijn onderkaak bij te ontwrichten: 'Kletskoek,' zei ik, 'ik heb in lang zulke kletskoek niet gehoord.' 'Onderschat hem niet,' zei Thotmes, 'het publiek verlangt dergelijke, gemakkelijk na te praten gemeenplaatsen. Met theorieën en dialectische kronkels kom je nergens. Je moet kort en bondig zeggen, dat je tegenstanders smeerlappen zijn. Dat spreekt tot de verbeelding en het vergt geen inspanning om het te herhalen. Het aantal volgelingen van Imhotep en zijn handlangers is veel groter dan jij het je wel voorstelt. Wie zouden het anders zijn, die de staatsgevangenissen bevolken?' 'Hierom gaat het niet,' gromde ik balorig, 'het gaat er zelfs niet om, of hij gelijk of ongelijk heeft. Maar hij is een demagoog, een even afschuwelijke demagoog als Jozef en dat maakt me kotsmisselijk!' Opnieuw drong Imhoteps stem tot ons door: '...En daarom herhaal ik het u, voorwaar, de tijd van handelen is nog niet aangebroken, doch ééns komt het uur van de opstand. Dan zullen de groten der aarde de plaats ruimen en zal de tijd der verworpenen aanbreken, doch eerst moeten de tirannen sneven in het bloed en zullen hun paleizen, alsook de tempels der valse godheid in de vlammen opgaan.' Hij zweeg abrupt en zijn toehoorders schenen niet zo dadelijk te merken, dat hij reeds uitgepraat was, zodat even het voorziene gejuich wegbleef. Ik had me vergist, toen ik meende vooralsnog niet dronken te zijn. Opeens wist ik, dat ik dronken was toen ik me zelf in die ietwat gênante stilte luid en sarrend hoorde zeggen: 'Allemaal larie en apekool.' Imhotep kneep de ogen halfdicht en een misprijzende glimlach kwam op zijn wreedaardige dunne mond. Ik stond overmoedig recht, ofschoon Thotmes hardhandig aan mijn kleed trok. 'Eén der toehoorders is het klaarblijkend niet met me ééns,' zei de tribuun vrij onzeker, wellicht uit zijn lood geslagen door het feit, dat ik het sloteffect van zijn redevoering om zeep had geholpen. 'Neen,' bevestigde ik, 'ik ben het niet met je eens.' 'Ik heb je al eerder gezien,' zei Imhotep vijandig, 'stel je niet voor, dat ik je niet herken. Ik weet zeer goed, wie je bent.' 'Ik geef er geen snars om,' antwoordde ik, met het gevoel van een onbegrijpelijke onaantastbaarheid, 'het komt er voor mij alleen op aan, hier in het openbaar te zeggen, dat je een kletskous en een bedrieger bent. Je doet net, alsof je tegen tirannie en verdrukking te velde trekt. Maar in het diepste van je wezen, Imhotep, koester je zelf slechts één waarachtige wens: op jouw beurt de verdrukker te worden en te pofiteren van al wat je tot dusver ontzegd werd.'

Mijn driestheid scheen indruk op de aanwezigen te maken want er heerste een ademloze stilte in 'de Scharlaken Krokodil', wanneer ik roekeloos vervolgde: 'Ik heb helemaal niets tegen je, mijn waarde Imhotep. Ik ben zelfs bereid te aanvaarden, dat jij je zelf wijsgemaakt hebt een idealist te zijn en dat je in overeenstemming hiermede handelt. Maar ik heb de indruk, dat je een man vol rancunes en ijverzucht bent. De meeste volksmenners en onder hen vooral de voorstanders der drastische oplossingen, zijn over het algemeen mannetjes vol rancunes, die verduiveld goed weten wèlke hoofden zij bij voorkeur zullen doen rollen, wanneer zich ééns de gelegenheid voordoet! Meer wenste ik je niet te zeggen. Ik dank je voor de aandacht.' Ik wou rustig weer gaan zitten (als ik dronken ben huldig ik wel vaker een overdreven gunstige opvatting omtrent het fatsoen van mijn medemensen), doch had ditmaal buiten de waard gerekend. 'Je denkt, dat je het recht hebt ongestraft een grote muil op te zetten, is het niet?' gromde Imhotep agressief. 'Je beeldt je in, dat niemand het waagt een vinger naar je uit te steken, omdat je de broer van de Jood bent! Maar vergis je niet, mijn brave Benjamin!' 'Hij is de broer van de Jood,' riep een schorre stem, 'sla hem op zijn smoel!', onvriendelijk voorstel, dat éénstemmig door opgetogen gehuil begroet werd. Vóór ik er mij goed rekenschap van gaf, wat er gebeurde, vlogen de drinkschalen mij om de oren en kwam de brallende bende dreigend op mij aanstevenen. Ik voelde mij nochtans patent, greep de tafel bij het blad en keilde ze met naar voren gerichte poten te midden van het aanvalsfront, zodat het onthutst terugweek. Van de aldus gezaaide verwarring maakte ik gebruik om mij te wapenen met een driepikkel, voorbeeld dat door de beeldhouwer gevolgd werd. Ik koesterde niet de geringste vrees en zo ik mij voornam slechts geweld te gebruiken om de uitgang te bereiken, moet zulks worden toegeschreven aan het feit, dat ik een vreedzaam man ben, die in wezen iedere vorm van geweldpleging verafschuwt. Ik talmde niet en wierp mij met een vervaarlijke sprong te midden der tegenstanders, door Thotmes op de hielen gevolgd. Spoedig echter ondervond ik, dat ik mij een al te rooskleurig denkbeeld van mijn krachten had gevormd. Weliswaar slaagde ik erin mijn wapen tweemaal op een revolutionaire schedel te doen neerkomen (die trouwens voortreffelijk weerstand bood, wat ik best vond, daar ik niemand ernstige averij wenste te berokkenen), doch toen het voor de derde keer een ruime boog boven de hoofden beschreef, sloot er zich een stalen greep om mijn pols en de geïmproviseerde goedendag, zoals mijn voorvaderen een dergelijk instrument noemden, bonsde op de plavuizen. Vier belagers tegelijk gooiden zich op mij, terwijl ik van onder een kluwen van lichamen, armen en benen kon zien, hoe de beeldenmaker dapper weerstand bood en vernieling onder Imhoteps aanhangers zaaide. Zulks schonk mij de nodige moed om mij hardnekkig te verweren en ik slaagde er zelfs in er één onder de krijgen, terwijl ik in de hand van een tweede exemplaar beet, niet zonder resultaat, te oordelen althans naar de hemeltergende vloeken, die mijn slachtoffer uitstootte terwijl hij zijn onvriendelijke omhelzing liet varen.

Op het ogenblik, dat ik mijn benen om nummer drie sloeg, zoals ik het eens als knaap van een kermisworstelaar had afgekeken, verstomde als bij toverslag het rumoer. Zonder hinder kon ik mij weer oprichten. Slechts toen het zover was, bemerkte ik, dat Jozefs Zwarte Corps met gevelde lansen de trap bezet hield die naar de uitgang leidde.

Wat er toen gebeurd is, moet de aanwezige aanhangers van Imhotep (die zelf spoorloos verdwenen was) wel een volkomen onoplosbaar raadsel hebben toegeschenen. Mijn niet langer in toom gehouden driestheid had thans volledig de bovenhand, mijn losgebarsten reflexen holden mijn gezond verstand voorbij, instinctief greep ik een nog halfvolle aarden wijnkruik en keilde ze, met al de kracht in mij aanwezig, te midden van de zwaar gewapende falanx, waar zij geluidloos — zo kwam het mij althans voor — aan scherven uiteenspatte tegen het paardehoofd van de aanvoerder, die prompt door de knieën knikte en als een zak zout de trap afrolde, aan wier voet hij bewusteloos bleef liggen. Een wild gejuich steeg op bij mijn belagers van daarstraks en een woeste bestorming nam een aanvang. De vijand week spoedig, maar ik zag dadelijk in, dat het om een krijgslist ging en dat het niet baten zou de eiken toegangsdeur te grendelen. Ondertussen begreep ik niet, wat er met mij gaande was; hoe kwam het, dat ik eensklaps mijn lot verbonden achtte met het lot van deze dompelaars, die zich het hoofd door Imhotep op hol lieten brengen, met als enig mogelijk resultaat, dat het de zweep van een nog onver-biddelijker meester zou zijn, waarvan zij wellicht éénmaal de striemen over hun rug zouden voelen branden? Volstond het niet, mij aan de belegeraars bekend te maken om zonder verdere moeilijkheden met Thotmes vrijuit te gaan? Neen, ik kende me zelf niet meer, doch hoe dan ook, na een blik van verstandhouding met de beeldenmaker zei ik: 'We moeten een krijgslist verzinnen: het is de enige kans, die we nog hebben.' Nog steeds gewapend met de eiken driepoot, die zich tot een zo doeltreffend krijgsinstrument ontpopt had, vatte ik post nabij de deur, terwijl de anderen gespannen achter mij op de trap samen-drumden. Thotmes, die tot mijn verbazing ergens een erg vervaarlijk uitziende koevoet had opgescharreld, deed mij teken de grendel weg te schuiven en de deur op een kier te openen, terwijl hij zich gereed maakte om van eenieder, die te dicht in zijn nabijheid zou komen, de hersenen te verbrijzelen. 'Luisteren jullie goed!' brulde hij naar buiten, 'als jullie er ons niet uitlaten en meteen je poten thuishou-den, hakken we de krijgsgevangene aan spaanders. Jullie hebben de keus!' En dof voegde hij eraan toe: 'Een beetje chantage is bij mijn weten in de politiek altijd doeltreffender dan overreding door mooie woorden!' Wij hoorden gedurende een korte poos dof gemompel en over en weer gepraat. Dan volgde het antwoord, dat we aldus onze zaak slechts bezwaren konden en dat er trouwens voor iedere ge-vallen soldaat van de nieuwe orde tien andere offervaardigen gereed stonden. 'Erop los dan!' beval Thotmes, smeet de deur open en meende naar buiten te stormen, door mij en nog een paar haantjes-de-voorste gevolgd. Het was echter een krankzinnige onderneming. Dadelijk deden de gevelde lansen ons wijken. Zodra wij ons terugge-trokken hadden, begonnen de anderen de deur te rammen, doch ge-lukkig bood ze uitstekend weerstand. 'Het zij zo,' gromde Thotmes, 'laat ze de deur inbeuken en naar beneden komen, de drekschedels. We zullen hen naar behoren ontvangen.' Mijn dronkenschap was gro-tendeels geweken en ik voelde mij niet meer helemaal op mijn gemak. De seconden schenen uren te duren, tot eensklaps mijn vriend mij bezorgd aankeek en als een opgewonden stier luidruchtig snoof: 'Ruik jij niets?' 'Brandlucht,' weifelde ik, 'ze zijn van zins gerookte ham van ons te maken.' Toen het gebons even ophield, hoorden we inder-daad het knetteren van de vlammen; weldra drong de rook door de reten tussen de balken van de zoldering naar binnen. Een paar vrou-wen begonnen te jammeren en thans hoorden we boven onze hoof-den duidelijk het geloei van het vuur. 'We moeten ons overgeven,' hoorde ik iemand mompelen, 'het heeft geen zin ons hier te laten roosteren,' overweging die de instemming van dof en gelaten gemor vond. Ik keek Thotmes aan. Hij knikte. Ik vatte post achter de deur en riep zo hard ik kon: 'Wat gebeurt er, zo we ons overgeven?' 'Er zal niemand leed geschieden,' luidde het prompte antwoord.

Ik wist dat het een leugen was. Dichte rookwolken vulden thans de kelder. Een vrouw gilde panisch, wat het teken tot de bestorming van de uitgang was. Opgewonden handen rukten aan de grendels en wadend door het vuur stroomde de menigte naar buiten. Van een laatste, wanhopige strijd kon geen sprake zijn: tot op de tanden gewapend vormden de leden van het Z.C. een ruime kring, sinister in het flakkerend licht van de brand, dat onheilspellend de nacht vervulde. Wij drumden dicht bij elkander en hoorden onder oorverdovend gekraak en in hoge gensterfonteinen het dak van 'de Scharlaken Krokodil' instorten.

Met prikken en porren van de lansen werden wij in een lange rij gedreven, geëscorteerd door een dubbele rij Z.C.-lui, wat iedere kans op ontsnapping uitsloot. Ik bekeek de kerel, die aan mijn linkerhand liep: hij zag er dom en grof uit, wat ik aan zijn laag voorhoofd en zijn vooruitstekende kin kon merken. Niettemin waagde ik een poging: 'Wat zijn jullie van plan met ons te doen?' vroeg ik zo brutaal en zo hooghartig mogelijk. 'Gaat je niks aan,' luidde het antwoord, 'wij doen met jullie waar we zin in hebben! ' 'Je hebt het recht niet,' grijnsde ik, 'jullie hebben je wapens en je uniformen van Jozef gekregen om er wat mee rond te lummelen en de vreedzame lui met rust te laten.' 'Hou je smoel,' zei de Z.C.-man, 'of ik sla hem dicht!' 'Mij maak je niet bang, kameraad,' schepte ik op, 'jullie hadden er niets mee te maken, dat wij in de kroeg een robbertje boksten. Alleen de politie heeft daar iets mee te maken. Wat jullie doen verbiedt de wet.' 'Ik hcb lak aan de wet en de politie. Wij hebben allemaal lak aan de wet en de politie. Wie het uniform van Jozefs scharen draagt, staat boven de wet, hoor je dat?' Ik merkte, dat de mosterd hem werkelijk naar de neus steeg en daarom bond ik enigszins in: 'Nou ja, dat weet ik wel. Maar wat kan het jullie schelen, als de gasten uit 'de Scharlaken Krokodil' elkander het hoofd inslaan?' 'Het kan ons niets schelen. Jullie mochten elkander rustig doodmaken. Imhotep, de oproerkraaier is het, die wij te pakken moesten krijgen!' 'Hij is hem lekker gesmeerd, wat?' sarde ik weer roekeloos. 'Er komt een dag, dat hij jullie allemaal laat opknopen in je mooiste uniformen, reken maar!' De kolf van zijn lans kwam op mijn schedel terecht en terwijl ik als reflex de ogen sloot, zag ik de hemel in duizend sterren open splijten. Het vergde een grote krachtsinspanning, om op de been te blijven en verdoofd strompelde ik verder, eensklaps volkomen onverschillig, voor wat er verder mocht gebeuren.

Toen ik min of meer tot me zelf kwam, bevonden wij ons met zijn allen in een soort van kelder, waar walmende toortsen aan de vochtige muren brandden.

Wat er thans geschiedde is als een nachtmerrie in mijn herinnering blijven leven, fantasmagorisch belicht door de dansende fakkelvlammen. Men dreef ons in een soort van reusachtige kooi, doch toen de deur achter ons vergrendeld werd, bemerkte ik, dat de samen met ons gevangen genomen vrouwen zich aan de andere zijde der traliën bevonden. Thotmes porde mij in de ribben: 'Het wordt tijd dat wij ons bekend maken,' fluisterde hij. 'Als ze éénmaal weten, wie wij zijn, schijten ze van louter angst in hun broek en laten ze ons met-een vrij.' 'Neen,' zei ik schor, 'nog niet. Ik wens, koste wat wil, te weten wat er hier verder nog gebeurt.' 'Je hebt weinig verbeelding,' antwoordde de beeldhouwer, 'kan je het niet raden? Nou, kijk dan zelf maar!'

Aan de andere kant was inderdaad een plots tumult ontstaan. De Z.C.-lui wierpen zich op de jongere vrouwen en rukten haar de kleren van het lijf. Zij verdedigden zich hardnekkig en sommigen haalden als furiën met haar vingernagels de gezichten van hun belagers open, tot ze gans met bloed bedekt waren, doch het baatte weinig De handen krampachtig om de traliën geklemd en met knieën, trillend van machteloze verontwaardiging, was ik hiervan getuige, terwijl achter mij het geloei der mannen als dat van getergde dieren op-steeg. Ik sloot knarsetandend de ogen en trachtte niet aan Tjenuna en aan mijn ongeboren kind te denken. Thotmes lei zijn zware ar-beidershand op mijn schouder. 'Je bent bleek,' sprak hij zacht, 'je ziet er ellendig bleek en beroerd uit. Je moest het je maar niet aan-trekken. Open je ogen. Het is geen stichtelijk gezicht, maar het kan je misschien troosten dat sommigen... Enfin, kijk zelf maar...' Ik volg-de zijn raad. Op het door hulpvaardige handen met het oog op gro-ter comfort aangesleepte stro, voltrok zich een thans stilzwijgende worsteling die echter, tot mijn groter ontzetting nog, op menige plaats inmiddels een doodgewone paringsdaad geworden was. Ik keek een tijdlang verbijsterd toe.

Dan braakte ik, met vreemde kokhalzende geluiden tussen de tra-liën door. Ik ervoer slechts enige verlichting, wanneer Thotmes zijn grote handen omheen mijn slapen legde, zodat het gevoel of mijn hoofd barsten zou, langzaam week. Het was goed die handen om mijn hoofd te voelen.

Mijn zwakheid had echter de aandacht gewekt van enkele Z.C.-lui, die hun beurt afwachtten en, ofschoon geboeid door het lieder-lijke schouwspel, ten slotte ongeduldig waren geworden. Ik werd hardhandig naar buiten gesleept. Er kwam een bodemloze wanhoop in mij, die nochtans met geen enkel gevoel van vrees verband hield en er mij van weerhield mij verzet te bieden. Zij gooiden mij op een soort van brits, door schragen ondersteund. Men greep mij bij de haren en wreef mij (een kwartier lang wel, scheen het mij toe) met het aangezicht over het ruwe plankenhout, terwijl een regen van vuist- en stokslagen op mijn hoofd en rug terechtkwam. Ik bleef volkomen passief, ge-heel voor pijn en schaamte gevoelloos, doch mijn geest bleek angst-wekkend helder. Ik kneep de tanden op elkander en loste geen kik, wat de woede van mijn beulen ten top dreef. Weldra gutste het bloed mij uit mond, neus en oren, en ik proefde er de weeïg zoete smaak van op de tong.

Toen is er een wonderlijke, grote zekerheid in mij gekomen, die rechtstreeks verband hield met de onthutsende klaarte van mijn geest en die flauwe smaak van klonterend bloed in mijn mond. Ik was niet alleen gevoelloos voor de pijn, doch zij liet mij ook moreel volkomen onverschillig. Hoe paradoxaal het schijnen moge, plots overviel mij het bewustzijn van een nameloos geluk. De taak, die mijn verdere bestaan zou vervullen, indien men mij tenminste het leven liet, rees als een onaantastbare stelligheid voor mij op. 'Sla,' kreunde ik inwendig, 'sla zo hard jullie kunnen. Eerst heb je Benjamin murw getimmerd. Jullie hadden er verstandig mee gedaan het daarbij te laten. Maar je hebt voort geslagen, tot er iets in hem ontwaakte, waarvan hij zelf de aanwezigheid niet besefte. Timmer erop los, het deert hem niet meer: hij is de pijn en het leed, hij is de zwakheid voorbij.' Dat was mijn laatste redelijke gedachte. Ik hoorde nog heel in de verte van ruimte en tijd een verschrikkelijk gebrul, waarin ik Thotmes' getergde stem meende te herkennen, doch het interesseerde mij eigenlijk niet, van wie het afkomstig was. Onmiddellijk daarna verloor ik het bewustzijn.

Hoe lang het duurde, vooraleer ik weder bijkwam, weet ik niet. Ik hield de ogen gesloten, omdat het mij een onzeglijke inspanning scheen te zullen kosten om ze te openen. Ik voelde mij als een bezeken kater, wat geen verbazing kon baren, vermits ik mij er thans rekenschap van gaf, hoe iemand vlijtig de ene emmer water na de andere over mij uitgoot. Ik merkte opeens, dat er een weldoende stilte heerste.

Ik opende ten slotte langzaam de gezwollen ogen en blikte in het goedaardige gelaat van Thotmes, bekommerd over mij heen gebogen. 'Blijf rustig,' zei hij, 'blijf rustig nu.' Doch honderd gedachten worstelden in mij om de voorrang en opgewonden richtte ik mij op, wat de indruk weerlegde, dat mijn wervelkolom op vele plaatsen gebroken was. Van het Z.C. viel er geen spoor meer te bekennen, doch, in een kring om ons heen geschaard, hielden gewone soldaten met onbewogen gezichten de wacht. Ik vroeg Thotmes, wat er gebeurd was. 'Wij hebben ons als domkoppen aangesteld,' antwoordde hij, 'je weet het best: zo we ons dadelijk bekend gemaakt hadden, was er ons geen haar gekrenkt. Wanneer dat rotzooi als wilde beesten op je losging, ben ik uit mijn slof geschoten en heb gebruld, dat Jozef hen zou laten vierendelen als ze hun poten niet thuishielden. Ze luisterden niet; daarom heb ik de deur van de traliekooi uit haar hengsels gerukt. Dat leek een argument, waar ze rekening mee moesten houden, zodat ze me ten slotte aanhoorden en de mogelijkheid onder ogen gingen zien, dat ik hun misschien niet helemaal knollen voor citroenen verkocht, toen ik hun onze identiteit voorhield. Ofschoon het een heel stuk in de nacht was, werd er een bode naar Jozef gezonden en inmiddels gaven de aanvoerders der Z.C. hun lui het bevel stiekem in te rukken en verder de mond over het gebeurde te houden. 'En de anderen?' informeerde ik gejaagd, of ik me thans slechts opnieuw hun bestaan herinnerde. 'Vrijgelaten,' antwoordde hij, 'vrijgelaten, omdat zij het geluk hadden, dat jij Benjamin bent en ik Thotmes.' 'Jozef zou achteraf in elk geval het bevel tot hun vrijlating gegeven hebben!' zei ik. 'Maak je zelf niets wijs,' grijnsde de beeldhouwer. 'Als wij niet onder hen waren geweest, zou Jozef zonder het minste gewetensbezwaar het hem voorgelegde bevel ondertekend hebben, waardoor hun opsluiting in één van zijn beroemde gevangenissen bekrachtigd werd.' Ik keek hem moedeloos aan. 'Je kan me rustig geloven,' vervolgde hij, 'ik ben goed ingelicht. Het is heus niet de eerste maal, dat de nachtelijke pretmakerij van het Z.C. derwijze eindigt.' 'Wat doen we hier nog langer?' vroeg ik mat. 'Jozef stuurde enkele soldaten van zijn lijfwacht vooruit,' lichtte Thotmes mij in, met een hoofdbeweging naar onze bewakers. 'Maar hij zal zelf komen, heeft hij aan de bode gezegd.'

Ik was koud tot op het gebeente en rilde. Thotmes legde zijn mantel om mijn schouders. Ik voelde mij zwak, maar toch tevens op vreemde wijze gesterkt door de vernedering en de pijn, die ik ondergaan had. Ik waste het gestolde bloed van mijn aangezicht en bette mijn ogen: bij iedere aanraking verspreidde zich een doffe pijn als een gezwel doorheen mijn ganse schedel.

Wat mij mettertijd met een onverzoenlijke afkeer voor Jozefs bewind vervuld had, was de overweging geweest, dat zijn staatsleer er vooral op gericht bleek de gedachte aan banden te leggen. Nu begreep ik voor de eerste maal, dat zulks nog niet het ergste kwaad was: de gedachte kon met stomheid geslagen worden, doch zij bleef onaantastbaar en soeverein zolang het lichaam stand hield. De zonde tegen de geest kon de grootste zonde zijn, zij was tevens de meest onvolmaakte wegens de onaanraakbaarheid van de geest. Thans wist ik, dat de vreselijkste want doeltreffendste zonde schuilt in de aanslag op de drager van de geest: het lichaam, het meest weerloze deel onzer menselijkheid.

Buiten weerklonk het gerucht van hoefslagen en wielen. De houding van de soldaten werd strammer. Voorafgegaan door vier toortsdragers betrad Jozef de kelder; even vatte hij post in de deuropening, als wilde hij aandachtig de omgeving opnemen. Dan liep hij, als na het nemen van een plots besluit resoluut de trappen af, begroette ons met een verveelde uitdrukking op het gelaat en gaf onze bewakers met een autoritair gebaar te kennen, dat zij konden inrukken. Hij deed inmiddels zijn best om iedere gemelijkheid het hoofd in te drukken, want het was weer de stem van de oude, zelfbewuste Jozef, toen hij informeerde: 'Nou, laat maar eens horen, wat er met jullie aan de hand is!' 'Niet veel bijzonders,' zei ik, om Thotmes vóór te zijn. 'Ik gooide in 'de Scharlaken Krokodil', je weet wel, een aarden wijnkruik naar de kop van de hopman van een Z.C.-patrouille.' Jozef grijnsde: 'Waarom deed je het? Het was een grove krenking voor het Z.C., voor het staatsregime en voor mij!' 'Zijn gezicht stond mij niet aan,' antwoordde ik nors, 'ik had teveel gedronken en zijn gezicht stond mij helemaal niet aan. Ik moet hem goed geraakt hebben, want hij rolde als een afgeslacht varken de trap af. De Z.C.-lui rookten ons uit en sloten ons hier op. Wanneer zij zich aan de vrouwen vergrepen, braakte ik van walg. Dat schenen zij als een belediging op te vatten en daar er wijfjes te kort waren, hebben enkele brave jongens, die in het rijtje stonden, mijn kleren uitgestoft.' 'Toen vond ik dat het welletjes was,' ontnam Thotmes mij het woord, 'en heb ik de boeven met veel moeite aan het verstand trachten te brengen, wie we waren. Aanvankelijk geloofden ze ons niet. Toevallig vond ik een brok kalk, en kijk wat ik deed om ze te overtuigen.' Ik keek in de door de beeldenmaker aangewezen richting. Op de ruwe wand had hij, vele malen levensgroot, een profielportret van de farao geschetst, dat mij opeens fascineerde door de smartelijke geslotenheid van de grote ogen en de weemoedige mond boven de vooruitstekende, doch krachteloze kin. Het trof mij, dat Jozef het niet prettig scheen te vinden ernaar te kijken, wat Thotmes er nochtans niet van weerhield de stilte langer te laten duren dan noodzakelijk was. 'Het joeg ze de stuipen op het lijf,' grinnikte de kunstenaar, 'en veiligheidshalve zijn ze hem gesmeerd, samen met hun eigen gevangenen.' 'Nou,' zei Jozef, 'einde goed, al goed. Voor jullie is dus alles voor mekaar. Morgen zal ik een onderzoek laten instellen zo je zulks wenst. Maar ik moet jullie ervoor waarschuwen, dat jullie ten slotte zelf deze herrie gezocht hebben.' Ik antwoordde, dat zulks onloochenbaar het geval was, 'doch,' vervolgde ik nadrukkelijk, 'wat jij natuurlijk niet wilt begrijpen is, dat ik iets doen moést, dat ik gedreven werd tot die baldadigheid door mijn afkeer tegenover het brute geweld, waarvan jouw Z.C.-lieden de verpersoonlijking zijn.' 'Woorden,' snauwde hij bruusk, 'woorden, die in het kraam van de zwakkelingen te pas komen. Het geweld is een natuurwet, waaraan geen enkel gezag met zelfrespect zich onttrekken kan. De lafaards deinzen er voor terug, doch ik zal het ten dienste van de gemeenschap stellen om van dit land het machtigste rijk ter wereld te maken. Ik zal het benevens gebruiken,' vervolgde hij met een vreemd licht onder zijn prachtige lange wimpers, 'om te breken, wie het staatsbelang zoekt te ondermijnen of te dwarsbomen. Niet de enkeling heeft betekenis in het grootse gebeuren van deze tijd, doch uitsluitend de gemeenschap mag op onze energie aanspraak maken. Dat zij de ruggegraat-lozen onder de voet loopt, heeft niet het geringste belang.' 'Je kan

Imhotep een handje geven,' glimlachte ik bitter. 'Maar wat doe je met de vrijheid van het individu?' 'Nonsens. Hoeveel maal moet ik het je nog herhalen? Het individu vraagt om geen vrijheid. Het heeft lak aan de vrijheid, die hem een blok aan het been is, een abstractie, door maanzieke dwepers uitgevonden doch geen realiteit. Daarom is het geweld een noodzakelijkheid op grond van zijn tastbaarheid, die het tot een duidelijk begrip maakt, een instrument, waar je iets mee tot stand kan brengen. De abstracties kunnen erbij komen, zoals de kruiden in een gerecht; voorgeslacht, vaderland, ras, levensruimte, God, geloof, eer, familie, noem maar op, doch een bevestiging vinden zij uitsluitend in het geweld, tot hun realiteit onontbeerlijk.'

Ik voelde mij lichamelijk te zwak om op dit gevorderde uur een discussie met hem te beginnen. De noodzakelijkheid ertoe drong zich trouwens niet langer aan mij op. Ieder van zijn woorden, die hard als een kristalsplinter in mijn wezen sneden, versterkte in mij het bevrijdende gevoel, dat daarstraks over mij gekomen was, toen mijn hoofd tegen het hout aanbonsde en slagen en stampen onbarmhartig in mijn nierstreek neerkwamen. 'Het wordt laat,' zei Thotmes ten slotte, 'wij moesten maar gaan.' Jozef groette op officiële toon, zijn zweep nonchalant opgeheven en verliet met soldateske tred de gevangenis. Hij was nog steeds een prachtkerel om naar te kijken. Nooit heb ik een man het uniform weten dragen zoals hij.

Wij kwamen op de kade, waar nauwelijks hoorbaar de kruinbladeren der hoge palmen ruisten in de koelte. Wij namen plaats op een meerpaal. Een onthutsende klaarte brak open aan de horizon, waar de morgen de bemoedigende geometrie der sterren aantastte.

'Wij hebben een dwaasheid uitgehaald,' zei Thotmes nadenkend. 'Ik ben een artiest en jij hebt het temperament van een dichter. Wij moesten ons niet bemoeien met wat ons niet aangaat.' 'Alles gaat eenieder aan, onherroepelijk,' weerlegde ik rustig. 'Het is goed, dat wij gedaan hebben, wat wij deden, al heeft men mij bont en blauw geslagen. Het heeft mij bewust gemaakt van veel, dat nog niet volkomen tot mij doorgedrongen was. Alles gaat eenieder aan, Thotmes, ik zeg het je met een klare geest.' 'Wat wil je dan?' vroeg de beeldenmaker op gedempte toon, 'wat wil je eraan doen?' Ik knabbelde nadenkend op een strohalm: 'Misschien zijn wij machteloos, mijn vriend, ik weet het niet. Misschien kunnen wij niets veranderen aan de loop der dingen. Maar ik zal een kind hebben, — ja kijk maar verbaasd. Ik zal een kind hebben van Tjenuna. Ik verlang naar dit kind. Vind je het gek, dat ik als man naar een kind verlang?' 'Neen,' antwoordde hij, 'ik vind het helemaal niet gek. Ga verder.' 'Het wordt geen ondergeschoven kind voor Potifar, begrijp je? Ik zal mijn verantwoordelijkheid ten volle opnemen. Ik zal er een behoorlijk mens trachten van te maken. Thans weet ik bovendien, dat ik naast zijn geluk nog een tweede doel moet nastreven: er voor te zorgen, dat ik mij niet zal moeten schamen, wanneer mijn zoon of mijn dochter mij ééns rekenschap zal vragen omtrent de wereld, waarin het zou geworpen worden, toen wij het verwekten.' 'Ik begrijp je,' mompelde Thotmes, 'maar bij God, mijn goeie Benjamin, wie heeft ooit het voorgeschreven bestel gewijzigd?' Vooral de toon, waarop mijn vriend deze woorden uitsprak, ontroerde mij heftig. Ik zei: 'Wié kent het voorgeschreven bestel?' en wist eensklaps, dat ik bereid was desgevallend alles te verzaken om te doen, wat ik als mijn plicht beschouwde. Toen zag ik, dat het volledig dag was en voelde hoe de pijn opnieuw mijn lichaam doorhuiverde.

15

IEDER STERFT IN EENZAAMHEID

Ik herinner mij duidelijk, hoe de oude Jacob, mettertijd tot volslagen kindsheid vervallen, gestorven is, ofschoon later volgende gebeurtenissen een veel diepere indruk op mij hebben gemaakt. En toch, bij de God van Ichnaton (waarin ik niet geloofde, doch die een menswaardige God was), ik weet hoe ik in dergelijke omstandigheden geleden zou hebben, indien mijn vader ooit waarachtig een vader voor mij geweest ware.

Deze overweging vatte men op als een verklaring voor de nuchterheid, waarmee ik de feiten bondig wens samen te vatten, omdat zij geen rechtstreeks verband hielden met wat er vooral in *mij* geschied is tijdens de daaropvolgende bewogen periode uit mijn bestaan, die mij ook thans nog met smart, doch inmiddels bij pozen met een diepe dankbaarheid vervult, omdat ik nooit van zo nabij de diepere kernen van ons menselijke bestaan heb benaderd, — uitgezonderd misschien die nacht, waarop ik in Tjenuna's zachte armen voor de eerste maal begrepen heb, wat man en vrouw naar ziel en lichaam voor elkander in deze efemere jaren, tijdens welke wij kortstondig aan het nihil onttrokken zijn, kunnen betekenen.

Wij stonden met zijn allen rond Jacobs ziekbed. Hij ijlde erbarmelijk, maar toch was er bij hem onbewust nog steeds de neiging om de schijn te handhaven: 'De Heer roept mij tot zich!' kermde hij bij pozen, 'het uur is aangebroken.' Maar ik wist, dat het nierstenen waren, die zijn ingewanden aan afschuwelijke pijnen blootstelden en hem bloed deden wateren in ontzettende hoeveelheden. De koorts wrong zijn lichaam uit als een versleten dweil; de haren van zijn baard kleefden groezelig in elkaar en het zweet gutste bij stromen over zijn schedel en aangezicht. Jozef stond aan het einde van het ledikant en als vanzelfsprekend hadden de anderen zich om hem heen geschaard in een halve kring, terwijl ik mij onopvallend terzijde hield. Ik voelde mij als een ongenode gast, een zwerver die in nacht en ontij aan de eerste de beste deur aanklopt en er slechts te laat achter komt, dat er een stervende in huis is. Voor de zoveelste maal had de arts de aderlating toegepast, waar ik met verbijstering tegen protesteerde, daar ik het krankzinnig achtte een stervende, wiens kwaal er in bestond zijn bloed als urine te lozen, gelijk een afgeslacht rund te behandelen, doch Jozef had mij koud aangekeken. Omdat ik een scène wilde vermijden had ik er voor het overige het zwijgen aan toegedaan; ten slotte was het een manier als een andere om het lijden van een stervende in te korten.

Op het ogenblik, dat ik het einde aangebroken achtte, sperde Jacob de ogen open en keek ons allen verdwaasd aan. Hij opende ook de mond met krampachtige bewegingen, alsof hij kauwde op de levensgeesten, op het punt hem te ontvlieden, en zijn stem klonk, of ze reeds uit de duistere gebieden van gindse overzijde kwam. Eén voor één noemde hij onze namen, als een laatste appel, en bij iedere naam stamelde hij verwarde woorden, waaraan nu eens geen touw vast te knopen was, doch die daarna dan weer uiting gaven aan het visionaire genie van ons volk, of aan een oude wrok, die in deze laatste ogenblikken bij hem opnieuw aan het gisten was gegaan. Zo verweet hij Ruben met overslaande stem zijn bed bezoedeld te hebben, kondigde profetisch aan, dat Juda zijn ezel aan de wijngaardstronk zou vastleggen, vergeleek Dan bij een adder, die in de hielen der paarden bijt, en na met een voor een stervende ongelooflijke welsprekendheid de zegen des Heren over Jozefs hoofd geroepen en hem de boom bij de bron, de herder, de rots van Israël genoemd te hebben, vernam ik (die steeds getracht had, de zachtmoedigheid te beoefenen) tot mijn niet geringe verbazing, dat ik, Benjamin, een bloeddorstige wolf was, die bij dageraad de prooi verscheurt en 's avonds de buit verdeelt. Ik troostte mij echter met de gedachte, dat Simeon, Levi of vooral Issacar, die een solide ezel en Nephtali, die een mooiprater genoemd was geworden, er niet beter aan toe waren. 'Wolf onder de wolven,' overlegde ik, 'hoe eenvoudig en glorieus had mijn leven aldus kunnen worden!' Na zijn sibyllijnse toespraak zonk de oude weer in de natgezwete kussens en scheen een poos vol verbazing naar de zoldering te staren. Een tijdlang was zijn ademhaling rustiger, doch dan nam opnieuw het ruwe hijgen een aanvang en wij hoorden hem fluisteren, fluisteren echter op de hem kenmerkende bevelende toon, dat hij in het land der vaderen wenste begraven te worden in de grond, die Abraham destijds als grafstede van Ephron, de Hetiet gekocht had. Dan viel zijn adem stil en braken zijn blikken. Onwillekeurig stak ik de hand uit, om zijn oogleden neer te drukken over het verglaasde slib van zijn gestorven staren. Ik beheerste mij evenwel, vooraleer iemand merken kon, dat Jozef mij gadegeslagen had en mij derwijze nog nèt voor was. Mijn bedroefdheid was oprecht, doch zij hield in zekere zin slechts onrechtstreeks verband met het leed om Jacobs pathetische doodsstrijd: in mij was de weemoedige gedachte aan de ijdelheid des levens en de tragiek van de mens, die tot zijn laatste ademtocht de schone schijn handhaaft boven de schamele naaktheid van zijn bestaan.

Veertig dagen werden besteed aan het balsemen van het lichaam, dat onze vader geweest was en ingevolge een bevel, dat de zieke farao in de goedheid van zijn argeloos hart met zijn koninklijk zegel bekrachtigd had, werd door Jozef gedurende zestig dagen de nationale rouw afgekondigd. Achteraf heb ik gemerkt, dat vele Egyptenaren, waaronder ook menig aanhanger van het nieuwe regime, het als een drieste aanmatiging beschouwden.

Wanneer de balseming tot een goed einde was gebracht, rustte Jozef een reusachtige karavaan uit, liet deze door een klein leger flankeren en nam persoonlijk de leiding bij Jacobs uitvaart naar het land onzer herkomst.

Omstreeks die tijd ongeveer moet het geweest zijn, dat Tjenuna op zekere nacht mijn hand op haar buik legde, opdat ik voelen zou, hoe het kind in haar reeds leefde.

Daar ik in de mens en het leven geloof, heb ik tot nog toe in mijn verhaal, naast mijn sombere ervaringen, nooit de meer zonnige kanten verzwegen, moge men dan ook vaak een ingehouden snik vermoeden, waar ik een glimlach veinsde. Maar mijn verlangen naar waarheid, hoe betrekkelijk de menselijke waarheid ook, verbiedt mij ditmaal als een schilder het licht naast het donker uit te spelen, opdat harmonie zou heersen in het tafereel. Misschien kwam de duisternis slechts, opdat het volledig licht zou worden in mij, doch duisternis was het, ofschoon ik getracht heb er doorheen te schrijden met opgeheven hoofd, zoals het een man betaamt.

Na zijn terugkeer uit Kanaän, gebruind door de zon en de wind der woestijnen, dynamischer en zelfbewuster dan ooit tevoren, was Jozefs verblijf in Thebe slechts van korte duur. Spoedig voer hij af naar Achetaton, de nieuwe hoofdstad in het noorden, tot wier opbouw als een grootse hulde aan de enige godheid de farao jaren geleden het bevel had gegeven, en die thans haar voltooiing naderde. Reeds had een groot deel der hofhouding er in de nieuwe paleizen haar intrek genomen in afwachting van de komst van Ichnaton zelf, ofschoon eenieder wel raden kan, dat hij nooit komen zou. Er deden geruchten de ronde, dat adel en hoogwaardigheidsbekleders er hun dagen in lediggang en ontucht sleten, na gevlucht te zijn voor Imhoteps steeds driester morrend plebs. Niemand scheen ondertussen op de gedachte te komen, dat de onrust onder het volk verband kon houden met het staatsmonopolie, waardoor mijn broeder de graanverkoop geüsurpeerd had met het oog op de bevoorrading zijner legers, die hij uitrustte in het vooruitzicht van Egyptes machtsherstel in de afvallige nabuurlanden, dat hij als noodzakelijk beschouwde, zoals hij het in menige van zijn redevoeringen met geniale welsprekendheid placht uiteen te zetten. Toen hij bij zijn terugkeer uit Achetaton zijn intrede met een grimmig militair machtsvertoon liet gepaard gaan, — hij zelf reed vooraan in maarschalksuniform op een glanzende strijdwagen, met zes schimmels bespannen —, deed ras het gerucht de ronde, dat zijn verblijf te Achetaton verband hield met een bloedige opruiming van een duizendtal verraders des volks, voortijdig naar de nieuwe hoofdstad afgereisd om er, ver van het centrale gezag, het leventje uit de goede tijd weer op te nemen en door onverschilligheid of daadwerkelijke komplotten de nieuwe orde te ondermijnen. Jozef zelf zou tijdens een reusachtig proces, dat zonder ophouden dagen en nachten duurde, als aanklager en rechter tevens gezeteld hebben. Reizigers, die van ginds kwamen en des te gretiger geloofd werden naarmate hun verhalen vreselijker en bijgevolg des te opwindender klonken, verspreidden allerhande praatjes over afschuwelijk verminkte lijken, die naar het delta toe de Nijl afdreven. Ik wilde aan dergelijke geruchten geen geloof hechten, doch liet nochtans niet na mijn zorgen aan Thotmes toe te vertrouwen, die somber in het zand spuwde vooraleer te antwoorden: 'Ik vernam,' sprak hij grimmig, 'dat op een dagreis afstands van Achetaton op alle wegen grote borden werden aangebracht, die op straffe van dood alle reizigers de toegang tot de stad ontzeggen, daar er sedert enige tijd de pest zou woeden.' Het angstzweet brak mij uit en ik voelde mijn knieën beven: 'Het ware mij lief te weten,' stamelde ik, 'dat Jozefs verblijf aldaar inderdaad verband hield met de hygiënische maatregelen, die door dergelijke omstandigheden worden opgelegd!...' De beeldenmaker legde zijn arm troostvol om mijn schouder: 'Je gelooft het zelf niet,' zei hij, 'je broeder is er de man niet naar om zich nodeloos aan de kwaal bloot te stellen. Ik loochen geenszins zijn moed, integendeel, ofschoon de hem kenmerkende moed veeleer een soort van roekeloosheid in abstracto is. Zomin hij zich echter in Thebe nog zonder lijfwacht op weg zal begeven, zomin zal hij zijn kostbaar lichaam zonder enige noodzaak aan de zwarte dood prijsgeven. Die pestgeschiedenis is een fabel.' Versuft keek ik hem aan. 'Jij gelooft dus?... 'articuleerde ik moeizaam. Hij knikte. 'Sombere berichten kan je rustig altijd geloven,' antwoordde hij fatalistisch, 'het zijn alleen de blijde geruchten, waaraan je in de laatste tijd maar best geen geloof hecht.' Opeens wild en hulpeloos, in de kinderlijke aandrift hem zijn eigen woorden te horen loochenen, greep ik hem bij zijn ruw handwerkerskleed, dat hij steeds geweigerd had af te leggen: 'Je liegt!' riep ik schor en onbeheerst, 'je mag hem niet, je behoort tot zijn vijanden, zeg godverdomme, dat je gelogen hebt!' Mijn handen losten onder de tang van zijn enorme greep, wat mij tot bezinning bracht. Ik keek beschaamd in zijn trouwhartige ogen. 'Hij is mijn broeder,' hijgde ik. Hij glimlachte: 'Ik weet het,' zei hij rustig, 'ik die je ken, zoals ik mezelf ken, weet hoe zwaar het je valt. Maar je bent een man. Je moet manmoedig de waarheid onder ogen zien.' Hij veegde een zandstenen blok schoon. 'Ga zitten en beheers je. Ik hoef je niets te verzwijgen. Wat ik vooropzette als een voorzichtig vermoeden is, helaas, een zekerheid.' 'Van wie weet je het?' vroeg ik verslagen, doch thans wars van zelfbegoocheling. 'Van Horemheb,' antwoordde hij, 'van Horemheb, die je broeder, zijn opzet ten spijt, als opperbevel-hebber niet helemaal aan de dijk kon zetten.' Mijn hoofd woog zwaar in mijn handen; de nakende geboorte van mijn kind vervulde mij met grenzeloze moedeloosheid.

De gebeurtenissen, waarvan gedurende de daaropvolgende dagen het ééns zo vrolijke Thebe getuige was, beschouwde ik als de proef op de som van Thotmes' onrustbarende onthullingen. Ik trachtte thans ie-dere nacht bij Tjenuna te zijn, ofschoon vóór de vierde volle maan de tijd geenszins drong. In het vredige landhuis, op de dichtbegroeide heuvelflank in het zicht der stad, doch niettemin verre van al de ellende dier dagen, kwam mijn gemoed telkenmale weer tot bedaren, of de majestatische schaduw van haar bloeiende vrouwelijkheid mij be-hoedde voor de verterende stralen van de zwarte zon, die sedert Jo-zefs jongste euveldaad aan mijn innerlijk firmament verrezen was. Nooit had ik geweten, dat een vrouw ons zo tot rust kon stemmen en in een stilzwijgend begrijpen eerbiedigde ik haar lichaam. Ik wil mij niet beter voordoen dan ik ben en beken, dat soms de stem van het vlees de rust verstoorde en luid in mij riep, vooral wanneer ik mij on-ze wilde nachten van in den beginne voor de geest riep, wanneer niets ons nog overbleef van de schaamte, uit verre tijden van geslacht op geslacht overgeleverd, tot zij een schijnbaar onafscheidelijke schaal omheen ons wezen wordt, die slechts door een grote verdorvenheid of in sommige gevallen door een grenzeloze liefde kan doorbroken worden.

Tjenuna ademde rustig aan mijn zijde, doch ik kon die nacht de slaap niet vinden. Ik verliet het bed en ging tot bij het venster, waar ik hoopte, dat de nachtlucht mij tot kalmte zou nopen, toen de gloed van een felle brand aan de overzijde van het water, die ik bij benade-ring in het stadscentrum situeerde, opnieuw in mij de dagelijkse angst tot leven wekte. 's Anderendaagsmorgens vernam ik, dat de hand-langers van Imhotep de grote Atontempel in lichtelaaie gezet hadden, zulks met behulp van de geheimzinnige brandbare aardolie, die in Babylonië uit de bodem opwelt en waarvan Jozef (ik herinner mij, hoe hoog hij hierover destijds van de toren blies) ten koste van gro-te inspanningen enorme voorraden, opgeslagen in reusachtige hou-ten vaten, had doen aanleggen, wat hem in de gelegenheid stelde het tempo bij de vervaardiging van oorlogstuig in aanzienlijke mate op te drijven. Van de graankoopman Zenonfi, die enorme fortuinen verdiend had door de staat duizenden scheepsladingen minderwaardige tarwe te verkwanselen, was het, dat ik het vernam. Er is altijd iets zeer grappigs aan, als aartsbedriegers en doortrapte schurken ons hun ze-delijke verontwaardiging luchten. 'Waarom glimlach je?' vroeg hij ach-terdochtig, 'geloof je me soms niet?' 'Ik weet het niet,' antwoordde ik, 'zie jij het grauw van de straat, gelijk je het zo schilderachtig noemt, de streng bewaakte Atontempel binnen wandelen achter een paar vaten stinkende Babylonische aardolie aan?' 'Wat bedoel je?' vroeg hij eensklaps opgewekt, alsof hij mij (nog net als in de tijd van de eerste graanhausse) voor een orakel hield, dadelijk bereid er het zijne toe bij te dragen, om op een minimum van tijd de mening van die halfgare broer van de Hebreeuw in gans de hoofdstad mondgemeen te maken. Ik koos de wijste partij en haalde de schouders op. Maar ik was er zeker van, dat Jozef de hand in het spel had, ofschoon ieder redelijk bewijs mij daartoe ontbrak. Ik voelde mij gestijfd in deze onzalige overtuiging, toen die zelfde avond een reusachtige razzia op touw werd gezet, waarbij het Zwarte Corps zich meer dan ooit door bestialiteit en liederlijkheid onderscheidde, en honderden al dan niet vermeende aanhangers van Imhotep gearresteerd, op de schandelijkste wijze mishandeld en onmiddellijk daarna naar de heropvoedingskampen verwezen werden.

Het was een helse nacht, waarin straffeloos gemoord, geplunderd en geschoffeerd, en waarbij deze daden officieus bekrachtigd werden als heilzaam en noodzakelijk tot bevestiging van Jozefs opperste gezag. Ik wist nu definitief, dat er in Achetaton nooit van pest was sprake geweest. Men zocht vruchteloos naar Imhotep, die als de beruchte speld in de hooimijt verdwenen scheen, tot hij ten slotte op zekere nacht gevat werd tijdens een van zijn opruiende toespraken, ditmaal in één of andere vergeten hoek buiten de stadsmuren, in een buurt van krotwoningen, vuilnisbelten, kroegen, hoerenkasten van het laagste allooi en balseminrichtingen, waar vagebonden, landlopers, bedelaars, beurzensnijders en meisjes van het horizontale ambacht zijn auditorium vormden. Jozef maakte onmiddellijk een klacht aanhangig bij het opperste gerechtshof van Thebe, waardoor hij Imhotep er van betichtte brand in de Atontempel gesticht en derwijze heiligschennis gepleegd te hebben, terwijl hij hem bovendien van staatsgevaarlijke drijverijen beschuldigde. Van het proces heeft nooit iemand precies het fijne geweten. Niettemin vertrouwde Thotmes mij toe, dat de als getuigen gedagvaarde soldaten, die dagelijks bij de Atontempel de wacht betrokken en rechtstreeks onder Horemhebs bevel stonden, onder ede hadden verklaard, dat zij tijdens de uren, die de brand waren voorafgegaan, niets ongewoons bemerkt hadden, behoudens een vrij groot detachement. Z.C.-lui die echter een door Jozef getekende vrijgeleide hadden getoond en beweerden, dat de door hen meegedragen kruiken reukoffers bevatten. De onderofficier, die het bevel over de tempelwacht voerde, had zulks weliswaar vreemd gevonden, doch zijn vertrouwen in het zegel van de kanselier gesteld. Deze getuigenis moet als een donderslag uit een heldere hemel gevallen zijn, wat Imhotep, nadat hij al de tegen hem geuite beschuldigingen weerlegd had, tot driestheid en bitter sarcasme dreef, waarbij hij het hof met geselende welsprekendheid verweet uit de misleide dienstknechten van een politiek avonturier en een hooggeplaatst brandstichter samengesteld te zijn. Niettegenstaande deze ophefmakende brutaliteiten, werd hij, wat de brand in de tempel betrof, op een minimum van tijd vrijgesproken, doch ingevolge zijn staatsgevaarlijke drijverijen tot levenslange verbanning uit de hoofdstad veroordeeld. Men bleek inmiddels toevallig de ware schuldige bij de kraag gevat te hebben: een slungelachtige jongeman van het platteland met een waterhoofd op een dunne, insectachtige hals, Sebknofure genaamd, die op eenieder de indruk maakte suf geranseld te zijn en al de hem gestelde vragen als een slaapwandelaar bevestigend beantwoordde, wat hem, insgelijks op een minimum van tijd, het leven kostte, nadat hij, zonder ogenschijnlijk uit zijn verdoving te ontwaken, met een kruisje het document ondertekend had, waarop al de namen van zijn zogenaamde handlangers voorkwamen, wat er de oorzaak van was, dat het ganse Z.C. de daaropvolgende nacht voor de tweede maal op enkele dagen tijds uitrukte. Sebknofure zelf werd met veel misbaar en militair vertoon opgeknoopt, waarna men zijn lijk in de woestijn de roofvogels prijsgaf. Niemand heeft ooit geweten, wie hij was of van waar hij kwam, ofschoon door sommigen fluisterend beweerd werd, dat hij destijds tot de eersten onder Jozefs aanhangers had behoord.

Nadat hij gehangen was werd het rustiger in Thebe. Niet voor lange tijd echter. Als om tegemoet te komen aan Jozefs innigste wens, was tijdens de afgelopen maanden de verhouding van Egypte tot zijn nabuurlanden en koloniën van weleer hopelozer dan ooit geworden. Aziru, een opstandige Aziatische vazal, had met zijn woeste horden alle Fenicische en Noordsyrische kuststeden bezet, op Smyrna en Byblos na. Ichnaton, die dermate oorlog en geweld verafschuwde, dat hij ten slotte roekeloos de ogen sloot voor de gevaren die het rijk bedreigden, had de noodkreten van Rid-Addi, de trouwe vorst van Byblos, onbeantwoord gelaten, zodat laatstgenoemde door Aziru, die met de krijgszuchtige Hetieten gemene zaak maakte, overrompeld werd.

Jarenlang had Jozef er zich moeten bij neerleggen, dat de farao (die zich nog steeds vastklampte aan zijn oude, ijdele droom van vrede en goedheid onder de mensen) het beheer over de buitenlandse aangelegenheden zelf in handen hield. Ten slotte echter, na maandenlang pramen, had de zieke monarch zijn toestemming verleend om de nodige maatregelen te treffen, teneinde het gevaar te keer te gaan. Een paar maanden volstonden mijn broeder, om het ontzaglijkste leger, dat het volk van Egypte ooit aanschouwd had, op de been te brengen, uitgerust en geoefend zoals nooit een leger te voren. Zulks leidde tot de openlijke breuk met Horemheb. Inplaats van hem, zoals het mij redelijk scheen, als opperbevelhebber aan het hoofd van zijn legioenen noordwaarts te zenden, had Jozef zelf het bevel op zich genomen en Horemheb het commando over de binnenlandse troepen opgedragen, wat de hooghartige officier tot in het merg van zijn wezen krenkte. Jozef was intelligent genoeg om te weten, dat hij derwijze een roekeloosheid beging, waarvan hem de gevolgen duur konden te staan komen. Ik wist echter ook, dat hij de grens bereikt had, waar de mens, verblind door ongelooflijke successen, roem en eerbewijzen, zijn gevoel voor de betrekkelijkheid der dingen verliest en tevens, zichzelf een god gelijk achtend, over leven of dood van zijn medeschepselen meent te beschikken.

Het was in de tijd, dat Jozef Aziru's legioenen tegemoet rukte, wanneer mij het bericht bereikte, dat de vorst in stervensnood verkeerde, zulks tengevolge van de kwaal, die sedert jaren reeds aan zijn zwakke longen vrat. Ofschoon sinds lange tijd het beeld van de vorst, in wie ik ééns al mijn hoop in een betere wereld gesteld had, in mijn geest door de dreigende gestalte van Jozef volkomen overschaduwd was geworden, greep een plotse paniek mij aan. Vervuld door een koortsachtige opgewondenheid begaf ik mij naar het paleis, waar mij zonder moeilijkheden toegang werd verleend, wat in dergelijke tragische omstandigheden misschien hieraan te wijten was, dat ik er mij samen met Thotmes aanmeldde, die insgelijks diep onder de indruk scheen te zijn, ofschoon hij er zich reeds sinds lang aan verwachtte, zoals hij mij op gedempte toon mededeelde.

De majordomus die ons plechtig, doch schijnbaar onberoerd voorging, leidde ons naar de vertrekken van de vorst en verleende ons ten slotte toegang tot een vrij kleine kamer, waarvan het venster, dat gans de achterwand besloeg, doorheen het geboomte uitzicht op de benedenstad verleende. Het werd mij vreemd te moede bij de gedachte, dat de koning hier gans eenzaam en verlaten lag, doch de aanblik van de stervende ontnam mij alle verdere lust tot dergelijke steriele beschouwingen.

Even kwam er een plotse glans in zijn grote, doffe ogen, die mij de indruk gaven het ruimste deel in beslag te nemen van zijn uitgemergeld gelaat dat thans, meer dan ooit, sprekende gelijkenis vertoonde met sommige beeltenissen, die Thotmes van hem vervaardigd had en wier aangrijpende expressie bleek toe te schrijven aan de overdrijving van sommige vormen, zoals het vluchtende voorhoofd en de lange kin.

Zijn stem was zwak en hees, doch er klonk niettemin vreugde uit op, wanneer hij ons, niet zonder enige inspanning, in het schemerduister van de vallende avond herkende. 'Broeders,' zei hij, 'broeders, het is goed, dat jullie gekomen bent. Het is, wie weet, misschien de laatste maal.' Wij antwoordden niet; de emotie schroefde mijn keel dicht en ik zag hoe een traan een grillige streep trok doorheen het witte stof, dat Thotmes' aangezicht bedekte daar hij haastig zijn werkplaats verlaten had. 'Het is zo ver, weet je,' vervolgde hij berustend, 'niemand kan er nog wat aan verhelpen.' 'U hebt rust nodig,' zei Thotmes, en zijn stem trilde, 'u moogt u niet nodeloos vermoeien.' 'Vermoeien of niet,' antwoordde hij, 'het heeft geen zin meer.' Een caverneuze hoestbui sneed zijn adem af en joeg spasmische schokken doorheen zijn frêle lichaam. Toen de crisis voorbij was, liep er een dun bloedstraaltje uit zijn mondhoek. Het leek wel, of het spreken thans minder inspanning vergde. 'Je ziet, mijn beste Thotmes, dat het niet lang meer duren kan. Waarom zou ik trouwens verder leven?' En bitter drong hij aan: 'Zeggen jullie mij, waarom ik verder leven zou?' Thotmes keek mij even van terzijde aan en antwoordde: 'Uw volk, mijn vorst, de toekomst van Egypte, het geloof in de enig ware God...' 'Inderdaad. Mijn geloof, mijn dromen, mijn zelfbegoochelingen. Weet dan, Thotmes en Benjamin, dat die met mij in het graf zullen dalen, dat ik arm en berooid zal sterven, armer en berooider dan de geringste onder de bedelaars aan de stadspoorten. En waren jullie beiden mij niet trouw gebleven, dan zou ik zeggen: eenzamer,' ('Eenzamer,' dacht ik bij me zelf, 'waarom is Nefertete, de koningin, niet hier?') Of de stervende mijn gedachten geraden had, vervolgde hij: 'Allen zijn ze van me afgevallen, horen jullie me, allen! Eerst hebben zij mijn God verzaakt, niet met woorden, doch in het diepst van hun gedachten in den beginne, van langsom aanstootgevender door hun gedrag.' Ik zei, om iets te zeggen: 'Slechts één heeft hieraan schuld, mijn vorst, slechts één. Ik ga ten gronde aan de gedachte, dat het mijn broeder is.' 'Jozef...' mompelde hij peinzend, 'Jozef, die ik Atons twee-de stedehouder noemde.' 'Hij draagt de geest van het geweld en de vernietiging in zich,' onderbrak ik. 'Ik zou regeren in liefde en schoon-heid, wars van alle geweld,' vervolgde de zieke, zonder op mijn woor-den acht te slaan, 'doch het bloed van tienduizenden onschuldigen be-vlekt mijn handen.' 'Jozef deed het,' sprak ik met aandrang. 'Hij maakte misbruik van uw goedheid, van uw ziekte wellicht en schond de geboden van Aton. Niets is gemakkelijker voor een man dan zijn wil aan een goed mens op te dringen. Hoe kan het an-ders, mijn vorst! Van in de aanvang is het zo geweest: u gaf uw vertrouwenslieden opdracht het volk door zachtheid en verdraagzaam-heid tot het geloof in de enige ware God te leiden. Het volstond hen echter op de geringste weerstand te stuiten om geweld te gebruiken. Ook hieraan hebt ge geen schuld. Slechts zij, die sterk zijn, als gij zelf, kunnen zich boven het geweld verheffen.' 'Zeg dat niet, Benjamin, zeg het niet, nu ik tot klaarheid met me zelf ben gekomen, hoe bitter deze klaarheid ook moge zijn! *Ik* ben de grote plichtige geweest voor al de rampspoeden, die mijn volk treffen. Mijn hart heb ik het zwijgen opgelegd door de begoocheling, dat mijn roeping de meditaite was en de poëzie, terwijl ik mij aan mijn verantwoordelijkheid ont-trok en rustig de daad aan Jozef overliet. Ik heb gezondigd door de gedachte van de daad te scheiden. Ofschoon mijn verlangen zich nog uitsluitend tot God richtte heb ik, precies hierdoor, in de bestendige zonde van de gedachte geleefd.' Weer hijgde hij zwaar en wij hoorden zijn adem ruw doorheen zijn keel en tussen zijn onregelmatige tanden schuren. 'Het is begonnen met de zonde van de hoogmoed, toen ik geloofde, dat mijn God, de door mij tot leven geroepen God, éénieders God kon zijn. Het was een leugen.' Zijn blik getuigde van een mateloze droefheid. Hij richtte zich op, steunend op zijn elleboog en vervolgde: 'Jullie moet ik het niet verzwijgen. Jullie hebben het vóór mij geweten, ofschoon jullie mij trouw bent gebleven en er nooit op gezinspeeld hebt.' Opnieuw hapte hij naar adem en terwijl ik zag, hoe het zweet bij stromen over zijn aangezicht gutste, zei hij langzaam en nadrukkelijk: 'God bestaat niet. Ik ben geheel bij mijn verstand en geef mij duidelijk rekenschap van mijn woorden: God bestaat niet en heeft nooit bestaan. Ons blijft zelfs niet ééns de troost, dat hij gestorven is aan het mateloze leed, dat hem door de hem zelf geschapen wereld berokkend werd. Ik heb er lang over nagedacht in ontelbare slapeloze nachten. Het is goed, dat God niet bestaat: het maakt alles veel eenvoudiger. En het is nu maar beter, dat ik doodga ook. De wereld zal aan mij afsterven, maar ook de eeuwigheid. Mijn leed en mijn wroeging zullen vergaan met mij, benevens de zekerheid, dat gans dit leven zonder enig doel is geweest. ('Ik moet iets zeggen,' dacht ik, 'ik moet iets zeggen.' Doch geen enkel woord leek mij geschikt als dam voor zijn wanhoop.) Maar voorlopig leef ik nog. Zolang ik de laatste rafels van mijn longen niet heb uitgebraakt, leef ik. Ik besta en weet: misschien is dat de grootste ellende van alle. Te bestaan en te weten.' Opnieuw kromp hij onder een hoestbui in elkaar en Thotmes boog zich over hem om hem te drinken te geven. 'Dank je,' hijgde hij, 'dank je, Thotmes en Benjamin. Jullie zijn de enigen, die mij ook in gedachten steeds trouw gebleven zijn, al was mijn God die van jullie niet.' 'Ook het volk is u trouw gebleven,' sprak ik op zachte toon, 'het volk zegent uw naam en weet, dat Jozef een usurpator is.' 'Ach ja, Jozef,' onderbrak hij mij, de blik op een bepaald punt, ergens héél ver gericht, 'Jozef, die ik mijn vertrouwen en mijn vriendschap schonk en die mij thans bericht laat geworden, dat het leger van Aziru tot de laatste man werd uitgeroeid... Bij mijn troonsbestijging verbood ik het bloedvergieten. Nooit heeft er in Egypte zoveel bloed gevloeid als tijdens mijn regering.' 'Niet gij mijn vorst,' zei ik, 'Jozef.' 'Jozef, altijd Jozef,' mompelde de farao, zonder dat enige wrok doorheen zijn woorden klonk, 'alles heeft hij mij ontnomen, weet je. Alles. Mijn geloof, mijn vertrouwen, mijn volk... En hebben jullie je niet afgevraagd, waarom de koningin niet hier is?' Er kwam een angstwekkende ijlte in mij, of eensklaps al het bloed uit mijn hoofd wegtrok. Ik dorst de stervende niet aan te kijken. Hij vervolgde mat: 'Ik geloof in niets meer. Daarom drijf ik roekeloos de spot met mijn koninklijke waardigheid. Ook mijn vrouw heeft hij mij ontnomen. Zij was de edelste en de trouwste, die ooit geboren werd, aldus stelde ik het mij tenminste voor. In de tijd, wanneer ik gezond was, heb ik mij nooit anders dan met haar en onze kinderen aan het volk vertoond. Het aanbad haar om haar eenvoud en haar schoonheid en zo alomvattend kwam onze liefde mij voor, dat zij voor mij het meest concrete en opperste bewijs voor Atons bestaan vertegenwoordigde. Maar toen hij, toen Jozef gekomen is, hoefde hij slechts de hand uit te steken... Nu verbaast het mij niet meer, vermits ik weet, dat blinde krachten zonder ziel de kosmos regeren. Nu ik ook weet, dat eenieder in eenzaamheid sterft. Waarom zou mij, verwaande dwaas, een ander lot beschoren zijn?' Hij worstelde zwaar en lang met een voor ons onzichtbare vijand: er scheen geen einde aan te komen en er was een grote angst in mij. Maar eensklaps opende de stervende met een schok de ogen, keek ons verdwaasd aan en greep mij bij mijn kleed: 'Het is niet waar,' fluisterde hij hees en gespannen. 'Het is niet waar. Jullie hadden niet naar me mogen luisteren. Het was een verraad. God is niet dood, horen jullie? God is niet dood...' Hij glimlachte wrang en sloeg hulpeloos de blik naar ons op: 'God is niet dood. Het is veel erger. *Wij* zijn dood voor God. Hij heeft de wereld geschapen uit de chaos, maar hierbij zichzelf niet vernietigd, zoals ik het vreesde. Daartoe is deze wereld niet belangrijk genoeg, weten jullie wel. Hij heeft zich gewoon van ons afgekeerd, misschien verdiept in een andere schepping, die meer belangstelling verdient, anders zouden het leed, de ellende, het verraad en de dood niet mogelijk zijn. Maar ze zijn mogelijk, alleen de genade is onmogelijk. Er is geen bestaan zonder God en dit bestaan is ellende. Hij heeft de mensen doodgewoon vergeten: mijn roeping, mijn geloof, — een maskerade, een gesprek met een uitgedoofde ster op honderdduizend lichtjaren afstands. Begrijpen jullie? Daarom is het goed, dat ik doodga. Het zou een troost voor me zijn, bij de armen in de gemeenschappelijke grafkuil geworpen, met hen vergeten te worden en langzaam eerst te rotten, dan uit te drogen en ten slotte te verpulveren: helemaal niets te worden.'

Hij zonk achterover en Thotmes legde de hand op mijn schouder. Ik merkte wel, dat hij sedert lang reeds wist. Hij keek me aan met de gestrekte wijsvinger dwars overheen zijn lippen. 'Hij slaapt,' fluisterde hij, 'we moesten nu maar gaan.' Ik voelde mij volkomen uitgehold: heb ik Ichnaton voor de laatste maal gezien? vroeg ik mij ontroostbaar af.

16

BLOED VAN MIJN BLOED...

Zo is Ichnaton gestorven. Ik was niet bij hem toen hij stierf. Achteraf heb ik gehoord, hoe zij met zijn vieren rondom hem geschaard stonden in het laatste uur: de koningin, bleek en afwezig, als een slaapwandelaarster met te veel kleursel op lippen en oogleden, Jozef, stug en zwijgzaam, Thotmes en Horemheb, ingekeerd tot zichzelf en met doffe wanhoop in de ogen, die nochtans de berusting zeer nabij kwam. Van de beeldhouwer (en gedurende de daaropvolgende jaren, tot in het huidige uur, heeft deze gedachte mij gelukkig gemaakt en zacht voor mijn medeschepselen), vernam ik nochtans, dat de vorst op het allerlaatst opeens heel rustig, of leed en ziekte geweken waren, de veel te grote ogen opgeslagen en met beheerste stem gezegd heeft: 'Het is goed, dat jullie er zijn. Ieder van jullie is een deel van mijn leven geweest. Misschien hebben wij, — ieder op de eigen manier —, wel allen gedaan, wat wij doen moésten. Eén ontbreekt er mij: Benjamin. Zeggen jullie Benjamin, dat...' 'Daarna had hij iets onverstaanbaars gemompeld. Thotmes stelde voor, dadelijk iemand naar mij toe te sturen, doch Jozef had deze mogelijkheid met een kille blik verworpen. Het was het moment niet, om herrie te hebben, daar de krachten van de stervende zienderogen afnamen. Een halfuur later gaf hij de geest, zonder nog weer tot bewustzijn te zijn gekomen.
'Het is afschuwelijk,' fluisterde ik ontzet, toen het nieuws mij bereikte. Die avond weende ik in Tjenuna's armen en haar vingers wandelden begrijpend doorheen mijn verwarde haren.
Verschrikkelijker gebeurtenissen waren ondertussen op til. Het begon, toen het kleine volk na de officiële afkondiging van het overlijden des konings, geleid door een sombere, collectieve paniekstemming, vóór het paleis samenstroomde, vervuld met een onheilspellende droefheid. Immers, reeds lange tijd deed het ditmaal ongegronde gerucht de ronde, dat de Jood de farao opgesloten had gehouden om hem van zijn onderhorigen te vervreemden en wie weet, waaraan thans Ichnatons dood toegeschreven werd? Ik kan mij voorstellen, hoe Jozef bij één der vensters moet gestaan hebben, bleek en met samengeknepen lippen, waaruit het bloed weggetrokken was, zonder zich evenwel door enige verwarring te laten overmeesteren. Een half uur, een uur heeft hij geduld geoefend, zeer scherp bewust van wat hij

doen zou, wanneer er aan zijn geduld een einde kwam. Ten slotte gaf hij de paleiswacht bevel uit te rukken. Aanvankelijk scheen er over de duizendkoppige menigte slechts een nerveuze rilling te trekken, als over de huid van een rund, wanneer het door dazen of ander nijdig gedierte belaagd wordt. En dan, opeens, brak de paniek los die van de aanvang af in de lucht had gehangen. Een ogenblik scheen het of de soldeniers teruggedrongen zouden worden: gedurende een korte tijd stagneerde de strijd, die vooralsnog geen strijd geworden was, doch toen rukten de soldaten voorgoed voorwaarts, terwijl er versterking opdaagde. Het gejouw stierf uit. De menigte, die aanvankelijk één samenhangend conglomeraat vormde, werd op een minimum van tijd uiteengejaagd. Enkele stoutmoedigen, die niet onmiddellijk de benen hadden genomen, werden gearresteerd. Op de enorme donkere bazaltvloer van het grote plein, waarover zich in de zonsondergang enorm en dreigend de schaduw van het paleis uitstrekte, lagen schamel en ver van elkander verspreid tien verminkte lijken die, op Jozefs uitdrukkelijk bevel, slechts verwijderd werden toen de nacht volledig ingetreden was.

Ik keek de man, die het mij vertelde (de andere dag wist trouwens eenieder in Thebe, wat er aan de hand was geweest), verbijsterd aan en trakteerde hem op een kruik bier, zonder zelf mee te drinken. Ik begreep niet. Steeds had ik gemeend Jozef te doorzien als glas en elk van zijn reacties te kunnen verklaren, zonder ze inmiddels goed te keuren. Doch ditmaal begreep ik niet. De menigte was voor het paleis samengestroomd wanneer zich de mare van Ichnatons dood als een lopend vuur verspreidde. Er was aanvankelijk niets gebeurd, had de man mij verzekerd, geen gejouw, geen provocatie. Na een poos zouden waarschijnlijk klaagliederen aangeheven zijn geworden, zoals het in dergelijke omstandigheden gebruikelijk is. Op dat ogenblik had Jozef de tot de tanden gewapende paleiswachters op de weerloze menigte losgelaten. Was het een wanhoopsdaad geweest? Ik vloekte binnensmonds, omdat ik er niet in slaagde te begrijpen. Of niet dorst te begrijpen?

Dergelijke gebeurtenissen vormden slechts de inzet tot de bewogen dagen, welke hierop volgden. Het leek wel of een donkere wolk dreigend over Thebe en over mijn leven neergestreken was, wat mijn zorgen om het kind, dat thans ieder ogenblik kon geboren worden, in aanzienlijke mate vergrootte. Ontpopte Jozef zich thans voorgoed in zijn ware gedaante, of was hij slechts als zo vele anderen ten prooi aan een radeloze angst, die geest en gemoed verduisterde en hem tot daden dreef, waarvoor hij niet meer ten volle verantwoordelijk was? Ach kom, neen, ik mag mijn hart met drogredenen niet het zwijgen opleggen. Ik vrees, helaas, dat hij, *alleen hij* wellicht, het hoofd niét verloor, doch bleef wie hij steeds geweest was: de man, die niets ontzag, wanneer het oprees op de weg naar de verwezenlijking van zijn sombere ambities.

Nauwelijks had men met de balseming van Ichnatons lichaam een aanvang gemaakt, of een vloedgolf van terreur spoelde over stad en land. In de armenwijken, waar vele aanhangers van Imhotep huisden, gingen de van langsom in grotere mate door Jozef uitgebouwde Zwarte-Corpsmilities als ontkluisterde roofdieren tekeer. Er werd gemoord en geplunderd en ééns zijn er na een dergelijke expeditie twintig huizenblokken in de vlammen opgegaan. De andere morgen kon men de bewoners met verdwaasde, door roet overdekte gezichten en verhakkelde kleren in het nog rokende puin zien scharrelen, op zoek naar de schamele resten van hun miserabel bezit, of naar wat er overblijven kon van een kind of een grijsaard, achtergelaten in de paniek.

Eens heb ik als deelnemer een incident meegemaakt, dat mij ook in den beginne, toen ik er zelf nog niet bij betrokken was, feller aangreep en dieper kwetste, dan mijn eigen ervaring het gedaan had tijdens die onzalige nacht waarin 'de Scharlaken Krokodil' afbrandde. Het was in één van die typische smalle Thebaanse straten, fel kronkelend en zeer lang, die twee drukke buurten van de stad met elkaar verbindt en waarin zich haast voortdurend een dichte menigte verdringt, aangelokt door de vele winkels, die een smal behuisd onderkomen vinden op het gelijkvloers van de oude, deels vervallen huizen. Het viel mij dadelijk op, dat de straat wemelde van uniformen, doch veel aandacht besteedde ik er niet aan, daar het nu éénmaal langzamerhand een uitzondering geworden was in Thebe nog mannen tussen de twintig en de veertig te ontmoeten, die niet in één of ander krijgshaftig maskaradepak rondlummelden.

Plots scheen er een tumult te ontstaan. Vooraleer ik er mij rekenschap van gaf, wat er aan de hand was, zag ik de uniformen samenklitten en hoorde ik het gekletter van getrokken zwaarden. Ik wist, dat het verstandiger ware geweest mij uit de voeten te maken, doch deze gedachte volstond om mij eensklaps weerbarstig te stemmen. Ik zag vele voorbijgangers de zijstraten invluchten, die toegang tot de vlak nabije achterbuurten verleenden, doch weigerde hun voorbeeld te volgen en begaf mij daarentegen vastbesloten in de richting van de samenscholing. De geüniformeerden verdrongen zich rondom een oud man, die zij sarden met scheldwoorden, schimpscheuten en prikken van hun korte zwaarden in zijn nette, doch tot op de draad versleten klederen. De hulpeloosheid in de blik van de grijsaard deed mijn hart onbeheerst bonzen, terwijl mijn knieën heftig trilden. 'Jullie hebben het recht niet,' hoorde ik de stakkerd met amechtige stem protesteren, 'ik heb nooit iemand wat in de weg gelegd en was steeds een trouw onderdaan, die de goden de gepaste eerbied betuigde.' 'De goden!' viel men hem spottend in de rede, 'de goden, je zegt het wèl! Je bent een aanhanger van het oude bijgeloof en daarom zullen wij je vel hebben!' Een afschuwelijk gejouw volgde op deze woorden. Ik drong naderbij, zonder aan enig gevaar te denken. Een kerel met de gestalte van een worstelaar trad met sarrende kalmte op de sukkelaar toe, hief zeer traag en demonstratief zijn vuist op en liet ze dan, met de kracht, voldoende om een os te vellen, op het gerimpelde gezicht van de weerloze neerkomen. Een ogenblik wankelde deze, doch slaagde er tot mijn verbazing in, op de been te blijven, zeer bleek en nog steeds waardig. Het duurde een korte poos vooraleer plots het bloed hem overvloedig uit mond en neus stroomde. 'Niet hard genoeg geslagen,' brulde er één, 'haal zijn buik open om te zien, wat voor stront hij in de darmen heeft!' 'Bij zo'n hongerlijder moet je niet veel verwachten,' gekscheerde er een ander, 'maar laten we in elk geval uitzoeken, hoe zulk een verschimmeld stuk landverrader er aan de binnenkant uitziet!' 'Waaraan heb ik het verdiend?' stamelde de grijsaard, 'laten jullie me gaan, nooit heb ik iemand wat tekort gedaan.' Het bloed dat thans zijn gezicht overdekte mengde zich met zijn tranen. Nog steeds hield de greep van weerzin en medelijden mijn ingewanden bevangen, doch ik beefde niet meer. Mijn stem klonk bevelend en hard: 'Hou er mee op,' zei ik, ongelooflijk rustig, 'hou er mee op. In naam van de koning, wiens lichaam nog boven de aarde vertoeft, hou er mee op!' Er viel een schier tastbare stilte. De belhamels hadden zich omgekeerd en letten niet meer op hun slachtoffer, dat tegen een smerige muur, waar honden en mensen hun gevoeg plachten te doen door de benen was gegaan. De voorvechter, een hoofd groter dan ik zelf, kwam op mij toe en greep mij op de hoogte van de borst bij de mantel. 'Waar bemoeit een smerige rotjood als jij zich mee?' vroeg hij langzaam en sarrend. De anderen hadden zich om ons heen geschaard en ik kon mij ongeveer voorstellen welk lot mij te wachten stond. Ik zei: 'Ik bemoei mij met de schoftenstreken van een bende weerzinwekkende stomme ezels, botmuilen en woestelingen, die niet waard zijn door de zon beschenen te worden. Ik bemoei er mij mee, omdat ieder fatsoenlijk mens er zich mee moet bemoeien, zelfs een rotjood als ik, ofschoon ik het betreur niet sterk genoeg te zijn om in mijn eentje jullie hersenloze drekschedels tegen elkaar tot puin te slaan.' De naam van Jozef wilde niet over mijn lippen: ik had deze magische formule, welke mij vroeger vaak uit benarde omstandigheden redde, onherroepelijk verworpen. 'Je hebt een verdomd grote bek,' zei de andere met half dicht geknepen ogen, 'weet je, wat wij doen met kereltjes als jij, die een te grote bek hebben?' Zijn hand klom langzaam op naar mijn keel en schroefde er zich dan plots omheen. Ik rochelde pijnlijk, — als een doodsreutel, flitste het mij door de geest. Deze macabere gedachte heeft wellicht in mij de twee reflexen wakker geroepen, waaraan ik mijn heil dankte. Bliksemsnel dreef ik mijn gestrekte wijsvingers in de ogen van de woesteling en stootte hem, kort en droog, de rechterknie in de onderbuik. Hij brulde als een gorilla en liet mij los, — doch de anderen wierpen zich op mij. Ik verweerde mij zo goed mogelijk, wat niet verhinderde, dat ik op enkele seconden tijds onder lag, met boven mij een kluwen van armen, hoofden en benen dat slechts ontward diende te worden, opdat ik mijn driestheid duur betalen zou. Toen gebeurde er een mirakel. Ik hoorde hoefgetrappel, alsmede rauw geschreeuwde bevelen. En plots lag ik alleen in het stof, dat mijn mond en ogen vulde. Na een poos ontwaarde ik vlakbij de poten der zenuwachtig trappelende paarden van een strijdwagen en opeens boog Horemheb zich over mij. Ik voelde mij als een schooljongen, op één of andere baldadigheid betrapt, doch de militair klapte mij bezorgd op de schouder en gaf een kort bevel, wat tot gevolg had, dat zijn bereden lijfwacht in een minimum van tijd mijn belagers uiteendreef, die ontgoocheld een eind verder post hadden gevat. De inmiddels uit haar schuilhoeken toegestroomde menigte juichte de opperbevelhebber luidkeels toe, doch hij sloeg er geen acht op. De lange teugels, welke hij nog steeds in de hand had, reikte hij een ondergeschikte en zond zijn gewapend gevolg door. Ik stelde opgelucht vast, dat de mishandelde grijsaard verdwenen was. Te voet vervolgden wij samen onze weg. 'Het was op het nippertje,' grijnsde hij. 'Ja,' antwoordde ik, 'het was nog net op het nippertje. Ze waren beslist van zins gehakt van me te maken.' 'Wat was er aan de hand?' 'Niet veel bijzonders,' zei ik, 'een bende van het Z.C. vergreep zich aan een oude man en ik kon het niet hebben. Daarom wilden ze gehakt van me maken.' Ik voelde, dat hij mij van terzijde aankeek. 'Het is niet de eerste maal, dat je soortgelijke heibel hebt, is het wel?' 'Neen,' gnuifde ik, 'het is niet de eerste maal.' 'Jij bent nochtans geen herrieschopper,' vervolgde hij nadenkend, 'waarom zoek je moeilijkheden? Je zoudt het heel goed kunnen hebben, als je geen moeilijkheden zocht!' 'Je hebt het bij het rechte eind,' antwoordde ik, 'ik ben helemaal geen herrieschopper. Liefst zou ik rustig bij mijn werk blijven, mij verdiepen in wijsgerige geschriften en de vrouw, die ik liefheb, aandachtig liefhebben. Maar verliest het niet alles zijn betekenis in een tijd als deze? Ik zoek geen moeilijkheden, doch waar ze als uit zichzelf oprijzen op mijn weg, beschouw ik ze als geheime bevelen, waarvan de ware zin mij nog vreemd is.' 'Ik wist, dat je niet als Jozef was,' mompelde de militair, 'maar ik hield je voor een wat maanzieke dromer.' 'Steeds heb ik de rechtvaardigheid liefgehad, Horemheb. Een tijdlang meende ik, dat de rechtvaardigen niet meer aarden kunnen in een wereld als de onze en dat zij weshalve al het afschuwelijks, waarvan zij de toeschouwers zijn, de rug moeten toe keren. Mettertijd heeft de ervaring het mij anders geleerd. De daad van de rechtvaardige kan vruchteloos zijn, doch nutteloos is zij nooit.' Nogmaals nam mijn gezel mij tersluiks op. 'En Jozef dan,' informeerde hij, 'wat is je houding tegenover hém?' 'Hij is mijn broeder,' zei ik rustig, 'jarenlang heb ik mij aan hem gekluisterd gevoeld, mèt hem verantwoordelijk voor elk van zijn daden. Nu niet meer. Ik heb mij van hem losgerukt, zoals twee bomen, uit één wortel gesproten door de tuinman van elkander kunnen worden gespleten. Zijn waarheid is volkomen de tegengestelde van de mijne. Ik haat hem zelfs niet. Hij is een verschijnsel. Een gevaarlijk en angstwekkend natuurverschijnsel, waaraan mijn hart geen deel heeft.' 'Je bent nog niet los van hem,' sprak Horemheb. 'Zo gauw komt een man als jij niet los van hem.' 'Misschien heb je gelijk,' antwoordde ik, 'doch zo er een daad bestaat, die mij van hem verlossen kan, noem ze mij dan.'

Hij reageerde niet. Zijn zwijgen prikkelde mijn nieuwsgierigheid: 'Waarom zeg je niets?' drong ik aan, 'en waar lopen wij eigenlijk heen?' Nog een poos bleef hij nadenkend zwijgen. Dan vroeg hij: 'Voel jij je werkelijk tot een dergelijke daad in staat?' Ik knikte vastberaden: 'Zolang er tenminste geen bloedvergieten van me gevergd wordt,' voegde ik er haastig aan toe. 'Bloedvergieten? Zo eenvoudig is het niet. Eenieder kan desnoods een sluipmoordenaar omkopen om zijn tegenstrever een mes in de rug te planten.' 'Inderdaad,' beaamde ik, 'zo eenvoudig kan het niet zijn.' Thotmes keek verbaasd op, toen wij met zijn beiden zijn werkplaats betraden en zond onmiddellijk zijn gezellen heen. 'Jullie hebben dus reeds gepraat?' vroeg hij. 'Voorlopig nog niet,' zei de militair, 'ik heb Benjamin ontmoet in omstandigheden, die er mij toe aanzetten de voorgenomen bijeenkomst te bespoedigen.' Wij namen plaats en het trof mij, dat Thotmes er voor de eerste maal in zijn leven niet aan dacht wijn voor de dag te halen. 'Wij kennen je als een oud vriend,' begon Horemheb, terwijl hij mij rustig, doch nadrukkelijk in het wit der ogen keek. 'Wij weten, wat we aan je hebben. Wie zoals jij de verleidingen het hoofd heeft geboden, is een man, ons vertrouwen waardig.' Ik glimlachte verlegen, met opwaarts gespreide handpalmen, wat er mij aan denken deed, dat het bloed van mijn volk zich niet verloochende. Ik voelde mij echter volledig op mijn gemak en antwoordde: 'Ik ben gelukkig, mijn vrienden, dat jullie de zaak aldus bekijken. Maar sla het niet al te hoog als een daad van offervaardigheid aan. Jozefs wereld is de mijne niet: hij heeft de macht, ik slechts het leven lief. Lof zou ik slechts verdienen, indien ik met een karakter als het mijne erin geslaagd ware, te worden als hij. Thans ben ik gewoon mij zelf trouw gebleven. Welke verdienste is eraan, je zelf te zijn?' 'Onderschat het niet,' zei de beeldhouwer dromerig, 'onderschat het niet.' Ik haalde de schouders op: 'Misschien is het de moeilijkste, doch tevens ook de gemakkelijkste oplossing, mijn vrienden. Maar vergeef me, ik geloof, dat het thans hierom niet gaat.' 'Neen,' trad Horemheb mij bij. 'Het gaat om Jozef.' Ik had het van de aanvang af geweten. 'Om Jozef,' vervolgde de militair, 'wiens bewind als een schaduw vol onheil over dit land getrokken is. Een tijdlang heb ik hem bewonderd, jullie weten het. Niet dat ik hem thans haat of wrokkig ben om de krenking, die hij mij deed ondergaan, toen hij zelf tegen Aziru optrok. Ik heb de rapporten over de strijd gelezen en erken, dat hij een groot strateeg is. Er staan andere belangen op het spel. Het was mogelijk hem te dulden, zolang de koning leefde. Thans is de koning dood. Wij mogen niet dulden dat een ander dan de rechtmatige opvolger de troon bestijge.' 'Een ander?' vroeg ik, hoogst verbaasd, doch met in mij een schielijke vrees, 'zou er dan sprake van zijn, dat Jozef?...' Beiden knikten. Mijn hart klopte heftig, doch als een duidelijk merkbaar fysiek verschijnsel voelde ik mijn ontroering wegebben en plaats maken voor een weldoende zekerheid. 'Het kàn, het mag niet gebeuren. Ieder van ons heeft wellicht zijn eigen redenen, waarom het verhinderd worden moet. Die van staatkundige en politieke aard laat ik over aan jou, Horemheb. Maar ik heb gezien, hoe in dit land, waar Ichnaton liefde, vrijheid en rechtvaardigheid wilde doen heersen, de liefde in de kiem gesmoord, de vrijheid aan banden gelegd en de rechtvaardigheid verkracht werd. Liefde, vrijheid, rechtvaardigheid: het zijn woorden, ik weet het, net zoals jullie het weten. Maar glimlachen jullie niet: ik heb gezien, hoe mensen op allerlei wijze mishandeld werden in naam van de vooruitgang en het vaderland. Ik heb de suffe, murw geranselde en verdwaasd grinnikende Sebknofure zien hangen als een hond, zonder dat hij begreep, wat er met hem gebeurde. Ik heb zien moorden en brandstichten en ik heb de armoe op het platteland en in de achterbuurten gezien. Ik heb gezien,' vervolgde ik zacht, want mijn eigen woorden deden mij pijn, 'hoe de God van Ichnaton verlaagd werd tot een idool van bekrompen nationalisme en geweldpleging. Ik heb dit alles gezien en misschien was het een zonde tegen de geest er met onbeweeglijke handen bij te zitten kijken! Maar ik heb het gezien en ik heb er onder geleden uitermate.' 'Je hebt gelijk,' sprak Horemheb, 'jouw argumenten zijn niet de mijne, of althans niet in dezelfde mate. Maar over de kern van de zaak zijn wij het eens. De troon van de jonge Tut-Anch-Aton moet beschermd worden. Hiertoe bestaat slechts één middel: Jozef zal verdwijnen.' Ik knikte, ofschoon ik toch een huivering niet bedwingen kon en onweerstaanbaar denken moest aan de gedrochtelijke tweeling op de kermis uit mijn kindertijd, terwijl ik mij ook herinnerde wat ik eens — was het eeuwen of slechts jaren geleden? — aan Rachel, onze moeder beloofd had. Ik beheerste mij en vroeg: 'Verdiepen wij ons hier in persoonlijke overwegingen, of beantwoordt jullie mening aan een bestaand plan, een...' 'Noem het gerust een komplot,' viel de militair mij in de rede. 'Thotmes heeft er mij van overtuigd, dat het een elementaire vorm van fatsoen was er met jou over te praten.' 'Dank je,' zei ik rustig, 'ik stel jullie vertrou-

wen op prijs. Maar hoe kan ik, die spijts alles Jozefs broeder ben...'
'Hieraan hebben wij gedacht,' zei de militair zakelijk. 'Precies hierom gaat het thans. Dit land kan zich de weelde van een revolutie niet
veroorloven. Weinig is er nodig, opdat Imhotep en de zijnen naar het
wapen van de opstand grijpen. Zo ons opzet kon voltrokken worden
zonder bloedvergieten en zonder grote deining onder het volk, zou
het landsbelang er in de hoogste mate door gebaat worden. Maar hoe
dan ook, goedschiks of kwaadschiks, Jozef moet verdwijnen.' 'Goedschiks?' mompelde ik op aarzelende toon, 'denken jullie dat...'
'Neen,' antwoordde Horemheb, 'wij koesteren geen illusies. Wij beiden, gesteund door een groep van Ichnatons getrouwen, zijn bereid
desnoods tot het bittere uiterste te gaan. Het leger is grotendeels op
onze hand. De kans op mislukking is gering, doch zo Imhoteps volgelingen in beweging komen, wordt een burgeroorlog onvermijdelijk.'
'Ik begrijp, welke rol jullie mij toebedelen,' zei ik. Thotmes keek me
opgelucht aan. 'Ik zal doen, wat jullie van me verwachten, ofschoon
ik, die Jozef ken sedert zijn prilste jeugd, mettertijd geleerd heb aan
mijn overredingskracht te twijfelen. Eén ding moeten jullie mij beloven. Wat er ook gebeure, gun Jozef een kans op levensbehoud.'
Horemheb knikte: 'Wij zullen verduldig zijn, als het ééns zover komt.'
Stilzwijgend drukten wij elkander de hand.

Dezelfde avond werd ik omstreeks schemertijd bij Jozef toegelaten.
Hij stond nabij het venster, de rug naar mij toegewend, wanneer ik
binnentrad, en keerde zich slechts om nadat ik opvallend gekucht
had. Hij was vermagerd, dacht ik bij me zelf, en zijn ogen lagen diep.
Hij keek me doordringend aan, maar ik onderging rustig zijn koortsige
blik. 'Neem plaats,' beval hij na een poos, of hij tot een ondergeschikte sprak. Ik sloeg er geen acht op. Stug vroeg hij: 'Wat moet
je?' 'Een duidelijke vraag, die je het recht op een duidelijk antwoord
verleent,' zei ik, 'de farao is dood. Wat ben je van zins te doen?' Hij
antwoordde niet en kneep de ogen achterdochtig halfdicht 'Gaat het
jou wat aan?' viel hij dan eensklaps ruw uit,' heb jij je ooit bekommerd om wat ik deed?' 'Meer dan je denkt,' antwoordde ik,
'maar je hoeft je er niet over op te winden. Ik wens alleen te weten,
hoe jij je de toekomst voorstelt.' Hij kwam dreigend naar mij toe,
doch ik week geen duimbreed van mijn plaats. Zijn aangezicht was
vlak bij het mijne. 'Wie heeft je hierheen gezonden?' knarsetandde
hij, 'en met welke bedoeling? 'Verwacht niet, dat ik meer zeggen zal,
dan ik kwijt wil,' zei ik, 'doch wel moet ik je vertellen, dat ik weet
welke de dwaasheid is, die je op het punt staat uit te halen.' Aan de
wijze waarop hij zijn rechterwenkbrauwboog optrok (een familie-
reflex bij die van ons), zag ik, dat hij schrok, ofschoon hij zich dadelijk weer beheerste. 'Je kletst,' snauwde hij, 'je kletst als een oud
wijf.' 'Vergis je niet, ik ken je onbegrensde ambities, je ongelooflij-

ke heerszucht en je gebrek aan verantwoordelijkheidsbesef, als het erop aankomt je roekeloze plannen te realiseren. Maar hoed je voor zelfverblinding, Jozef, en denk aan het oudvaderlandse spreekwoord van de kruik, die zo lang te water gaat, nou je weet wat ik bedoel. Ofschoon door jou met de rug tegen de muur gedrongen, zonder enige uitweg, was Ichnaton de band, die de meest uiteenlopende bevolkingsgroepen samenhield. Slechts weinigen nog namen zijn geloof ernstig op, — ook jij hebt het natuurlijk nooit ernstig opgenomen en ik kon me de weelde veroorloven afzijdig te blijven —, doch langzamerhand is men ervan bewust geworden, dat hij een goed mens was. Dat is veel, mijn beste Jozef. Nu is hij dood. Wat zal er gebeuren, nu hij dood is?' Hij grijnsde. 'Breek er je hoofd niet over. Alles zal gebeuren, zoals het gebeuren moet.' Ik zei: 'Zoals *jij* wenst, dat het gebeure?' Hij knikte: 'Alleen, zoals *ik* het wens. Heb je ooit iets weten gebeuren, dat niet met mijn wil overeenstemde?' 'Dat is waar,' sprak ik zacht, 'het maakt je roekeloos. Maar het kan je alles kosten.' 'Ik vrees niets of niemand. Nooit van mijn leven heb ik iets of iemand gevreesd. Nu minder dan ooit. Ik ben niet als jij. Ik weet, wat ik wil en wat ik wil, breng ik zelf tot stand.' Ik antwoordde agressief: 'Aan alles komt een grens. Jij bent de grens reeds voorbij. De rust is uit dit land geweken. Je horden moorden en molesteren op jouw bevel of met je stilzwijgende toestemming. Maar het geduld van dit volk is ten einde, hoor je me, het is ten einde. Je hebt Imhotep verbannen, omdat je hem niet dorst om te brengen en tevens wist, dat je hem niet aankon. Je hebt een halfgare stumperd in zijn plaats onschuldig laten opknopen. Je gezag berust op vrees en intimidatie. Je hebt de executies verduizendvoudigd en honderden gevangenissen laten bouwen: je noemde dat het oplossen van het vraagstuk der werkloosheid. Maar Imhoteps aanhangers zijn talloos en zij beseffen, *waarom* zij vroeg of laat naar de wapens zullen grijpen. Nog één schrede van jou en het is zover, onherroepelijk. Ik weet, dat je op het punt staat, die schrede te doen, daar je niet aan de verleiding van de lege troon kunt weerstaan!' Hij werd bleek en pakte mij bij de mantel beet. Ik schudde zijn handen van me af. Hij beheerste zich hierdoor onmiddellijk. 'Je bent verdomd goed ingelicht,' glimlachte hij, 'het zou me geweldig interesseren uit te vinden, van wie je dit alles weet.' 'Zonder enig belang,' antwoordde ik resoluut, 'wat voor mij belang heeft, is je onrechtstreekse bekentenis, ook al probeer je ze tot een grapje te verdraaien. Geef jij je er rekenschap van, wat er op het spel staat, zo je tot het uiterste gaat? Nooit heb ik mij met je zaken bemoeid. Ik keurde je beleid af en verafschuwde de wandaden, in jouw naam gepleegd. Meestal heb ik gezwegen. Aanvaard thans één raad van me: verzaak aan je plannen. Handhaaf de orde in dit land, tot de nieuwe vorst de staf ter hand genomen heeft en ga dan: als een man, in schoonheid.' Zijn gelaat bleef schijnbaar onbewogen, doch daar het nog steeds dicht bij het mijne was, zag ik de zenuwtrekkingen omheen zijn ogen en mond. Hij sprak traag en slepend, of hij ieder woord ruim de tijd wilde gunnen om tot mijn geest door te dringen: 'Je bent een stommeling, Benjamin. Eén wenk van mij en over een maand reeds zou niemand buiten je vriendenkring zich nog herinneren, dat er in Thebe ééns een Hebreeuw leefde, die jouw naam droeg. Ik zal dit ene woord vooralsnog niet uitspreken, omdat ik weet, dat ik van een zwakkeling als jij niets te duchten heb, ofschoon... Maar dàt wil ik je zeggen: ik zal geen schrede wijken, wat er ook gebeure. Ik weet, wat er mij te doen staat. Misschien zal er bloed vloeien, misschien zal gans deze stad en zullen ook de andere steden in de vlammen opgaan. Om het even. Ik zal doen, wat ik me voorgenomen heb, hoor je me? Van mijn welslagen ben ik overtuigd, doch moest ik falen, dan zal dit volk en gans dit land met mij ten gronde gaan.' Ik wist van tevoren, dat hij mij geen ander antwoord zou gegeven hebben, geen ander antwoord geven *kon*. Maar iets was er in mij, dat mij beval tegen de stroom op te blijven roeien. Ik zei: 'Het is waanzin. Er schort iets aan je gezonde inzicht van vroeger. Het is waanzin. Verzamel de broeders en keer in vrede terug naar Kanaän. Je roem is je daar voorafgegaan. Je zal er als een groot man ontvangen worden, die na de volbrachte taak naar het land der vaderen weerkeert om er te rusten op de geoogste lauweren. Vlucht, zo je niet smadelijk ten gronde wilt gaan. Ga, vooraleer het te laat is.' Hij, stug: 'Nooit, hoor je me, nooit! Zeg aan hen, die je gezonden hebben, dat het tijdverlies is. En jij, Benjamin, zult nog verbaasd staan over de kracht, die in mij is en je er van vergewissen, dat al het vorige kinderspel was.' Ik vroeg bedaard: 'Is het je laatste woord?' Hij keek mij hooghartig aan: 'Het laatste!' 'Je zult het zelf gewild hebben,' besloot ik moedeloos doch zonder zwakheid.

Een paar uur later, nog opgewonden en gans van streek, rekende ik af met de schipper, die mij op dit late uur naar de overzijde van de Nijl had geroeid. Ik ademde diep de geur van water en slib nabij de oever, als wilde ik derwijze de herinnering aan de stad, met al wat er broeide en gistte, met al haar leed, geweld en ongerechtigheid uit mijn hart verwijderen.

Het was een windstille avond met alleen de roep van het nachtelijke gevogelte in de bomen en daarboven, als een ranke boot, de omgekantelde maan in haar laatste kwartier, zo smal, dat men boven de dunne sikkel duidelijk het overige gedeelte van de duistere schijf kon zien. Naarmate ik dichter bij Tjenuna's huis kwam, voelde ik mij rustiger worden. Ik was een ander mens als ik het grind van het tuinpad opliep, dat knarste onder mijn sandalen. Ik klopte aan. Het duurde een ongewoon lange poos, vooraleer ik schreden hoorde en een mij volstrekt onbekende vrouw in de deuropening verscheen.

Meteen begreep ik, wat er aan de hand was. Het was een potig en kordaat wijf, die mij echter onmiddellijk vertrouwen inboezemde, toen zij mij vroeg: 'Wat moet jij, of is je naam soms Benjamin?' 'Mijn naam is inderdaad Benjamin. Maar wat heeft dit alles te betekenen? Jij lijkt mij helemaal geen kat om zonder handschoenen aan te pakken, weet je wel!' 'Als je Benjamin bent, kan je erin komen. Ik ben Tnahsit, Tnahsit de vroedvrouw.' Ik liep het mens zowat onder de voet om de trap op te stormen, doch zij greep mij nog net bijtijds bij de zoom van mijn mantel. 'Niet zo'n haast!' commandeerde zij, 'het mansvolk kan in dergelijke omstandigheden opperbest gemist worden. Wij, vrouwen, brengen het wel onder ons voor elkaar. Jij hebt vroeger je pret gehad. Nou loop jij netjes naar de keuken en zorgt voor warm water.' Ik droop af, eensklaps slap en overbodig. 'Er ligt voldoende hout gereed!' riep zij mij na van op de trap. Gedwee ging ik naar de keuken. Geluk en angst dongen in mijn hart om de bovenhand en ik had een slap gevoel in de knieën. Ik trachtte er mij gewetensvol van te overtuigen, dat het verstandig is in dergelijke omstandigheden precies te doen, wat er van je gevergd wordt. Wanneer het rijsthout vuur had gevat, stapelde ik langzaam en deskundig de houtblokken er overheen. Spoedig laaide de gloed onder de schoorsteenkap hoog op. De warmte deed mij goed. Ik luisterde aandachtig, of soms enig geluid tot mij doordrong, doch afgezien van het drukke over en weer geloop van Tnahsit, bleef alles rustig. 'Zij kreunt niet ééns,' dacht ik, 'zij houdt zich precies, zoals ik het mij voorgesteld heb.'

Het schonk mij moed en ten dele gerustgesteld ging ik water putten. Jozef, Horemheb en Thotmes waren ver, Thebe lag in een andere wereld. Boven mij stond een stralende hemel. 'Dit moest het enig ware in het leven zijn,' mijmerde ik, glimlachend in de duisternis. 'Een vrouw die baart en haar pijnen verbijt. Een man, die vuur heeft gemaakt en thans water put. Nietig onder de sterren. Er daaromheen de grote wereld, rustig ademend in de zomernacht onder de hemel, die welft als een glanzende stolp over water en land.' Ik ging naar binnen, hing de waterketel aan de haak en sleepte een zetel naderbij, daar het geen zin had naar boven te gaan: de dragonder zou mij prompt weer aan de deur zetten, je kon het zo op je vingers uittellen, ofschoon het dàt niet alleen was, waardoor ik mij liet weerhouden. Ik wist, hoe Tjenuna steeds haar kleine vrouwelijke ongesteldheden voor mij verborgen had en vooral dàn steeds een ontroerende ijver aan de dag legde, om er zo goed mogelijk uit te zien. Ik wist, dat zij er thans de voorkeur aan gaf, mij niet te tonen hoe de pijn haar lichaam verscheurde en misschien tijdelijk onherkenbaar maakte, haar lichaam dat tot dusver voor mij de bron van een zo groot geluk was geweest. Ik wachtte en in mijn geest trokken de beelden van onze liefde voorbij. Vooralsnog had er mij steeds iets gestoord in de gedachte, dat er een verband bestond tussen de roes van een zinnelijk beleefde liefde (de dans op het koord van een strak gespannen verlangen, dat tevens om voldoening en uitstel hunkert) en de mysterievolle gebeurtenis van de geboorte. Maar in de stilte, die genadig boven mijn spanning stond, zag ik ditmaal volledig het verband. Ik begreep, dat deze nacht niet alleen een nieuw begin, doch ook een voltooiing was, of in Tjenuna's lichaam al die maanden lang de liefdesdaad had nagehuiverd, om thans definitief in een subliem orgasme haar hoogtepunt te bereiken en wat ééns verrukking was in het ontwaken der verre krachten uit de binnen- landen van haar overheerlijke rijpheid tot leven om te zetten. Ik moest opnieuw aan de dode farao denken en hoe hij de eerste was geweest om de mens met menselijke maat te meten. In mijn plaats zou een ge- lovig man thans gebeden hebben. Ik had het bidden evenwel afgeleerd als de vergeten gewoonte van een oud en vermoeid geslacht. Ichnaton was gestorven met het verschrikkelijke besef, dat zijn God een God was zonder belangstelling voor de mensen. Mij ontroerde meer zijn wanhoop dan de gedachte, die er aanleiding toe gegeven had. Ik voel- de mij gelukkig om het besef dat er mensen zijn, die elkander kun- nen liefhebben: het maakte voor mij de goden overbodig. Aldus zou het voor mij blijven.

Tnahsit kwam de trap afdreunen, mij nauwelijks een blik waardig keurend, en verdween weer prompt met de loodzware waterketel, die zij als een speelgoeddemmer hanteerde, ofschoon ik er zelf behoor- lijk sjouwens aan had. Ik ging tot bij het venster. Helemaal in het oosten begonnen de sterren te tanen, slechts merkbaar voor hem, die zijn vrees het zwijgen oplegt door angstvallig het firmament af te speuren. Toen heb ik voor de eerste maal Tjenuna horen kreunen: het deed mij meer pijn, dan wanneer zij gewoon gegild had, zoals ik in de volksbuurten van Thebe soms barende vrouwen doorheen open- staande vensters had horen gillen, zonder dat de voorbijgangers hieraan veel aandacht besteedden. Ik kreeg het koud, of de spanning van mijn zenuwen al mijn lichaamsenergie opslorpte en ging bij het vuur mijn rug staan warmen, hulpeloos en met een nauwelijks be- dwingbare neiging tot klappertanden. Het steunen werd heftiger, thans afgewisseld door korte, frenetieke kreten, waarvan sommige mij door merg en been gingen. De vuisten hield ik zo heftig gebald, dat mijn vingernagels in mijn handpalmen drongen. Ik voelde het slechts, toen ik er mij opeens rekenschap van gaf, dat het boven mijn hoofd weer stil geworden was. Ik had geen begrip meer van de tijd en er was iets bedrieglijks in, dat het zo lang duurde vooraleer het voorgoed licht werd. 'Zou het kunnen, dat op sommige momen- ten voor één bepaald mens de tijd stilvalt, zonder dat de anderen er wat van merken?' vroeg ik mij af, ofschoon ik er niet in slaagde mij hierin verder te verdiepen.

Er werd een deur opengeworpen en met veel gestommel kwam Tnahsit met opgestroopte mouwen naar beneden, glanzend van zweet en knorrend van binnenpret. 'Nou,' zei ze, 'dat is weeral dik in orde!' Ik werd bleek en stamelde iets onsamenhangends. Zij klapte mij familiaar op de schouder. 'Ook voor de vader zijn nu de weeën voorbij en spreek mij niet over de vaders. Maar jij hebt je gedragen als een grote jongen, dàt moet ik je zeggen. En ga nou als de bliksem naar je zoon kijken. Ik kan het verder wel alleen af!' Het werd warm en zacht in mij. Vooraleer ik er goed had over nagedacht, zoende ik het mens, dat het klapte en stoof vierklauwens naar boven. Toch aarzelde ik voor de deur en tikte bescheiden aan, vooraleer binnen te gaan, of ik in dit uur niet meer alleen recht op Tjenuna had.

Zij lag rustig in het grote bed. Ik bemerkte, dat Tnahsit de kamer aan kant had gebracht en het ledikant van schone lakens voorzien. Zij glimlachte ietwat vermoeid. Dan lichtte zij de dekens aan haar zijde voorzichtig op, waar gelukzalig een handjevol mens sluimerde, de beide knuistjes tegen de mond aangedrukt. De slaap was minder vast, dan ik het mij voorgesteld had, want eensklaps opende het wezentje twee hazelnootbruine ogen en keek mij onderzoekend aan, enigszins verbaasd en kennelijk geconcentreerd, of het zich trachtte te herinneren, waar wij elkaar reeds vroeger gezien hadden. 'Hij heeft jouw neus en jouw mond,' zei Tjenuna en ofschoon ik er niet dadelijk volstrekt zeker van was, antwoordde ik: 'Maar al de rest is van jou.' Zij drukte het kind tegen zich aan om het de warmte van haar lichaam mede te delen en stopte het onder, zodat alleen het grappige hoofdje met de pientere hazelnootogen zichtbaar bleef.

De vensters stonden nu klaar uitgesneden in het vlak van de muren. Ik doofde de lamp. Het aanvankelijk grijs van de lucht ging leven tot diep purper en uitwaaierend rood en goud daarna. Dan spietste een schuin opwaartse zonnestraal langs de muur en rekte zich op verbazend korte tijd in een wentelende beweging tot op Tjenuna's hoofdkussen, waar hij moeder en kind omvatte. Ik was dankbaar om die eerste zonnestraal, die Tjenuna's donkere haren een teer aureool verleende. Zij sloeg haar lange wimpers naar me op en zei: 'Het is tijd om aan een naam voor het kind te denken, Benjamin. Zolang het geen naam heeft, lijkt het wel, of het nog niet helemaal geboren is.' 'Wij moesten het Meses noemen,' sprak ik nadenkend, 'niet Atenmeses, of Amenmeses volgens het nieuwe of het oude gebruik, wat een aanroeping der goden inhoudt. Wij zijn de goden voorbij, Tjenuna. Alleen maar Meses. Het lijkt mij een zinvolle naam voor een kind van mensen, die er naar gestreefd hebben de goden ontgroeid en vrij te zijn.' 'Het is een heel behoorlijke naam,' oordeelde Tjenuna, 'als jij het een goede naam vindt, vind ik het ook een goede naam.'

Ik hurkte neer naast het ledikant en lei voorzichtig mijn veel te grote handen omheen het warme hoofdje van mijn zoon en voelde ontroerd de bloedslag onder de tere huid. 'Luister nou goed,' zei ik, 'jij zal voortaan Meses heten. Later zal ik je nauwkeurig vertellen, waarom je moeder en je vader die naam voor je bedacht hebben. Draag hem met ere en word een vrij mens zonder haat, vooringenomenheid of vrees.' Mijn zoon antwoordde instemmend 'Grrr...' en alsof hiermee voor hem de zaak definitief afgehandeld was, sloot hij onmiddellijk daarna de ogen. Toen ik opkeek bleek ook Tjenuna ingesluimerd in het waas van een wonderlijke glimlach.

17

IMHOTEPS TERUGKEER

Drie dagen bleef ik bij Tjenuna en zelden week ik langer dan een uur van haar sponde, om een wandeling te maken in de omgeving, nu de tijd van de oogst aangebroken was en met de regelmaat van grote geometrische vlakken de graangewassen van de velden verdwenen. De boeren en hun volk arbeidden met tevreden volharding, meestal onwetend betreffende wat er in de stad gebeurde, want ééns temeer hadden de regeringsambtenaren hoge bedragen voor iedere schepel tarwe beloofd, wat op het platteland het gezag mijns broeders onder de bezittende klasse een populariteit verleende die het zelfs in zijn beste dagen nooit bij de bevolking der steden gekend had. Wel beleefden in den beginne de kleine luiden, voor hun voedselvoorziening op de boeren aangewezen, dezelfde ellende als het stedelijk pauperdom, doch door de bloei van de landbouw kwam men mettertijd handen te kort, zodat weldra onder de volksklasse de levensstandaard in de agrarische gewesten gelukkig afstak tegen de miserabele toestanden, die ik vanuit Thebe kende. Wanneer het mij overkwam, dat ik omstreeks de schafttijd met het boerenvolk een gesprek aanknoopte (er woonden gastvrije en vriendelijke mensen aan deze kant van het water), viel het mij nochtans telkenmale weer op, hoe weinig het wist van de gebeurtenissen buiten de eigen horizon, er zich overigens ook niet druk over maakte en nog steeds de oude goden trouw gebleven was, onverstoorbaar in de onaantastbare wentelgang der seizoenen, afgebakend door de getijden van de stroom. Ik benijdde deze onverstoorbaarheid, die niet de huiverige onrust kende van mijn zorgen om het tekort van de mens en de onvervulbaarheid zijner dromen, evenmin als mijn leed om dwang of geweld. En weer op weg naar vrouw en kind, terwijl de schemering inviel en als met doorzichtig en ontastbaar paars fluweel de velden toedekte, vatte ik bij herhaling het plan op mij van de wereld af te keren, een kleine boerendoening te kopen aan een door linden beschaduwde bocht van het slingerende pad, dat als een smal lint langsheen de jonkvrouwelijke rondingen van dit kleine stukje wereld kronkelde, haar naar mijn eigen smaak en inzicht te laten ombouwen en hier met hen, die mij lief en onmisbaar waren, rustig het einde mijner dagen af te wachten, onberoerd door wat er in de wereld wriemelde en gistte. Toen ik daarna weer bij Tjenuna's ledikant zat en zij het kind gevoed had, dat thans rustig sluimerde, praatten wij vaak op gedempte toon over deze toekomstdroom, die haar met een jonge-meisjesachtige voorpret vervulde.

De avond van de derde dag bereikte mij een boodschap van Horem-heb die, gekrabbeld op een strookje perkament, uit enkele voor der-den nietszeggende tekens bestond, doch zoals vroeger afgesproken betekende dat mijn aanwezigheid in het geheime hoofdkwartier van de opperbevelhebber, voorlopig in Thotmes' werkplaats onderge-bracht, dringend gewenst was.

Weemoedig nam ik afscheid van de vrouw, die thans voorgoed mijn vrouw geworden was en van mijn zoon, die in zijn slaap zacht voor zich uit tot de engelen glimlachte.

'Kijk niet zo donker, lieve Benjamin,' fluisterde Tjenuna tot afscheid aan mijn oor, 'en keer spoedig weer. Ik zal geen ogenblik ophouden aan je te denken. Laat die gedachte bestendig in je zijn en maak je inmiddels geen zorgen. Tnahsit, de vroedvrouw, wijkt geen schrede van me als je er niet bent. Zij heeft bovendien toegezegd hier voor-lopig in dienst te treden, wat mij met het oog op de kleine jongen een verstandige maatregel lijkt.' Zij zat thans reeds rechtop in bed met zorgvuldig gekapte haren en ik zag eensklaps dat zij mooier was dan ooit voorheen. Het schonk mij de onontbeerlijke moed tot het af-scheid; aandachtig kuste ik haar frisse lippen, waartussen ik on-deugend en vol beloften even haar tong voelde. Daarna legde ik nog mijn hand op het brooswarme schedeltje van het kind, als in een vreemde zegening, waarvan alleen ik zelf het magische geheim ken-de. Mijn hart liep over van vertedering. Toen ik voelde, dat het mij te machtig werd en er werkelijk tranen over mijn ogen trokken, zodat alles om mij heen scheen te beven achter een waas, glimlachte ik krampachtig en verliet met dichtgeklemde kaken haastig het vertrek. Ik getroostte mij nochtans de moeite om een vlijmscherp mes bij me te steken, dat ik ééns van een Hetiet gekocht had en dat vervaardigd was uit ijzer, een hier schier onbekend metaal, veel minder zacht dan brons en zo fel geslepen, dat ik het steeds buiten het bereik van Tjenuna of het personeel gehouden had. De veerpont stond op het punt af te varen. Ik kwam nog net op tijd om met een roekeloze sprong het dek te bereiken. Er waren slechts een paar passagiers aan boord, die hun onbehagen in verband met de spanning in de stad, waar de plicht hun riep, geenszins verborgen hielden. Zij vertelden mij, dat de terreur gedurende de laatste drie dagen aanzienlijk in kracht was toegenomen en de verwatenheid van Jozefs aanhangers geen grenzen meer kende.

Het was volop nacht wanneer de schuit aanlegde bij de houten stei-ger van het havenhoofd. Nauwelijks de kade betreden, voelde ik in-derdaad aan de bedrieglijke stilte van deze lauwe zomeravond, dat ik mij door die rust niet om de tuin mocht laten leiden. Kroegen en kaveten zaten stampvol, doch van de gewone behaaglijke rumoerigheid aan de waterkant met zijn geroep, gelach, gebral en dronkemansgetwist was er geen sprake; telkenmale ik voorbij een openstaand venster liep, verstierf iedere schijn van gesprek en werd er tersluiks naar buiten gegluurd, wie die late voorbijganger wel wezen mocht. Dat ik alvorens Thotmes' atelier te bereiken een kolonne Z.C.-lui passeerde, die tot een tros met ketenen aan elkander gekluisterde gevangenen met zich voerden, klaarblijkend zopas gearresteerd, verraste mij nauwelijks nog, ofschoon ik in het schijnsel der fakkels verschillende mij min of meer bekende gezichten meende te onderscheiden, zodat een heftig gevoel van schaamte, omdat ik vooralsnog een vrij man was, mij vervulde. Ik stak het erf voor de werkplaats van Thotmes over. Het verbaasde mij, dat er geen lichtschijnsel achter de vensters was, doch toen ik ingevolge het afgesproken teken driemaal aangeklopt had, werd prompt de deur door de beeldhouwer geopend. Hij en Horemheb hadden bij een oliepitje gezeten, met de zware gordijnen voor de vensters dichtgeschoven om niemands aandacht te trekken. Mijn beide vrienden waren niet alleen, doch hiervan gaf ik mij slechts rekenschap, toen mijn ogen aan het armoedige lichtje gewend waren en in staat om de menselijke gedaanten, in halve kring omheen de lamp geschaard, van Thotmes' levensgrote beelden te onderscheiden. Horemheb stelde mij voor: enkelen waren ambtenaren, die ik vroeger weleens ontmoet had, doch de anderen bleken meestal militairen van hoge rang te zijn, die de hielen tegen elkander klapten en even stram voorwaarts bogen, wanneer zij mij de hand drukten, wat mij het onbehaaglijke gevoel gaf, dat het nog steeds de broeder van Jozef, de Hebreeuw was, die zij op een dergelijke plechtige wijze begroetten. 'Het wordt nu de hoogste tijd,' sprak Horemheb, 'wij moeten voortmaken. Een week reeds is Imhotep weer in de stad, zijn uitwijzing ten spijt. Ik verwachtte hem, doch hij is vroeger gekomen dan ik hoopte. Het eenvoudigst ware geweest, hem onmiddellijk te laten inrekenen, want van het eerste uur af heb ik zijn verblijfplaats gekend en de agenten van mijn geheime dienst hebben ieder van zijn schreden gevolgd.' Ik lei zacht mijn hand op Horemhebs voorarm: 'Wist Jozef, dat...?' vroeg ik. 'Neen,' luidde het antwoord, 'Jozef wist het niet, ofschoon hij er zich vanzelfsprekend rekenschap van geeft, dat er iets roert onder de bevolking. Je broer heeft zich voorgenomen, dat deze nacht *zijn* nacht worden zal. Ik heb de documenten gezien, waarin het bevel gegeven wordt tot aanhouding van allen, die bekend staan als vijanden van het regime. Nochtans vermoed ik, dat er andere meer confidentiële lijsten bestaan of dat het Z.C. de vrije hand zal krijgen, zodat van dit ogenblik af, niemand zich nog veilig kan achten. Imhotep is sedert verleden week evenwel niet bij de pakken blijven zitten. Waarschijnlijk komt het neer op louter toeval, doch hoe dan ook, hij is Jozef vóór geweest. Ik bezit de mathematische zekerheid, dat thans precies over een uur de door hem zo lang reeds gepredikte volksopstand zal losbreken. Wij moeten de kracht vinden om rechtzinnig en met dapperheid de toestand te overschouwen. Wij hebben Imhotep steeds onderschat. Hij wekt de indruk van een kletsmajoor, doch hij is tevens een volksmenner en een man met grote politieke intuïtie.' 'Dus komen wij te laat?' imformeerde ik. 'Neen,' zei Horemheb, 'we komen precies op tijd. En ter zake nu,' vervolgde hij, zich op autoritaire toon tot de anderen richtend. 'Wanneer de vrijschutters van Imhotep in beweging komen zal het leger zich voorlopig van iedere tussenkomst onthouden. Het moet echter op een minimum van tijd de stadspoorten, de muren en de kade over gans haar lengte bezetten. Verder moet de Nijlvloot in alarmtoestand worden gehouden om onmiddellijk te landen, waar om het even ook. Wat er aan troepen overblijft wordt in een ruime kring omheen de stad gelegerd en zal verhinderen, dat aanhangers van Imhotep of Z.C.-formaties, geronseld op het platteland, de poorten naderden om hulp te bieden. Dat is voorlopig alles. Als ik jullie nodig heb, laat ik je roepen.' Het gezelschap rukte na een stram militair saluut zwijgend in. Wij bleven met zijn drieën achter en ledigden haastig een kruik, omdat Thotmes oordeelde, dat de eerste de beste revolutie geen reden was om dorst te lijden. Ik vroeg: 'En welke rol heb jij ons, Horemheb, in dit alles toebedacht?' 'Ik zelf moet mij terstond naar het hoofdkwartier begeven, dat ik even buiten de Nubische poort op de weg naar het Koningsdal heb laten installeren. Het is wenselijk, dat jullie daarentegen *in* de stad blijven. Natuurlijk heb ik er mijn vertrouwensmannen, die mij zakelijk zullen berichten wat er gebeurt. Een nauwgezet verslag is evenwel niet alles: ik acht het vooral dringend nodig, dat ik op de hoogte blijf van allerhande subtiliteiten, die de gewone spion ontgaan. Het is mogelijk, dat op een gegeven ogenblik dergelijke subtiliteiten mijn besluiten zullen bepalen. Daarom vraag ik jullie: blijft in de stad, begeeft je onder het volk en in het gevecht desnoods, houdt oren en ogen goed open, maar let op je vel en komt mij op tijd en stond rapport uitbrengen. De wacht bij de poort zal bevel krijgen jullie op elk uur van de dag of de nacht door te laten. Het wachtwoord is 'Zon van Aton'.' 'Ik vind het een belangrijke opdracht,' zei ik. 'Op mij kan je rekenen. Toekijken is voor mij trouwens het ideaal van een opdracht,' voegde ik er ironisch glimlachend aan toe. 'Heel mijn leven lang heb ik niet anders gedaan dan toegekeken.' Horemheb sloeg niet veel aandacht op deze overweging: 'Afgesproken dan,' besloot hij, 'de tijd is aangebroken. Ik reken op jullie. En haalt geen dwaasheden uit.'

Korte tijd nadien hoorden wij de hoefslag van zijn draver uitsterven tussen huizen en geboomte. Ik keek Thotmes aan en zei somber:

'Het geweld, alweer het geweld. En ik in dit geweld betrokken. Wat blijft er ons over om voortaan in te geloven?' 'Wij hadden het ons allen anders voorgesteld,' antwoordde de beeldhouwer troostend. 'Zelfs Horemheb had het zich anders voorgesteld, ofschoon het geweld tot zijn ambacht behoort. Hij rekende op een korte paleisrevolutie zonder bloedvergieten, met het leger als een aanwezigheid op de achtergrond om onze argumenten kracht bij te zetten. Het heeft niet mogen zijn. Laat dus Jozef en Imhotep elkander verscheuren, terwijl Horemheb op zijn dooie gemak de strop om beider nek dichthaalt. Het lijkt mij de meest geschikte oplossing, ofschoon ik niet uit het oog verlies, dat Jozef je broeder is.' 'Herinner er mij niet aan,' zei ik triest, 'en laten wij hem smeren. Het kan nu nog slechts enkele ogenblikken duren, vooraleer de poppen aan het dansen gaan.' 'In orde,' antwoordde de beeldhouwer. 'Maar het lijkt mij niet veilig, dat jij de straat op trekt in je Hebreeuws kleed. Ik zal je de kiel van één mijner leerlingen lenen, dan zie je er zowat uit als een metselaar of een grondwerker.' Een minuut nadien zag ik er inderdaad als een schamel handwerksman uit, die zich nooit ernstige zorgen in de staatkunde of dergelijke hoge aangelegenheden gemaakt had.

Nog steeds heerste er in de straten diezelfde bedrieglijke kalmte van daarstraks. Ogenschijnlijk leek het wel, of wij uitgingen om doodgewoon een avondluchtje te scheppen. Nooit was in mij de behoefte tot vrede en rust zo groot geweest, vrede in mijn hart en rust om mij heen, als juist deze avond. Ik trachtte mij voor te stellen, hoe Tjenuna op dit uur zou sluimeren met de wieg van het kind binnen het bereik van haar hand. Toevallig leidde onze weg langs 'de Nijlnimf'; alsof wij het zo afgesproken hadden, liepen wij er binnen. Gelukkig kende het personeel ons beiden, zodat er ook ditmaal aan ons eenvoudige plunje geen aanstoot werd genomen. Wij vonden een plaats op de bovengalerij, waar wij de ganse zaak konden overschouwen. Alles was hier als op andere avonden. Het orkest speelde opgewekte modedeuntjes. Nog steeds dezelfde elegante vrouwen vertoefden er in het gezelschap van dezelfde opgeblazen en doorgaans oudere mannen, opvallend zeker van hun stuk en royaal met hun fooien. 'Als zij wisten,' fluisterde ik tot mijn gezel, 'als zij wisten, wat er boven hun vermaledijde hoofd hangt...' De beeldenmaker haalde de schouders op. 'Burgers,' antwoordde hij, 'burgers en door de wol geverfd. De bourgeoisie is de enige klasse, die zich tot het einde der dagen zal handhaven. Zij heeft geen oordeel, doch alleen vooroordelen, geen ruggegraat, doch alleen een geldbuidel en elk bewind is voor haar het goede bewind op voorwaarde dat het de orde handhaaft en het geld verdienen niet in de weg staat. Zij aanvaardde Jozef, zij zal Tut-Anch-Aton en Horemheb aanvaarden en indien het bijgeval Imhotep moest zijn, zou zij hèm accepteren, omdat zij weet, dat het gezag mettertijd ook van hem één der hunnen zou maken. Het kan haar enige opstoppers bezorgen en, om concreet te zijn, de twijfelachtige eerbaarheid misschien van enige onder de hier aanwezige dames, benevens een gekloven schedel links en rechts, doch zij weet de klappen op te vangen om zich daarna des te levenskrachtiger weer op te richten. Onthou wat ik je zeg. Maar stil. Hoor je het ook? Wat is er aan de hand?' Buiten klonk rumoer en wij zagen, hoe het personeel zich tegen de deuren schrap zette. Vruchteloos trouwens, want onder een onzichtbare stormloop moesten zij het weldra opgeven en langs drie, vier kanten tegelijk verschenen de aanhangers van Imhotep ten tonele, op de meest uiteenlopende wijze gewapend. Ik verwachtte mij aan een gewelddadige stormloop met gillende vrouwen, die men de kleren van het lichaam rukte, mannen in doodsreutel en grote plassen bloed op de keurig gewreven dansvloer. Aanvankelijk gebeurde er echter niets. De opstandelingen (het typisch kantjesvolk, dat mij steeds een instinctieve sympathie had ingeboezemd) stonden ietwat beduusd met de ogen te knipperen tegen het verblindende licht en hielden geen rekening met de ophitsende kreten, die uit de aan het oog onttrokken achterhoede weerklonken.

Wat er in het binnenste van de verbruikers omging, kon ik zo dadelijk niet diagnosticeren. De algemene indruk scheen er hoofdzakelijk een van een wederzijdse gêne te zijn, waarbij de klanten zich hoofdzakelijk bleken te ergeren aan de stoornis in het hun bij rechte toekomende vermaak. Thotmes knorde boosaardig. 'De lafbekken,' zei hij, 'jaren lijden zij honger en gaan gebukt onder de kwalen van hun armoe. Maar nu het er op aankomt een daad te stellen, de enig consequente daad, nu aarzelen zij!'

Het gedrang in de achterste rangen had echter niet opgehouden en het ogenblik scheen nu wel gekomen, waarop de voorste tot de aanval zouden moeten overgaan. Schoorvoetend kwamen zij naderbij. Toen had de leider van het strijkje een grandioze inval. Ik zag hem iets tot zijn musici fluisteren, zijn hand ging omhoog en plechtig weerklonken de eerste akkoorden van het strijdlied van Imhoteps revolutionaire partij:

> *Gij allen, die verworpen zijt, onterfd en geknecht,*
> *Het uur is thans geslagen, het volk pleegt nu recht!*

Thotmes schaterde woest, doch niemand lette op hem. De koopman Schabaka rees op in al zijn doorvoede majesteit, trad de opstandelingen tegemoet en omhelsde demonstratief de vermoedelijke aanvoerder, terwijl hij het personeel een wenk gaf, waarop het als afgesproken met een vervaarlijk aantal kruiken kwam aanstevenen. Het gebeurde alles zo snel, dat ik nauwelijks mijn ogen geloven kon; er verliepen amper enkele seconden, vooraleer zowat het ganse gezelschap geestdriftig het lied van de opstand zong. Thotmes klapte op zijn dijen van uitbundige pret. Jonge mondaine vrouwen zoenden gore ongeschoren kerels, deden ze plaats nemen in de diepe zetels en kropen bij hen op schoot, terwijl eerbare kooplui, hoge ambtenaars en magistraten zeer gauw intiem waren met de meiskes van het klassieke ambacht, wie de opstand onvermoede kansen bood. 'Wat heb ik je gezegd?' grijnsde Thotmes vergenoegd. 'En je hebt niet ééns lang op het bewijsmateriaal moeten wachten. Maar laten we opstappen. Het zou wel bijzonder toevallig zijn, moest het er overal op dezelfde broederlijke en zusterlijke wijze toegaan!'

Bij het verlaten van 'de Nijlnimf' kwamen wij in een groot tumult terecht. Een dichte, opgewonden menigte schoof langzaam voorbij en soms stagneerde de vloed, zodat kinderen en grijsaards onder de voet dreigden gelopen te worden. Wij raadpleegden elkander met de blik en namen plaats in de anonieme rijen, waaruit nu en dan het lied der revolutie opklonk en verwaaide op de avondwind, om plaats te maken voor brallerige verwensingen aan het adres mijns broeders. Eensklaps schenen de voorste rijen te aarzelen, ofschoon van de aanvang af de indruk mij had bekropen, dat deze grauwe, grommende en slecht ruikende massa geen begin of einde kende. Een afgrijselijk gejouw steeg op, ergens vóór ons. Dan kwam er een verwarde spasmische beweging in de menigte, of vloed en ebbe tegen elkander opbeukten. Met moeite hielden wij ons staande, slaagden erin ons tegen de huizen aan te dringen en hesen ons op een brede vensterbank. In het flakkeren der fakkels zagen wij aldus, hoe een groep van Jozefs aanhangers op het toestromende volk instormde, leeftijd noch geslacht ontzeind. Het werd een ongelijke strijd. De opstandelingen, tot een compacte hoop samengedrongen in de beslotenheid van de smalle straat, werd geen schijn van bewegingsmogelijkheid gelaten. Met van ontzetting opengespalkte ogen zag ik de stumperds vallen onder een haag van lansen, terwijl de Z.C.-lui de buitgemaakte fakkels brandend te midden van de menigte slingerden, waar het volk dermate was samengedrumd, dat er gewoon geen kans bestond ze van zich af te schudden, zodat weldra zich de stank van schroeiend hoofdhaar verspreidde en vrouwen wier kleren in lichtelaaie stonden, uitzinnig huilden van angst en pijn. Ik had mij aan een straatgevecht verwacht, doch met een gevecht had deze moordpartij niets gemeens; de enige inspanning, die alsnog van het Z.C. werd gevergd, was er voor te zorgen over de zich opstapelende lichamen heen te komen en de lansen niet zo ver in het vlees te drijven, dat zij er moeilijk terug uit te verwijderen waren. Voor het overige mondde de straat uit in een smalle trechter, zodat de Z.C.-ers slechts hoefden te wachten, tot er weer deining in de massa kwam en de nauwe doorgang de slachtoffers zó voor hun wapens uitspuwde. 'Machteloos,' zei ik met toegeknepen keel, 'dat we hier machteloos moeten toezien, hoe deze weerloze mensen als runderen worden afgeslacht.' Thotmes legde de hand op mijn schouder: 'Het is louter een toeval, wie van beide partijen uitgemoord wordt, weet je. Als het erop aankomt elkaar om zeep te helpen, is de ene de andere waard, geloof me!' Misselijk en slap leunde ik tegen het raamkozijn, met een plotse doch zich niet voltrekkende behoefte tot braken in me. Dan voelde ik plots Thotmes' hand zich om mijn pols sluiten en ik kreunde ingehouden. 'Kijk,' zei hij gespannen, 'je had het nooit verwacht.' Ik staarde verdwaasd vóór me uit, of ik nog slechts moeizaam begreep, wat er aan de hand was. Opnieuw was er stuwing in de achterste gelederen gekomen, zo heftig ditmaal, dat de menigte sneller voorwaarts gedreven werd dan de lansen van het Z.C. ze kon verwerken. Hoe grauw en amorf trouwens ook, een menigte als deze is nooit homogeen, zodat de Z.C.-lui, die eerst hun drift gekoeld hadden op een toevallige samentrossing van vrouwen, grijsaards en kinderen, thans eensklaps vóór zich een dichte rij breedgeschouderde havenarbeiders, sjouwers en voerlui zagen opdoemen, gewapend met allerhande gereedschappen, knotsen en zelfs riool- of kelderroosters, die zij met vereende krachten uit de grond gerukt hadden. Het deed de ongelijke strijd eensklaps keren. Jozefs aanhangers begingen de roekeloosheid een eind terug te wijken, waar de straat verbreedde tot een marktplein van behoorlijke afmetingen, zoals er vele in Thebe zijn. Op minder dan geen tijd was het vrij kleine detachement omsingeld. Ofschoon het onmiskenbaar van zins scheen te zijn zich tot de laatste man te verdedigen, werd de Z.C.-lui de kans tot een dergelijke heroïsche dood, de legendarische Horwesthothes waardig, ditmaal niet gegund. De tegenstrevers, die hen thans omringden en er in het licht der fakkels als enorme cyclopen uitzagen, hadden er nauwelijks moeite mee om de lansen uit de handen van de knapen te rukken (ik zag, hoe bitter jong zij nog waren, wat tevens hun wreedheid en hun roekeloosheid verklaarde) zoals men een kind een stuk speelgoed afneemt. Onder luid gejouw der kringsgewijs naderbij kolkende menigte werden hun handen op de rug gebonden, terwijl men kinderen met touwen in de bomen van het plein deed klimmen. Gauw bengelden de lichamen der gevangenen boven de hoofden van de juichende menigte, die echter de lijken opeiste en zich daarna slechts ten dele verspreidde doordat de belhamels, die de lichamen aan touwen mee sleepten door het stof, grote haast hadden om ze voor het koninklijk paleis te gaan deponeren.

Ik volgde Thotmes met een suf gevoel in het hoofd. De neiging tot braken had ik thans wel geheel overwonnen, doch mijn ogen deden pijn, of het grote loden ballen in mijn schedel waren, waar ik doorheen keek. Het werd van langsom drukker. Ik stelde mij voor, hoe het zijn zou, moest het zover komen, dat door enig toeval, onberekenbaar en onvoorzien, de ganse bevolking zich op hetzelfde moment op straat begeven zou (het lag voor de hand, dat even vele duizenden als er buitengekomen waren achter zorgvuldig gesloten blinden en in angstzweet badend de uren zaten af te tellen), en hoe honderdduizend-koppige menigten, ook zonder de bewogenheid van de opstand, in smalle straten, stegen en doodlopende gangen zouden opgestuwd worden als de golven der zee in de rotsinhammen van een steile kust, gelijk een bloedige, huilende springvloed van vlees en verwarde ledematen, tot de daken der huizen reikend. Thotmes wees in noordelijke richting, waar de hemel gloeide van een enorme brand, die de massa woeste en verrukte kreten ontlokte, ofschoon het van hieruit onmogelijk was, de plaats en het voorwerp van de ramp nauwgezet te bepalen.

De brede straat, aan beide zijden door palmen bezoomd, waardoorheen wij thans medegedrumd werden, behoorde tot de grote verkeersaders, die Jozef dwars doorheen de achterbuurten had laten trekken. Het leek wel of deze achterbuurten in een groteske kramp hun ingewanden ledigden. Ofschoon de duistere sloppen, waar de paupers van Thebe huisden, mij vaak hadden aangetrokken door hun schilderachtig karakter, begreep ik thans, dat ik van de eigenlijke bewoners ten slotte nooit veel meer dan een oppervlakkige glimp had opgevangen. Het was alsof zij, hun gebrek aan beschaving en hun ruwheid ten spijt, tot nog toe steeds een zekere pudeur aan de dag hadden gelegd door zich te onttrekken aan de blikken van hen, die zij haatten en benijdden. Beter dan ooit begreep ik, dat er in hun ogen steeds *zij* zelf en de *ànderen* waren geweest, de anderen die nooit honger leden en behoorlijk gekleed gingen, de anderen, wier kinderen niet als de vliegen stierven en wier dochters, nog voor zij de huwbare leeftijd bereikten, niet de straat op moesten. Thans echter hadden zij hun schroom afgeworpen en marcheerden op in dichte drommen, tot alles bereid en tot alles in staat, kreupelen, gebochelden en op allerhande wijzen mismaakten, waaronder sommigen gedrochtelijker dan de monsters waarvoor het volk op de kermissen zulk een ziekelijke belangstelling aan de dag legt. (Alleen aan elkaar gegroeide tweelingbroeders, die waren er niet bij, dacht ik grimmig). Er waren dwergen en kobolden met een volslagen idiote of een bloeddorstige grijns over het gelaat, dat er uitzag, of een reusachtige hand er de oorspronkelijke trekken van uitgewist, en het dan als een vod verfomfaaid had tot een verschrikkelijke grimas, er waren er, overdekt met de wonden en de korsten der melaatsheid, ofschoon er voor hen reeds sinds de tijd van Amenofis, Ichnatons vader, een edikt van afzondering en verwijdering uit de stad bestond, en dan waren er bovendien de meer alledaagse vergissingen der natuur: half lammen die op krukken wankelend voortsjokten, horrelvoeten, schuddebollende waterhoofden en anderen, die op gevaar af onder duizend ongeduldige voeten vermorzeld te worden, zich bij pozen met het schuim op de mond en spasmisch doorschokte ledematen in de goot lieten tollen, er bleven liggen tot hun hulpeloos gesticulerende gezellen zich ten slotte over hen ontfermden en hen op de schouders verder sjouwden, in de aangrijpende solidariteit die mij bij onterfden als dezen zo vaak had aangegrepen. Niet alleen voor het fysische gebrek, doch insgelijks voor elke andere tekortkoming was iedere mogelijke schaamte in het niet verzwonden en zo trokken ook de inwoners voorbij van buurten, wier namen in Thebe slechts fluisterend voor vaak onbegrijpende toehoorders genoemd werden: ik zag mannen, gekleed en opgemaakt als courtisanes aan lagerwal, die verliefd aan de armen van andere mannen voortsjouwden, soms struikelend over hun overvloedige rokken, terwijl er uit de massa ook vrouwen opdoemden, gekleed als fikse kerels, die brutaal de nabijheid van jonge meisjes zochten om haar te benaderen met obscene voorstellen, die een sjouwer zouden doen blozen. Het was een optocht van verloren zielen, ontsnapt uit het onderaardse schimmenrijk, waaraan sedert alle tijden en overal ter wereld het geloof onder het volk schijnt te hebben geheerst.

Een tijdlang reeds rook ik een vreemde lucht die, vermengd met de oeroude, schimmelige stank der achterbuurten, toegeschreven moest worden aan de brand, die wij nu genaderd waren. De grote opslagplaatsen voor het graan, destijds door Jozef gebouwd, stonden in lichtelaaie. Weldra konden wij het loeien der vlammen horen en zagen, vlakbij ditmaal, de gensters tegen het thans rode vlak van de trillende hemel torenhoog opspuiten, terwijl ook hier een verwoede strijd aan de gang was. Met tegenzin en niet bepaald op mijn gemak, volgde ik Thotmes die zich door zijn solide lichaamsgestalte naar voren wist te dringen, zodat wij, waar men terrasgewijze naar de benedenstad afdaalt, de verwarde strijd in het laaien van telkenmale nieuw aangestoken branden konden overschouwen van op het hoge bordes van een vervallen tempel. De geüniformeerden hadden vooralsnog de bovenhand en hakten verwoed in op de menigte, die hen uit de laagte trachtte te naderen. Zij waren met verschillende honderden, kwam het mij voor en goed geoefend, terwijl op het grote plein hun bewegingsvrijheid minder belemmerd werd dan in de nauwe stegen uit de buurt van 'de Nijlnimf'. Ik stel me voor, dat deze plaats, een behoorlijk deel van Thebe beheersend, doorging voor een sleutelpositie. Weldra bleek dat er onophoudelijk nieuwe versterkingen van het Z.C. werden aangevoerd. 'Jozef is de verrassing te boven,' mompelde Thotmes, met de hand nadrukkelijk om mijn elleboog, 'het zou mij niet verbazen, dat hij de toestand nog weer meester wordt. De tijd werkt tegen Imhotep. Het eerste uur van de revolutie is verspild geworden aan het inslaan van de ruiten, vuurtje stoken met het graan en allerhande nutteloze baldadigheden meer. Telkenmale weer schijnt men de Hebreeuw te onderschatten.' Ik waardeerde de passieloze commentaar van de beeldenmaker en de onthechte wijze, waarop hij van mijn broeder gewag maakte, ofschoon thans de gedachte aan de mogelijkheid ener bestendiging van Jozefs bewind mij heftiger dan ooit met paniek vervulde. Het respijt, Imhotep door Horemheb gelaten, zou een tijd van wraak en bloed zijn, ik wist het bij voorbaat, doch tienmaal erger dreigde het te worden, mocht Jozef er in slagen de volksopstand het hoofd te bieden. Zeer duidelijk kon ik mij voor ogen roepen, hoe hij met strakke mond de rapporten over de strijd zou aanhoren, schijnbaar onbewogen. Ik wist ook hoe bliksemsnel in dergelijke omstandigheden zijn brein werkte achter de geslotenheid van zijn keiharde blik. Reeds moest hij zich verraden weten, nu Horemheb zijn troepen kringsgewijs rond de stad gelegerd had en weigerde in te grijpen, doch tevens gaf ik er mij rekenschap van, dat hij niet zou aarzelen met zijn keurscharen (in wier hoofd sedert jaren werd gehamerd, dat de dood voor Jozef een schone dood was, iedere man waardig) de ongelijke strijd verder op te nemen met drieste verbetenheid en te vechten tot het bittere einde, met de laatste handvol aanhangers, die hem zou overblijven desnoods, al moest hiermee de volledige ondergang van de stad en van het rijk gepaard gaan. Het deed mij huiveren, hoewel ik het zweet langs mijn rug voelde gutsen en mijn kleed van ruw linnen aan mijn lichaam kleefde.

Inmiddels had het gevecht een plotse wending ten gunste van het Z.C. genomen; gesteund door de nieuw aangevoerde versterkingen waren Jozefs falanxen er in geslaagd de massa uiteen te drijven en zij hielden thans de toegang tot de nabije straten bezet. Gelukkig sloeg niemand acht op ons. Ook bij benadering kon ik het aantal gevallenen niet schatten, doch wel weet ik, dat in het halve duister het plein de vreemde aanblik van een slordig geploegde akker bood. Ik dacht met weemoed aan Ichnaton, die ééns het bloedvergieten verboden en de kracht der overreding boven het geweld gesteld had. Overal in de stad laaiden hemelhoge branden op, waaruit wij besloten, dat op andere plaatsen de opstandelingen de toestand beheersten. Wij begaven ons op weg naar de benedenstad. Als een onafwendbare natuurramp had de strijd zich van gans Thebe meester gemaakt. Weldra werd het ons duidelijk, dat Jozef zijn troepen spiraalvormig rondom het paleis geschaard had, zodat op het eerste gezicht hun aantal vrij gering scheen, doch hun alomtegenwoordigheid hen in staat stelde energiek de wisselende kansen van de strijd het hoofd te bieden. Opgekweekt in het fanatisme van Jozefs leiderschap, begingen zij echter vaak de fouten van dit fanatisme: belust op wraak, koelden zij hun haat op vrouwen en kinderen, die in de huizen waren achtergebleven, waarna zij met groot misbaar de lijken doorheen de vensters slingerden. Bij de menigte wekte dat een zo felle verontwaardiging op en veroorzaakte de uitbarsting van een zo lang gekoesterde razernij, dat zij met grotere roekeloosheid nog dan te voren tot de aanval overging. De opstandelingen sneuvelden bij hopen, doch hun aantal was groot en ook in het front van Jozefs keurscharen werden bloedige bressen geslagen. In het open veld, waar een gedisciplineerd leger als het Z.C. zich in slagorde had kunnen opstellen, waren de kansen van het volk wellicht gering geweest, doch in het straatgevecht, lijf aan lijf, is een koevoet, een smedershamer of desnoods een met zand gevulde meelzak een niet minder doeltreffend wapen dan een speer of een zwaard.

Langzamerhand en niet zonder het bestendige gevaar doorstoken of het hoofd ingeslagen te worden, waren wij tenslotte de Nubische poort genaderd. In dit deel van de stad heerste een volkomen rust, ofschoon ook hier het tumult van de strijd doordrong en de branden de straten in een schemerige klaarte hulden.

Wij spraken af, dat ik de eerste naar Horemheb zou gaan. De wachters aan de poort lieten mij onmiddellijk door, toen ik het wachtwoord noemde en nauwelijks een kwartier later meldde ik mij bij de opperbevelhebber aan. Hij bleek uitstekend op de hoogte van de toestand binnen de muren (ik merkte het aan de wijze, waarop hij mij ondervroeg), maar toch had ik de indruk, dat menige door mij medegedeelde bijzonderheid hem trof en tot diep en rustig nadenken aanzette. Té diep en té rustig kwam het mij voor, wanneer ik mij de barbaarse, meedogenloze slachting voor de geest riep. 'Je moet onmiddellijk aanvallen en de orde herstellen,' drong ik aan, 'of gans Thebe gaat ten gronde. Ook jij hebt toch de schoonste tijd van je leven in deze stad gesleten?' Hij antwoordde niet dadelijk en keek weemoedig voor zich uit, schijnbaar door herinneringen bekropen. Het duurde eigenlijk nauwelijks een oogwenk, doch net lang genoeg om mij te ontroeren. Dan werd zijn gelaat opnieuw hard. 'Er is niets aan te doen,' zei hij, 'het ware dwaasheid thans tussenbeide te komen. Ook het leger zou in dergelijke straatgevechten een minder goede beurt maken en trouwens, welke partij zou het moeten bestrijden? Laat ze elkaar vooralsnog op hun dooie gemak uitmoorden, het is de enige oplossing.' 'Er sterven vrouwen en kinderen,' drong ik aan, 'Jozefs aanhangers verdedigen zich met een fanatisme, dat elke beschrijving tart. Het is niet langer om aan te zien, Horemheb. Herstel thans de orde en ééns zal gans dit volk je eren als een god!' Hij kwam naderbij en lei zijn hand op mijn schouder: 'Dergelijke ambities koester ik niet, mijn beste Benjamin. Dit volk heeft genoeg gehad aan één god in mensengestalte. Of waren het er twee? Nog één eenmaal op zijn minst zullen wij er ons moeten in schikken, dat onschuldigen Jozefs driestheid met hun bloed betalen. Daarna zullen wij zien. Het is goed, dat er mensen zijn als jij, ofschoon ik anders ben. Ga nu. Je hebt mijn woord, dat ik niet langer wachten zal dan noodzakelijk om de tang dicht te knijpen. En als ik ze dichtknijp, zal het definitief zijn. Ga nu. Drink je een stuk in de kraag of kruip bij een wijfje in bed.' 'Bewijs me een dienst,' smeekte ik, 'en laat me naar de andere oever van de stroom roeien.' 'Goed, ik begrijp. Het kind, niet waar? Neem me het niet kwalijk van dat wijfje. 'Ja,' zei ik zacht, 'het kind en de moeder.' 'Wens haar geluk en zegen het kind in mijn naam. Als tenminste de zegen van een soldaat wat waard is. Ik stel een boot en een kleine lijfwacht tot je beschikking. Het ga je goed, Benjamin. En maak je er geen zorgen over. Beschouw je taak als volbracht!'

De rust op de stroom, met alleen het geplas van de riemen deed mij goed, ofschoon er een wilde geur van dood en verrotting uit het water scheen op te stijgen. Ik wendde het hoofd af van de gloed boven de stad, ademde diep en wist, dat het lange tijd zou duren vooraleer ik mijn evenwicht van vroeger weergevonden had. Toen ik aan wal gesprongen was, beval ik de soldaten terug te keren, of ik mij derwijze van het heden trachtte los te maken, vruchteloos trouwens, want verschillende beelden van de strijd lieten mij reeds sedert uren niet meer los.

Ik loop de weg op, die naar Tjenuna's huis leidt. Het is volslagen donker, doch ik weet het pad vertrouwd onder mijn voet en tracht me zelf voor te houden, dat alles wat er gebeurt mij niet meer aangaat. Opeens word ik een brandlucht gewaar.

Ik tracht er mij aanvankelijk van te overtuigen, dat het een reuk uit de stad is, die in mijn kleren bleef hangen. Toch verhaast ik mijn schreden. De brandlucht wordt feller. Ik snuif als een op hol geslagen paard.

Zonder te beseffen waarom, zet ik het op een lopen. Mijn hart slaat hoog in mijn keel en ik heb geen longen meer. Ik verlaat het pad om mij doorheen heesters en struikgewas een kortere weg naar huis te banen; ik scheur hierbij mijn kleren en schram aangezicht en handen tot bloedens toe.

Zo sta ik dan opeens voor het huis, als bevangen door een plotse koude koorts: het huis. Of wat er van overblijft althans, want mijn ogen zijn genoeg aan het duister gewend om de rokende puinhoop te herkennen, waar ééns de liefelijke woon van Tjenuna verrees. Ik zwijg, uren, zo dunkt het mij althans. Maar dan scheurt tegelijk uit borst en keel de kreet van volstrekte verwildering los, waarin ik zelf nauwelijks haar naam en mijn eigen stem herken. Vruchteloos: alleen de stilte beantwoordt mijn roep. Ik kom ademloos dichterbij en voel, dat mijn nekharen rechtop staan als bij een getergd dier: van het huis blijven nog alleen enkele muren over, die gloeiend heet zijn onder mijn hand. Eén er van stort eensklaps ineen met dof geraas; het komt niet in mij op, één schrede slechts te wijken; als door een wonder blijf ik gespaard. Ik weet, in zoverre nog van weten of denken sprake, dat het geen zin heeft hier langer rond te dwalen. Een scherpe pijn in de nierstreek, waaronder mijn rug in tweeën plooit, valt op mij. Nochtans begeef ik mij zwijmelend als een dronkeman op weg naar de woning van Tnahsit aan de rand van het dorp. Het is alsof ik achter me zelf aanstrompel en die andere, die ik niet meer ben, niet inhalen kan. Geen enkele hoop is mij gebleven. Ik ben alleen maar op weg naar Tnahsit om te vernemen, hoe mijn vrouw en mijn kind omgekomen zijn. Dat is alles. Ik kon net zo goed langs de kant van de weg mijn einde gaan liggen afwachten. Het verbaast mij, dat er licht achter het venster brandt en opeens trekt een scherpe kramp door mijn hart. Ik hap naar adem, bereik de drempel en vind nog de kracht om met beide vuisten op de deur te bonzen. Dan stuik ik tot een vod in elkaar. Doch hoor nog vaag in de verte een kind huilen.

Wanneer ik, – na hoe lang? –, de ogen weer open, staan Tnahsit en haar man over mij heen gebogen en wrijven mijn lichaam en polsen met doeken, die afschuwelijk naar azijn ruiken. Ofschoon ik hen herken, weet ik niet dadelijk, wat er met me aan de hand is. Dan keert het bewustzijn weer. 'Tjenuna,' mompel ik met dikke tong. 'Tjenuna en het kind.' Zij kijken elkander vragend aan. Dan zegt de man: 'Het kind is hier, ongedeerd.' Ik hoor nu inderdaad de zachte geluiden, die de kleine Meses in zijn slaap pleegt te maken. Ik grijp de man zo heftig bij de pols, dat hij ervan steunt. Zijn krampachtig gesloten mond weigert te spreken. Ik hoor Tnahsit zeggen: 'Zij heeft niet geleden. Toen je pas het huis verlaten had, is er een Z.C.-detachement gekomen. Men toonde mij het bevel, dat je moest gearresteerd worden, ondertekend door Jozef. Ik heb zijn zegel duidelijk gezien. Zij hebben mij geslagen, daar ik hun de toegang weigerde en daarna het ganse huis doorzocht. Toch ben ik hen op de voet gevolgd en heb in Tjenuna's kamer het kind bij mij genomen. Zij hebben Tjenuna willen ondervragen, doch zij heeft geweigerd te spreken. Lang heeft het niet geduurd. Eén korte lansstoot onder de linkerborst, vlak in de hartstreek. Toen zij mij het jongetje wilden afnemen, heb ik mij losgerukt, ben buiten geraakt, heb de deur dichtgeklapt en op slot gedraaid. Eerst heb ik het kind in veiligheid gebracht en ben dan met mijn man teruggekeerd. Het huis stond in lichtelaaie, doch de schoften waren verdwenen. Wij hebben er alles op gewaagd, doch het was onmogelijk Tjenuna in het gloeiende puin weer te vinden...' 'Wees sterk,' viel de andere haar in de rede, 'je zoon is ongedeerd. Een man als jij weet, dat het leven niets dan ellende is.'

Ik staarde naar de zoldering, of mijn hoofd en mijn lichaam volkomen van hun substantie geledigd waren en ik in het geheel niet meer leed, doch ik wist, dat ik afschuwelijk bleek was. Opnieuw wreef Tnahsit fanatiek mijn voorhoofd en mijn polsen. En dan, opeens, ben ik met de verschrikkelijke schreeuw van een gepijnigd dier losgebarsten, terwijl de vreselijke ontladingen van mijn snikken mijn lichaam aan flarden schenen te rijten en mijn kiezen klapperden met het geluid van een paard in gestrekte draf. Tnahsit wrong mij de rand van een schaal tussen de tanden, die zich onwillig van elkander verwijderden. Ik dronk omdat het mij niet schelen kon te drinken of niet, ook al had het water een vreemde smaak. Ik dronk en voelde op korte tijd mijn lichaam zich ontspannen (neen, niet mijn lichaam: een lichaam, ergens ver weg, waaraan ik part noch deel had), ofschoon de tranen nog overvloedig langs mijn ongeschoren baard stroomden. Ik was plots onbeschrijfelijk vermoeid, sloot de ogen en zonk weg in het ijle, met het gevoel of ik duizelingwekkend snel in de diepte stortte.

18

TREURMARS VOOR EEN TIRAN

Het moet een buitengewoon sterk slaapmiddel geweest zijn, dat Tnahsit mij had toegediend. Morgen, middag en schemertijd gingen voorbij, vooraleer ik ontwaakte uit een volkomen vergetelheid. Het duurde nochtans kort eer opnieuw de pijn mij doorkerfde tot ik innerlijk weer aan rafels hing. Mijn mond was kurkdroog en mijn hersenen klopten of ze barsten gingen.

De vroedvrouw stak haar hoofd door de kier van de geopende deur en vroeg of ze binnen mocht komen. Zij droeg de kleine Meses en legde hem in mijn armen. Hij sluimerde rustig met een ingespannen frons over het voorhoofd. Het broze lichaampje was warm aan mijn borst. 'Mij was het, die zij hadden moeten vinden,' zei ik, en het scheen mij toe, of mijn eigen stem uit een ergens vèr in mij verzonken wereld kwam, 'mij hadden zij rustig kunnen doodmaken, niet de moeder.' 'Had ik het kind niet gehad om op te letten,' zei Tnahsit, 'dan had geen onder hen een poot naar haar uitgestoken en zij waren niet levend uit mijn handen gekomen.' Ik knikte: 'Dank je voor al wat je gedaan hebt, Tnahsit,' zei ik, 'en dank je voor al wat je nog voor me doen zult, als ik tenminste...' 'Maak je geen zorgen,' antwoordde zij prompt, 'de eerste tijd kan het kind rustig hier blijven, hij kan trouwens net zo lang hier blijven als jij het wenst en later zullen we nog wel zien... Ja,' zei ik, in gedachten verzonken, 'later zullen we nog wel zien...' Als tegen een berg, zag ik tegen dit 'later' op en het verbijsterde mij, dat er nog een later kon bestaan en dat de dagen elkander zouden opvolgen, of er niets gebeurd ware, dagen zonder Tjenuna's lieftallige aanwezigheid, zonder haar stem, haar stille wijsheid of zonder haar volmaakte lichaam, waaraan ik in de verrukkelijkste vervoeringen geleerd had, wat een vrouw is. 'Nooit meer,' mompelde ik, 'nooit meer de dankbaarheid van haar glimlach, wanneer ik mij zou gehaast hebben om vroeger bij haar te zijn, nooit meer haar hand in mijn haar, als ik mij zwaarmoedig gestemd voel, nooit meer haar stem opgetogen om de kleine vreugden van iedere dag, die zij mij leerde te waarderen als nooit tevoren.' En toch voelde ik, dat mijn doffe wanhoop haar uiterste grens nog niet bereikt had. Ik begreep dat het leed mij grotendeels verdoofde zoals Tnahsits sap van klaprozenwortels mij verdoofd had en dat er nog dagen moesten volgen, waarop mij de moed zou ontbreken meer kracht op te brengen dan

nodig om mij urenlang met zwaarmoedige apathie in de pijn der on-
herstelbare scheiding te verdiepen, onbeheerst en met volledige,
smartelijke overgave. Ik legde het kind in de armen van mijn gast-
vrouw. Even kreunde het zacht, of het zou ontwaken. Het sliep echter
dadelijk weer verder toen zij het sussend wiegde. 'Ik ken een uitstekende voedster,' zei Tnahsit, 'het is niet goed, dat wij met opge-
warmde geitenmelk blijven knoeien. Een kerngezonde boerendoch-
ter, die door haar vader werd weggejaagd omdat zij een kind van een
kermisgast moest krijgen.' 'Ga je gang,' zei ik, 'en zie op geen geld.
Ik zal je zoveel geld geven als je voor de eerste maanden nodig hebt
en veel meer zo je wilt.'

Ik stond op en verfriste mijn gezicht met het water uit de teil, die
Tnahsit voor mij had klaargezet. In de kleine metalen spiegel zag ik,
welke diepe groeven mijn gelaat vertoonde onder de grauwe stoppelbaard en hoe mijn slapen grijs waren geworden. Weer schoot mijn gemoed vol, want ik wist, hoe bekommerd Tjenuna om me ware geweest, indien zij mij ooit aldus gezien had. Ofschoon de pijn mij zo
fel doorvlaagde, dat ik eronder steunde, wist ik mij nochtans tot
mijn verbijstering te beheersen. Terwijl ik mijn verfomfaaide kleren
in orde bracht, voelde ik het ijzeren mes van de Hetiet op dezelfde
plaats zitten, waar ik het gisteren opgeborgen had. Ik nam het uit de
schede en tastte naar de frisse scherpte op de punt. Het kwam mij
voor, dat de koelte van het wapen zich aan mijn geest mededeelde en
hem opeens veel klaarder maakte.

'Ga je weg?' vroeg Tnahsit, die mij wantrouwend gade had geslagen. 'Voor korte tijd,' antwoordde ik, 'ik heb in de stad één en ander te regelen en een rekening te vereffenen, die geen uitstel duldt.'
Zij knikte stilzwijgend en zei: 'Let goed op je zelf. Er is nu het kind,
waar je voortaan voor leven moet.' Ik was haar dankbaar om deze
woorden, die mijn leed eerbiedigden, zonder het nodeloos op te
schroeven.

Een schipper, die ik met veel moeite omgepraat had, voer mij met
zijn gammele schuit voor grof geld een eind stroomopwaarts, waar
ik aan land ging, een halve mijl buiten de gordel van Horemhebs
reservetroepen. De opperbevelhebber keek verrast, toen de wachters
mij bij hem toelieten. Hij scheen dadelijk te merken, dat er iets aan
me scheelde, doch stelde geen vragen. Korte tijd nadien kon ik mij
weer op weg begeven, voorzien van een vrijgeleide, onontbeerlijk
nu de troepen zich voorgoed strijdvaardig maakten, ofschoon het nog
lang niet vaststond, wanneer het sein tot de algemene aanval zou gegeven worden.

De hemel boven Thebe was thans één vuurzee, waarop de hoge palmen langs de kade duister en grillig stonden afgetekend. Ware er
niet de gedachte aan Tjenuna's dood geweest, zo zou ik erom ge-

treurd hebben, want mettertijd was deze stad mij buitenmate lief geworden, Jozefs drukkende aanwezigheid ten spijt. Ik dacht aan de manier, waarop Ichnaton gestorven was en zijn ontzetting, toen hij éénmaal wist, dat er geen God is om zich over de mensen te ontfermen. Het laatste geloof, inderdaad, voor hen, die een geloof nodig hebben om voor te leven en te sterven.

Niet langer bleek het rustig in de straten aan de voet der stadsmuren. Er heerste onder de troepen, die de hoge wallen en de naburige gebouwen en bolwerken bezet hielden, een koortsige drukte, waarvan de zin niet ten volle tot mij doordrong. Naarmate ik het stadscentrum naderde, liep ik langsheen de eerste branden, die zich dermate in aantal vermenigvuldigden, dat op sommige plaatsen, vlak aan mijn zijde, de vlammen boosaardig en frenetiek gierden, zodat mijn mantel schroeide. Soms kostte het mij moeite om mijn weg te vinden doorheen de vuurpoel, doch waar de omgeving mij ondanks de vele omwegen bekend voorkwam merkte ik, dat het vooral de huizen van Jozefs meest fanatieke aanhangers waren, die in lichtelaaie stonden, benevens deze van hen, die als de meest representatieve vertegenwoordigers van de bezittende klasse werden beschouwd en de slechte faam genoten uit winstbejag de bevolking uitgehongerd te hebben.

Uit de heftigheid van de brandhaarden besloot ik dat het vuur reeds uren geleden aangestoken werd. Toen ik de kern van de gevechten naderde, door eerste verspreide schermutselingen aangekondigd, werd inderdaad deze indruk bevestigd, want de opstandelingen, of de meelopers althans, bleken sedertdien tot een gans andere strijdmethode te zijn overgegaan. Met veel misbaar en triomfantelijk getier werden de deuren van de aristocratenhuizen geramd, waarna het gepeupel zich wringend en huilend naar binnen werkte. Waar er nog bewoners aangetroffen werden, zag men weldra de vensters openrukken, waarna de lichamen van hen, die niet tijdig een veilig onderkomen hadden gezocht, halfdood na de voorafgaande mishandelingen, door tien of twintig handen tegelijk te midden van de juichende menigte geslingerd werden, waar hun ellende gelukkig spoedig een einde vond onder de genadeslag van de buitgemaakte wapenen, die immers op één of andere manier moesten gebruikt worden. Het leed der slachtoffers greep mij niet meer aan, nu ik mijn eigen grenzeloos verdriet te torsen had. Wellicht is het mij tijdens deze bewogen nacht voor het eerst in mijn leven overkomen, dat ik niet onvoorwaardelijk en zonder overleg aan de zijde stond van hen, aan de ongerechtigheid van het ogenblik overgeleverd, wie zij ook waren en wie ook de ongerechtigheid bedreef. Spoedig viel het mij op, dat de defenestratie lang niet de voornaamste zorg van de stormlopende massa was. Wanneer de belhamels weer op de drempel verschenen, strompelden zij gebukt voort onder al wat niet te heet of te zwaar was om verdonkeremaand te worden. Op verrassend korte tijd werd het ganse huis leeggeroofd, wat aanleiding gaf tot menig bloedig handgemeen onder de plunderaars zelf. Wat ik daarstraks voor verspreide schermutselingen had gehouden, waren niet meer dan vulgaire knokpartijen geweest onder dieven, die elkaar de prooi niet gunden. Ik liep voort en putte een wrang genoegen uit het feit, dat hier en daar van hun eenheid losgeslagen Z.C.-lui zich niet onbetuigd lieten en broederlijk met de plunderaars bakkeleiden voor hun aandeel in de buit. Het bevestigde de overtuiging, door mij sedert lang gekoesterd, dat het toetreden tot de partij van de alles beheersende machthebbers altijd wel met een behoorlijk deel crapulositeit gepaard gaat en dat, waar de overhand dier machthebbers schijnbaar onaantastbaar is, elk fatsoenlijk mens instinctief altijd weer in de oppositie belandt, onvoorwaardelijk. Hoe was het mogelijk, vervuld door een verdriet als het mijne, aan dergelijke dingen te denken? 'Tjenuna is dood,' zei ik luidop, 'Tjenuna is dood. Godverdomme. Nooit zie ik haar weer. Twee dagen geleden kuste ik haar voor de laatste maal. Zij was de vleesgeworden belofte tot wat mijn leven en mijn bestendig geluk hadden kunnen zijn. Nu is zij dood.' Ik voelde mij haveloos en eindeloos verlaten, omdat zelfs in dergelijke omstandigheden de mens gebonden blijft aan de schamelheid der woordlarven.

Thans moest ik mij met vuisten, knieën, schouders en ellebogen een weg banen, doorheen de menigte der opstandelingen, die hoofdzakelijk huizen belegerden, waar Z.C.-groepjes zich verschanst hadden met het duidelijke voornemen ze tot de laatste man en de laatste op elkaar blijvende stenen te verdedigen. Het gebeurde, dat het dak van hun uitgestookte schuilplaatsen instortte, vooraleer zij te voorschijn kwamen, de opgezweepte massa ten prooi, om in de meeste gevallen onmiddellijk afgemaakt te worden onder opgetogen gejoel. 'Er bestaat een behoorlijke kans, dat zij die Tjenuna..., dat ook hun reeds een dergelijk lot ten dele is gevallen,' overlegde ik, doch de gedachte aan deze mogelijkheid baarde mij geen vreugde. 'Zou ik ook thàns te zwak zijn om te haten?' vroeg ik mij af, zonder evenwel mijn geest tot een bevredigend antwoord toe te spitsen.

Het is vreemd. Ik had geen bepaald plan (koesterde ik wel duidelijk onder woorden te brengen bedoelingen?), maar toch was er bestendig iets, dat mij in dezelfde richting dreef, zodat ik ten slotte op het grote plein terechtkwam, dat als een hoogvlakte op de benedenstad uitzicht biedt, waar ik de vorige nacht de eerste grote slag tussen Imhoteps woeste vrijscharen en Jozefs keurkorpsen had bijgewoond. Ofschoon langs alle zijden over de regeringsgebouwen de rode haan bleef klaroenen en luidruchtig gepraat en geschreeuw niet van de lucht waren, – de opstandelingen hielden op hun beurt thans de ganse plaats bezet –, heerste hier niet langer de ware atmosfeer van de strijd. Veeleer bekroop mij de indruk, dat de menigte op iets wachtte. 'Het is tijdsverlies,' zei ik tot een onbekende naast mij, 'de aanhangers van de Hebreeuw hebben nog lang de moed niet opgegeven.' 'Geen belang,' antwoordde de onbekende, na mij achterdochtig te hebben opgenomen, 'over hun lot is beslist. Imhotep heeft beloofd te komen. Het volk wacht hier op hem. Geen Z.C.-man zal ontsnappen.' De bestendig herhaalde kreet: 'Im-ho-tep! Im-ho-tep! Im-ho-tep!' dreunde eensklaps als een stormvlaag door de lucht, maakte een einde aan ons gesprek en in de gestalte, die ginds de treden van de inmiddels tot zwart puin afgebrande tempel beklom, herkende ik inderdaad mijn oude vriend. Ik werkte mij naar voor, tot ik hem tot op enkele schreden genaderd was, doch hield mij voorzichtig onder het volk verscholen. Ik zag duidelijk, dat hij blaakte van tevredenheid, nu in zijn moerassige geest de overwinning vaststond, zonder dat hij rekening met mogelijke verrassingen scheen te houden. Of gaat het leidersinstinct als vanzelfsprekend met de gave van de comediant gepaard, en wist hij wel terdege, dat Horemheb zich voorbereidde tot de aanval, die binnen de muren vriend en vijand een broederlijke doch nutteloze dood voorbestemde? Hij stond strak rechtop, de benen lichtjes gespreid, de armen over de borst gekruist en de kin trots opwaarts gericht; niet de eerste maal was het, dat het mij opviel, hoe zijn fenomenaal ontwikkelde onderkaak een niet te onderschatten rol speelde in zijn opgang als leider des voks. Ondertussen genoot hij zichtbaar van de onbedaarlijke toejuichingen. Meer dan ooit was ik ervan overtuigd dat hij, veeleer dan ik, een broeder mijns broeders had kunnen zijn en dat er tussen hen beiden in dieper wezen nauwelijks enig verschil bestond. Het stilde in mij het onbehaaglijke gevoel Horemhebs medeplichtige te zijn op het ogenblik, dat deze waarschijnlijk voor de laatste maal tastend de strop door zijn handen liet glijden, die hij straks feilloos omheen de hoofdstad zou dichthalen, zonder wreedheid hoopte ik, doch met wetenschappelijke, koele onverbiddelijkheid. Door een vermanend handgebaar legde Imhotep, verzadigd aan de hem gebrachte hulde, de hysterische menigte het zwijgen op. Zijn stem schalde helder, wijd en zelfingenomen over het plein. 'Volk van Thebe! De strijd is gewonnen, ofschoon niet uitgestreden. Ik zeg dus niet: ga in vrede, want daartoe is het voorlopig te vroeg. Wel zeg ik, dat het rijk van de kleine man aangebroken is en in dit land, door de vijanden des volks, de Joden en de handlangers onzer buitenlandse belagers tot de bedelstaf gebracht, de republiek der broederlijke gelijkheid zal gevestigd worden. Gij hebt in mij uw leider erkend en ik zal u niet beschamen.' De hemel daverde onder de bijvalsbetuigingen. 'Ik zei: de strijd is niet uitgestreden. Hij zal niet uitgestreden zijn, zolang de Hebreeuw, dood of levend, niet in onze wrekende handen valt. Men neemt op goede gronden aan, dat hij zijn uiteengeslagen troepen vanuit het koninklijk paleis beveelt. Ik heb vertrouwen in jullie en voeg hieraan verder niets toe. Jullie weten, wat er thans gebeuren moet. Mij roept de plicht elders. Ik reken op jullie dapperheid en wijs beleid.' Hij klom op een buitgemaakte strijdwagen van het Z.C., groette de massa met een koninklijk gebaar van de lange zweep en zag met welgevallen, hoe de rangen eerbiedig weken, toen de paarden zich schrap zetten, terwijl de toejuichingen tot een uitzinnig tumult waren aangegroeid.

Er kwam beweging in de massa en ik legde er mij op toe in de voorste rangen te blijven. Luguber dreunden de strijdliederen in de straatjes, die trapsgewijze naar de lage stad dalen. Hoog dansten gedrochtelijke schaduwen in het fakkellicht tegen de verweerde gevels. Toch blijft er in mijn herinnering het beeld en de atmosfeer van een fantastische kermisoptocht aan dit alles verbonden, de dramatische spanning ten spijt. Er bogen zich vrouwen uit de vensters, sommige op haar zondags gekleed, andere slordig in nachtgewaad, de haren los om de schouders. Kennissen en verwanten wisselden kwinkslagen of informeerden naar afwezigen en uit kroegen en bordelen klonk ditmaal muziek en gelach, of het reeds weer een nacht als alle andere was. Toen de optocht stagneerde nabij een fontein, waar het straatjesvolk er een onschuldig vermaak in vond een Z.C.-man te verdrinken, alleen maar door zijn hoofd geduldig onder water gedompeld te houden, nam ik de gelegenheid te baat om mij naar voor te dringen. Naast mij liep een grote, grove kerel met een smerige schaapsvachten muts diep over de ogen getrokken. Ik lette niet veel op hem, tot hij me eensklaps bij de schouder greep en ik hem in het Hebreeuws doorheen het gejoel hoorde schreeuwen: 'Jij hier, Benjamin?' Hij trok zijn muts achteruit zodat ze, vastgehecht aan zijn mantel op de manier der veehoeders, op zijn rug bleef bengelen. Met een schok (waaraan een plotse vreugde niet geheel vreemd was) herkende ik Ruben, mijn oudste broeder. 'Praat geen Hebreeuws,' zei ik zacht, 'als de anderen het horen timmeren ze ons de hersenen in. Wat doe jij hier?' 'Niets bepaalds,' antwoordde hij. 'De overigen strijden aan de andere kant. Alleen daarom misschien is het, dat wij elkaar hièr op het lijf lopen. En jij?' 'Ik veracht Imhotep, zoals ik Jozef leerde misprijzen en haten misschien. Maar het is een uitstekende gelegenheid om een rekening met hem te vereffenen. Ik had een vrouw, die mij pas een zoon schonk. Zij werd door Jozefs handlangers om het leven gebracht.' 'Ja,' antwoordde Ruben met duistere blik, 'de wraak is het enige, wat de mens gelaten wordt in deze stinkende rotzooi van een wereld.' 'Luister,' zei ik, 'ik wil helemaal alleen de verantwoordelijkheid voor mijn daden opnemen. Laat mij dus begaan en volg me niet, wanneer ik gaan zal, zelfs als je meent dat ik in gevaar verkeer. Ik red mij wel.' 'Reken erop,' zei hij. 'Als je wist hoe goed ik je begrijp. Maar zeg me eerst, waar ik je zoon vinden kan, moest het slecht met je aflo-

pen.' Ik drukte hem de hand, verdrietig, omdat ik mij al die jaren zo
weinig bekommerd had om hem, die mij ééns het leven redde op een
zwoele nacht in Dothan, — eeuwen geleden reeds?... Wij bevonden ons
thans vlak in de buurt van het koninklijk paleis. Achter ons nam het
gedrang toe, samen met een onheilspellende stilte. Eensklaps zoefde
er met het geluid van een vredelievende vlucht duiven een regen van
pijlen neer, afgeschoten van op de daken der huizen, waar ik in het
schemerduister de uniformen herkende van Jozefs persoonlijke lijfwacht, uit zijn beste en meest roekeloze keurtroepen gerecruteerd. Ik
voelde dat een aarzeling doorheen de rangen voer en wist opeens,
hoe ditmaal alles van *mij* zou afhangen. Zonder aandacht voor het
doodsgereutel van hen, die aan mijn zijde geveld waren, raapte ik de
bebloede mestvork van één hunner op, zwaaide haar hoog boven
mijn hoofd en stormde voorwaarts, schreeuwend als een bezetene en
zonder terug te deinzen voor de vijanden, die thans als uit de grond
oprezen, op de hielen door Ruben gevolgd, die zich uitsluitend van
zijn vuisten bediende om wie in de nabijheid kwam woest brullend te
molesteren. De menigte volgde ons onder gejuich, ofschoon velen het
niet verder dan enkele schreden brachten, ijselijk huilend van de pijn
onder een lawine van pijlen, kokende olie en straatkeien. De aanvan-
kelijke vrees bleek echter overwonnen en de driestheid van het Z.C.
wakkerde tot nieuwe strijdvaardigheid aan. Ook in mij was een
witgloeiende razernij gekomen en roekeloos bestormde ik de barrica-
den, die allerwegen de straten afsloten welke naar het paleis leid-
den. Iedere versperring werd onder zegevierend gehuil genomen en
leverde ruime voorraden projectielen, waarmede wij als razenden de
verdedigers van de volgende versterkingen bekogelden. Ondertussen
beukten anderen de deuren van de huizen in om op de daken af te rekenen met de bezetters, wier geschonden lichamen bij trossen te midden van het tumult neerploften, terwijl de vlammen opnieuw aan het
huilen gingen.
Hoe lang dit vreselijke gevecht duurde, waarbij wij soms letterlijk
door het bloed waadden, zou ik zelfs bij benadering onmogelijk kunnen zeggen. In elk geval was het nog volop nacht, wanneer wij ten
slotte op het uitgestrekte plein vóór het paleis de voorbereidingen tot
een open strijd konden in overweging nemen, die zich echter als de
meest verwoede van alle aankondigde. Nog vooraleer de opstandelingen de tijd gegund werd zich te hergroeperen tot de aanval, verschenen op de hoge stugge muren, die spookachtig gloeiden in het
dansende licht, honderden boogschutters, ditmaal behorende tot het
regelmatige leger, wat erop wees, dat Horemheb niet àlle eenheden
voor zijn zaak gewonnen had, of behoedzamer te werk was gegaan,
dan ik het aanvankelijk vermoedde. Zij schoten op de belegeraars
een wolk van pijlen af, waarvan de doeltreffendheid fataal had kunnen worden, ware de luidkeels jouwende menigte niet zo talrijk ge-

weest en tot het uiterste in haar dolle verwachting opgezweept.

Ik wist, dat thans *mijn* uur aangebroken was. 'Luister wel,' zei ik tot Ruben, die mij vragend aankeek, of hij reeds lang bescheid verwachtte, 'toen wij zijn voorwaarts gerukt op gevaar van ons leven, heeft het volk ons tijdelijk als zijn aanvoerders erkend. Ik moest thans gaan. Waak jij erover, dat men het paleis niet roekeloos bestorme en wacht tot het geschut der verdedigers stilvalt. Het kàn niet blijven duren. Wees er echter van overtuigd, dat Jozef zijn huid duur verkopen zal en nog honderden fanatici zich achter de muren schuilhouden. Ik doe er een eed op, dat het niet lang duurt, vooraleer er een uitval gewaagd wordt. Nader met de best gewapenden onder jelui de poorten zo dicht mogelijk, opdat je iedere tegenaanval in de kiem zoudt kunnen smoren, zoniet wordt het een slachting, die niet te overzien is.' Ruben knikte: 'Je kunt op me rekenen. Wat voer jij ondertussen uit?' 'Ik vertel het je later. Als het lukt, zul je zien, dat het de beste oplossing is geweest voor eenieder, die zich op dit moment in Thebe afvraagt, of hij de morgen nog aanschouwen zal.' Hij keek mij trouwhartig in het wit van de ogen toen wij van elkander afscheid namen en bij het leed om Tjenuna voegde zich een zachte, verzoenende ontroering, die mij een poos angstig voor me zelf maakte, nu er voorgoed zóveel op het spel stond.

Ik worstelde mij doorheen het volk en sloeg een zijstraat in, waar ongeveer alle huizen in lichtelaaie stonden, zodat niemand het waagde er een voet te zetten. Er heerste een schier ondraaglijke hitte en ik moest beroep doen op al mijn zelfbeheersing om niet vruchteloos de terugweg in te slaan. Ik weet niet, of het de hitte of de angst was, die mij het zweet deed uitbreken. In ieder geval gutste het mij uit de haren, zodat ik soms mijn ogen moest schoonwrijven, als een zwemmer, en allerwegen kleefde mijn kleed aan mijn lichaam, of ik uit een sloot kwam opduiken. Mijn volharding werd beloond; hoe verder ik vorderde, hoe sterker de rook mijn ademhaling beklemde en mij het gezicht befloerste wat, overlegde ik, op de afname van de vuurpoel wees, ja, er misschien zelfs het einde van aankondigde. Korte tijd nadien lag de brand inderdaad een eind weegs achter mij. Er heerste een onwezenlijke atmosfeer in deze buurt, ogenschijnlijk niet door de opstand beroerd. Ik vroeg mij dwaas af, wie de gelukkige zielen konden zijn, die hier woonden zonder deel te hebben aan de verschrikkelijke gebeurtenissen der afgelopen dagen. Had een instortend dak of een kantelende muur mijn sterfelijk lichaam onder smeulende puin bedolven en was het mijn onsterfelijke geest, waaraan ik nochtans nimmer geloof had gehecht, die zijn intocht in de mythische dodenstad hield? Ik glimlachte pijnlijk om die zinloze gedachte, waarbij ik merkte, dat gans mijn gelaat aanvoelde als een geschroeid grimas, en mompelde bitter: 'De pijn om Tjenuna in mijn hart is het duidelijkste bewijs, dat het nog niet opgehouden heeft te slaan. Hier sterven, en niets meer weten, niets zich nog herinneren!...' Ik schrok van me zelf: 'Er is het kind,' voegde ik er luidop aan toe, of ik de stilte tot getuige van mijn zwakheid riep, 'er is het kind, waar ik voortaan voor leven moét, hoe zwaar de af te leggen weg ook vallen moge. Hierbij speelt mijn eigen voorkeur geen rol meer.' Ik liep haastig door, of ik met een verleiding had geworsteld (was er de oude Jacob iets dergelijks overkomen, die nacht van de engel, of was hij maar doodgewoon crimineel dronken geweest?) en bevond mij ten slotte voor de muur omheen de tuin van Thotmes' woning. Het poortje voor het personeel, langs waar ook meestal de vrienden in betere tijden kwamen binnenwandelen om onder de arbeid met de beeldenmaker een praatje te doen, stond op een kier. Ik liep door de tuin en over het erf. Alles bleek tot mijn opluchting in een diepe duisternis gehuld. Er was geen ander geluid dan het verre rumoer van de stad, dat de hemel zacht deed gonzen als het verwijderde gerucht omheen het huis van een imker, als de heide bloeit in het land van Kanaän.

Het was moeilijker dan ik gedacht had, mij in het donker te oriënteren, zodat ik in de muur van de belendende koninklijke tuin het deurtje niet vond, langs waar ik, vele jaren geleden, samen met Ichnaton op een zonnige zomermorgen Thotmes' nijvere werkplaats placht te betreden. Slechts later vernam ik, dat het op bevel van Jozef was dichtgemetseld geworden. Ik verloor geen tijd, sleepte steenblokken naderbij, en een ogenblik later liep ik het grotendeels met distels begroeide pad op, dat naar de vleugel van het paleis leidde, waar vermoedelijk Jozefs hoofdkwartier gevestigd was. Naarmate ik vorderde spitste ik scherper de oren, doch onder het geboomte bleef alles stil, of hij de mogelijkheid van een overval uit deze hoek over het hoofd gezien had, tenzij hij niet meer over genoeg troepen beschikte om zich naar behoren te dekken. Ook het gejoel der belegeraars, dat ik van de andere geruchten, aandrijvend van boven de stad, kon onderscheiden, bleef op afstand, zodat er met de aanval van het paleis klaarblijkend nog geen aanvang was gemaakt. Eindelijk stond ik aan de voet van een enorme, in het duister vijandig gesloten muur, als op de bodem van een ravijn. Het schrok mij niet af. Tastend vond ik de stengel van de klimop, steviger dan de arm van een volwassen man, waarvan ik wist, dat hij hoger reikte dan de eerste zuilentrans, door het donker vooralsnog aan mijn blik onttrokken.

Waar ik de kracht vandaan haalde heb ik nooit goed begrepen. Korte tijd nadien hees ik mij hijgend over de balustrade en liep behoedzaam over de galerij, waar ik in betere tijden soms met mijn broeder van het heerlijke vergezicht op de stad en de stroom genoten had. Ik wist, dat ik thans nog slechts een hoek moest omslaan. Tot mijn opluchting viel er op ongeveer twintig schreden afstands inderdaad een rechthoekige lichtvlek naar buiten. Ik legde mijn hand op het hart, – het bonsde heftig van vermoeienis en spanning –, en ademde diep. Dan sloop ik op handen en voeten naderbij en waagde het slechts na een poos langs het openstaande venster naar binnen te kijken.

Hij stond doodstil voor zijn grote werktafel, de handen zijwaarts op het blad gespreid, waarin hij een vaardig ambachtsman een nauwkeurig plan van de stad had laten uitsnijden, – ik had vroeger nooit begrepen waarom. Hoe hij de roekeloosheid kon begaan, de galerij onbewaakt te laten, was voor mij een raadsel. Ik tastte naar het mes onder mijn kleed, doch liet het op zijn plaats. Vooraleer ik er mij terdege rekenschap van gaf, stond ik vóór hem.

Hij keek mij aan zonder verrassing te laten blijken. Ik zag hem niettemin langzaam bleek worden, wat de zware randen onder zijn diepliggende ogen nog verduisterde. Zijn trekken stonden hard en onbewogen, als in bergkristal gebeiteld door Thotmes' hand. Het onbehaaglijke gevoel, dat ik de vorm van zijn schedel doorheen zijn gespannen huid kon zien, deed mij sprakeloos staan. En aldus was hij het, net als steeds, die het eerst de toestand meester scheen.

Zonder van zijn plaats te wijken of zelfs zijn houding te veranderen, – nog steeds stond hij over de tafel voorovergebogen –, vroeg hij kort: 'Wat zoek je?' 'Geen erbarmen ditmaal,' dacht ik, 'geen zwakheid, geen gevoel. Ik draag de dood in het hart. Dat het zo blijve.' Ik zei gemeten: 'Ik kom je rekenschap vragen. Geef je niet de moeite verbazing te veinzen. Die tijd is voorbij. Je hebt een patrouille gezonden om mij in te rekenen. Het was je recht. Uit jouw standpunt bekeken was het zelfs een wijze maatregel! Maar ik ontsnapte, zoals je ziet. Er was een vrouw, die ik liefhad. Je kent haar. Ik zal haar naam niet uitspreken. Je kan trots op je keurtroepen zijn. Zij hebben haar gedood. Hoor je me wel? Ze hebben haar afgemaakt als een beest, zij hebben het huis in brand gestoken, de smeerlappen, opdat er zelfs van haar lichaam geen spoor zou overblijven!'

Hij schrok niet. Misschien zou hij mij tot erbarmen bewogen hebben, zo hij geschrokken ware. Hij schrok echter niet. Alleen hoorde ik zijn ijzig langzame stem en zag ik de onbewogenheid van zijn nog steeds edele, ofschoon door vermoeienis gestigmatiseerd gelaat. Hij zei: 'Ik wist het. Ik heb zelf het bevel gegeven je gevangen te nemen en eenieder in je huis ter dood te brengen, wie het ook zijn mocht.'

Ik liet op mijn beurt geen verrassing blijken en antwoordde: 'Het is goed, dat ik het je zelf hoor bevestigen. Het maakt mijn taak stukken eenvoudiger.' Ik trok mijn wapen uit de schede, hield het in beide handen aan de uiteinden van hecht en lemmet, opdat hij zich duidelijk rekenschap van mijn voornemen zou geven en vervolgde: 'Ik zal je met dezelfde munt betalen: daarom kwam ik hierheen. Wellicht zou je niet aan de opstandelingen ontkomen zijn, doch ik wens eigenhandig het door mij gevelde vonnis te voltrekken. Hoor je me? Eigenhandig!'

Zo beheerst mogelijk en gemeten ging ik op hem toe, tot wij aangezicht tot aangezicht stonden. Ik zag zijn mondhoeken vertrekken en zijn wimpers trilden. 'Wat wil je,' vroeg hij schor en slikte heftig, 'wat ben je van zins?' 'Je te doden,' antwoordde ik, 'of heb je me soms niet begrepen? Ik zal het doen met dezelfde onverschilligheid, waarmee jij tienduizenden onschuldigen om het leven hebt laten brengen.' Hij grijnsde eensklaps wild, zodat ik ervan schrok: 'Doe het. Doe het dan, zeg ik je! Ook voor mij maakt het veel dingen aanzienlijk gemakkelijker, maar doe het dan godverdomme toch?'

Mijn oren suisden en een zwarte nevel spatte voor mijn blikken uiteen. Eensklaps wist ik, dat ik er nooit de onontbeerlijke kracht toe vinden zou. Ik wist nu ook, dat hij aldus zijn laatste en misschien meest volstrekte overwinning behaalde. Vreemd genoeg echter stemde het mij wonderrustig in plaats van mij op te winden. Ik zei: 'Ik betreur het' en had me zelf om die dwaze woorden kunnen slaan. 'Mij is het niet gegeven gewelddadig in het lot van een ander mens te grijpen. Ik heb me zelf overschat. Jij hebt mij vaak als een zwakkeling beschouwd. Het zij zo. Ik ben te zwak, om aan jou de straf te voltrekken, die je duizendmaal duizend keren verdiend hebt.' Ik slingerde mijn wapen doorheen het venster.

'Dwaas,' zei hij sarrend, 'dwaas die je gebleven bent. Ik kreeg misschien respect voor je. Het is bovendien zonde voor het mes, want het was een zeer goed mes. Ik had van die spullen moeten importeren, doch de Hetieten zijn verdomde dwarsdrijvers. Maar ter zake. In één opzicht heb je gelijk: de strijd is uit. Het is ook te laat om mij nog te ergeren in het verraad van je goede vriend Horemheb, zoals het voor alles trouwens te laat is. Nog voor één ding rest mij de tijd, en ik zal er niet voor terugdeinzen zoals jij. Nooit heb jij mij willen begrijpen toen ik je zei, dat een mens het moet aandurven gevaarlijk te leven.' 'Ik heb het heel goed begrepen,' snauwde ik, met een vage hoofdbeweging in de richting van het venster, of wij weer de draad van een oud meningsverschil opgenomen hadden. 'Het beduidde de wereld in een hel van roof, onvrijheid en geweldpleging om te scheppen, zodat voor hèn het leven gevaarlijk werd, voor de anderen, die niet slaafs naar je pijpen dansten. Vraag het hun, die je om het leven hebt gebracht, wat het beduidde.' Hij hief vermoeid de hand om mij het zwijgen op te leggen. 'Ook voor dergelijke verwijten is het te laat, mijn beste Benjamin. Althans wat mij betreft. Voor mij zijn de dobbelstenen geworpen. Ik onderwerp mij aan de uitspraak van het lot. Zoals het een groot speler betaamt.'

Hij liep tot bij de muur, schoof het tapijt terzijde en opende een in de wand verborgen luik. Hij nam er een rijk bewerkte drinkschaal en een wijnamfoor. 'Eén schaal zal genoeg zijn,' sprak hij met ironisch gekrulde lippen, terwijl de drank traag uit de hals klokte, 'want het is een brouwsel, dat je geen tweemaal drinkt, als je het tenminste aandurft zó te leven, dat je er ooit van drinkt. Ik zal zo discreet zijn, je geen slok aan te bieden. Het zou je maar met je eergevoel in moeilijkheden brengen!'

Met een koortsige genegenheid in de ogen staarde hij naar de beker in zijn hand. Zonder die blik, zou hij er uitgezien hebben als een kenner, die overlegt dat het inderdaad die keer wel een zéér bijzonder wijnjaar was geweest.

Ik had hem er kunnen van weerhouden: hij was immers fel vermagerd en zag er lichamelijk volkomen uitgeput uit. Ik had mij op hem kunnen werpen, hem desnoods bewusteloos slaan en hem er aldus van weerhouden. Maar ik dacht aan Tjenuna, wier liefelijke hand ik nooit meer aan mijn slaap zou voelen als ik moe of ontgoocheld was, ik dacht aan het verhaal van Tnahsit en wat er van mijn kind ware geworden, indien zij geaarzeld had. En aan de lijken van andere vrouwen en andere kinderen in de nachtelijke straten van Thebe voelde ik mij gedwongen te denken.

Daarom keek ik toe, uiterlijk onbewogen, de armen over de borst gekruist, ofschoon in mij de haat was afgestorven. Ik, die nooit geweten heb, wat het eigenlijk betekent wreed te zijn, begreep thans, dat het enige wat er nog van mij verwacht kon worden, erop neerkwam hem in een laatste barmhartigheid te laten begaan. Het tumult over de stad nam toe. Ik veronderstelde, dat met de bestorming van het paleis een aanvang was gemaakt. Het leek wel, of hij mijn gedachten raadde: 'Ik vermoed, dat ze er eindelijk toe over zijn gegaan de poorten in te beuken. Je zult hun mijn groeten overmaken. Men moet eerbied hebben voor een tegenstander, die sterker is dan je zelf. En ook van jou neem ik thans afscheid, Benjamin. Voor mij blijft het een broeder, waarvan ik afscheid neem.' Ik antwoordde niet dadelijk, doch ten slotte zei ik nadrukkelijk, doch met gedempte stem: 'Ik ben ervan bewust, dat er een mens gaat sterven. Het is de eerste maal zolang ik leef, dat ik oprecht geloof, dat de dood van een bepaald mens wenselijk en nuttig is, omdat de wereld niet voort kan zonder die dood, ofschoon mij de nodige moed ontbrak, om hem zelf te voltrekken. Noem mij echter niet je broeder, nu je de vrouw, die ik liefhad en die ook jij éénmaal hebt liefgehad, welbewust liet vermoorden.'

Voor het eerst sedert jaren verdween het harde in zijn blik, doch ik bestreed angstvallig iedere vertedering. 'Ik wil niet als je vijand de dood ingaan,' sprak hij eindeloos vermoeid. Ik vroeg wrang: 'Is het één van je vele knepen?' Hij schudde gelaten het hoofd. 'Neen,' antwoordde hij, 'het is geen van mijn knepen. Ik heb inderdaad het bevel gegeven en ondertekend, zoals ik in de afgelopen dagen duizenden bevelen heb gegeven en ondertekend. Ook dit van Potifars executie. Niets betreur ik van wat er gebeurd is, sinds wij uit Dothan vluchtten. Wat er mij doet aan denken, dat je Ruben van me groeten moet. Indien alles te herdoen ware, zo verklaarde ik er mij onmiddellijk toe bereid. Niets betreur ik. Behalve dit ene krankzinnige bevel. In het spel, dat ik gespeeld heb, telde één enkel leven niet meer mee. Ik moest het aanvaarden, of voorgoed verzaken. Ik heb aanvaard. Het overige weet je.' 'Ja,' mompelde ik, 'het overige weet ik.' 'Maar ik zou rustiger sterven,' vervolgde hij zacht, 'zo ik wist, dat je het mij éénmaal, desnoods na vele jaren, als je een oud man geworden bent, zult kunnen vergeven.'

Weer voelde ik, hoe de eeuwige zwakheid van mijn hart nog steeds in mij om de bovenhand dong. Ik verzette er mij niet langer tegen en zei: 'Ik vergeef je.' Er stroomden tranen langs mijn wangen, warm en oprecht.

Terwijl hij mij aankeek besefte ik dat hij, spijts alles, nooit opgehouden had mijn broeder te zijn: bloed van mijn bloed. Hij hief de schaal als voor een ultieme toast, bracht ze dan kalm naar de lippen en dronk resoluut. Even hield hij op en mompelde: 'Vaarwel!' Ik antwoordde: 'Vaarwel.' Bij de eerste slok die hierop volgde zag ik, hoe zijn krampachtige vingers de fraai bewerkte voet losten. De brandende gloed brak weg uit zijn ogen, zijn gelaat werd vaalblauw en verbijsterend langzaam zakte hij in elkander. Zonder gerucht kwam hij op het zware tapijt terecht, met nog een laatste kramp, die als een lichte huiver door zijn lichaam trok.

Dat was alles. Ik begreep aanvankelijk niet, dat het zo eenvoudig zijn kon. Het verzachtte even mijn leed om Tjenuna: ook zij had de tijd niet gehad om te lijden.

Ik kwam naderbij, als bevreesd hem te wekken, en knielde naast hem neer. Zijn ogen waren gesloten, zijn trekken hadden zich op de korte tijd van zijn val geheel ontspannen en de lugubere kleur was als bij toverslag geweken. Weer was hij mooi als een onder de mensen verdwaalde engel. 'Engel van het boze beginsel,' mompelde ik meewarig,' gevallen engel, die een god had kunnen zijn.'

Het gerucht der definitieve bestorming vervulde thans de nacht. Ik tilde het nog warme lichaam op de schouders. Het plooide gewillig in het middel, met slingerende armen langsheen mijn rug. Aldus begaf ik mij op weg doorheen de verlaten paleisgangen, waar mijn schreden dwaas en luidruchtig galmden. Ook hij was in eenzaamheid gestorven, dacht ik bij me zelf, zwaar hijgend onder de vracht, die mijn krachten te boven ging. Het geschreeuw van de belegeraars kwam stilaan naderbij en ik begreep, dat zij de poorten langs de stadszijde in handen hadden. Ik besloot mij niet doorheen het park te wagen en koos, ondanks het gebrek aan dekking in geval van nood, de terrassen die toegang tot het sikkelvormige strand verleenden, waar ik ééns mijn eerste gesprek met Ichnaton had gevoerd. Gelukkig stond er geen maan en ofschoon ik op de stroom in vage silhouetten Horemhebs

Nijlvloot onderscheidde, kwam het mij als onwaarschijnlijk voor, dat zelfs op de blanke kuststrook iemand mij opmerken zou. Tot over de enkels zonk ik in de zompige grond, wat bij elke schrede een zuigend geluid veroorzaakte

Ten slotte zag ik het huis van Thotmes uit de duisternis opdagen. Ik wankelde onder de last vooraleer ik het verstrakkende lichaam voorzichtig neerlei in de bosschages, die zich uitstrekten tussen het strand en het erf voor het atelier, waar de mulle bodem hoofdzakelijk uit kalkhoudend zand en schelpen bestond. De deur van de werkplaats stond gelukkig op een kier. Ik vond er op de tast een spade.

De mij opgelegde taak zou ik nochtans niet in het duister beëindigen, want eensklaps sloeg een steekvlam uit het dak van het naburige paleis, zo hoog en verblindend, dat ik mij afvroeg of men er wellicht aardolie had bijgesleept, zoals in de tijd, toen de Atontempel afbrandde.

Een grauwrode gloed gleed over het gelaat van de dode. De hierdoor in het leven geroepen dramatische atmosfeer stuitte mij voor de borst. In strijd met gans zijn bestaan was Jozef met onweerlegbaar grandioze eenvoud gestorven, die het heroïsche benaderde. Het was mij daarom niet welgevallig, dat theatrale omstandigheden de soberheid van ons laatste samenzijn kwamen verstoren.

Eindelijk was de kuil gereed. Voor de laatste maal nam ik Jozefs hoofd in beide handen en staarde ontroerd naar zijn gelaat, ingekeerd tot de mysterieuze binnenwateren van de dood, geheimnisvol gesloten voor alles, wat nog tot de wereld der levenden, tot mijn wereld behoorde. 'Mijn wereld...' fluisterde ik bitter, of ik mij tot een derde richtte.

En groot was in mij het leed om de kracht, in hem afgestorven en die, verstoken van zijn nameloze ambitie, wellicht groot genoeg ware geweest om Ichnatons rijk van liefde, vrede en broederschap onder de mensen van goede wil in het driehoekige teken van goedheid, waarheid en schoonheid te vestigen.

Zijn voorhoofd was koel als marmer bij het morgenkrieken. Ik zelf kreeg het koud en rilde. Toen de aarde gans zijn lichaam bedekte, sleepte ik stenen aan, opdat nachtelijke roofdieren geen kans zouden krijgen om er zich aan te vergrijpen.

Wanneer ik mij oprichtte zag ik hoe, in de gloed van de brand en de eerste nevelachtige deemstering van een nieuwe godvergeten dag, Horemhebs schepen zo dicht mogelijk het strand waren genaderd, waar de soldaten ze verlieten en, aanvankelijk tot aan de borst in het water en de wapens hoog boven het hoofd getild, in de richting van de stad oprukten. Mij in zijn greep gans omvattend, stond opnieuw het verdriet in mij op, als een dier dat zich rekt en de klauwen uitslaat, of het op de naargeestige grauwte van de dageraad heeft gewacht.

19

EPILOOG: BENJAMINS AFSCHEID

Aldus eindigt de geschiedenis van Jozef, verwekt door Jacob en uit Rachel geboren.

Er zijn sedertdien vele jaren verlopen en veel heb ik nog zien gebeuren in het land van Egypte, weer toeschouwer als weleer. Maar het heeft geen zin, dunkt mij, bij mijn verdere ervaringen uitvoerig stil te staan: het was Jozefs boek, dat ik wilde schrijven, niet het mijne. Al té vaak trouwens heeft de herinnering mij van het hoofdzakelijke doen afwijken, zodat ik mij thans voor verdere uitweidingen hoed.

Men zal mij nochtans de omslachtigheid vergeven, zoals ik Jozef vergeven heb: ik ben slechts een mens en, ofschoon mijn haren geheel grijs werden en men mij zelfs wijs noemt en bedaagd, heb ik als ieder sterveling gefaald toen ik het nooit geheel te benaderen geheim van een ander mens weer tot bloedwarm leven hoopte op te wekken.

Hoe zouden wij anderen doorgronden als wij nauwelijks ons zelf kennen, hoe zouden wij, opgesloten in de smalle kiem van ons eigen bestaan de schaal doorbreken, hoe, kortom het verleden gestalte verlenen, zonder gehoor te lenen aan de verleiding van eigen dromen, ervaringen, vreugden en ontgoochelingen? Nephtali, de priester van onze stam, heeft mij zonder het zelf te beseffen geleerd wat er gebeurt, zo men driest de absolute waarheid nastreeft. De persoonlijke waarheid kan een leugen zijn, de absolute waarheid echter is een leugen in het kwadraat. Daarom, trots alle beperkingen, houd ik mij maar bij de hieraan voorafgaande kroniek die, zo zij niet uitsluitend tot Jozefs verhaal mocht uitgroeien, naar menselijke maat gemeten in elk geval trouw verslag uitbrengt over de wijze, waarop ik Jozef, meer dan ooit mijn broeder Jozef, heb gekend en ondergaan. Ondergaan: dat is wel het woord, dunkt mij. Beter een halve waarheid dan een hele leugen. Zo zij het dan.

Jacob was dood, Ichnaton was dood, Potifar was dood, Tjenuna die, ondanks de kortstondigheid onzer liefde, mijn bestaan inhoud en betekenis geschonken heeft, was dood. En Jozef was dood.

Maar aan de nachtelijke hemel is de mysterieuze optocht der sterrebeelden niet stilgevallen, de getijden van de stroom zwollen en namen af als steeds, de zon bleef haar loop beschrijven, en de wereld is niet gestold tot een star landschap onder de afgestorven tijd.

Toen éénmaal de troepen van Horemheb de stad bestormd hadden, wat ook Imhotep, oprukkend aan het hoofd van zijn getrouwen, het leven kostte, is opnieuw mijn wanhoop om Tjenuna met ongekende heftigheid losgebroken, – en ik loochen niet, dat ze ook met een groot verdriet om Jozef gemengd was. Mijn innerlijke oppositie, later mijn verzet metterdaad tegen zijn onmenselijke leer van het geweld waren ondanks alles een ruggesteun voor mij geweest: het besef namelijk dat ik in deze wereld een plicht te vervullen en een schuld, *zijn* schuld wellicht, te delgen had.

Slechts toen mijn leed om Tjenuna het hoogtepunt bereikte, is de gedachte aan mijn zoon opnieuw en ditmaal voorgoed in mij levendig geworden. Het was mijn redding.

Dag voor dag en uur voor uur heb ik mij aan zijn opvoeding gewijd, opdat hij nooit worden zou, zoals Jozef geweest is, want wie kent de verraderlijke zijdelingse trekken van het bloed in onze kinderen? Ik had een goede steun aan Tnahsit, die in mijn dienst trad, samen met haar man, en over ons beiden gewaakt heeft als een moeder over haar kroost.

De tijd ging voorbij. Horemheb herstelde de rust in het land. De jonge Tut-Anch-Aton, een kind nog, beklom de troon, doch loochende onder de druk van de oude priesterkaste (die zich na de val van Thebe met de veldheer gesolidariseerd had en opnieuw de kop opstak) het heerlijk geloof van zijn vader. Horemheb liet hem begaan en zo werd hij Tut-Anch-Amon. Toen ik Thotmes mijn leedwezen over het opportunisme van de opperbevelhebber uitdrukte, glimlachte de beeldenmaker schouderophalend en antwoordde vergevingsgezind: 'Dat ieder zalig worde op zijn manier, mijn goeie Benjamin. Zijn wij, — jij en ik, bedoel ik en mogelijk nog een paar alleenlopers –, mensen die er zich druk over maken, hoe de goden heten, die sommigen nodig hebben om niet aan wanhoop, vrees of eenzaamheid ten gronde te gaan?' Kort daarop stierf de jonge farao aan de longziekte, die ook zijn vader naar het graf had gesleept. Er volgde een verwarde tijd en een poos dreigde er opnieuw burgeroorlog. Doch Horemheb, de machtigste man in den lande, hersteller van de vrede en straffer van de ongerechtigheid, stond gereed om de grote zet uit zijn leven te doen. Het was een meesterlijke zet op het schaakbord der politiek, die hem op de troon van Egypte bracht. Hij was, geloof ik, de eerste farao, gesproten uit het lagere volk (nooit had hij mij nochtans in verband met zijn afkomst in vertrouwen genomen), doch hij regeerde, juist hierdoor wellicht, zoals het een koning betaamt: rechtvaardig, trouw aan het gegeven woord en met clementie voor hen, die falen. Hij trouwens was het, die de gewezen aanhangers van Jozef uit de gevangenis ontsloeg, in zoverre zij zich althans niet aan misdrijven van het gemene recht hadden schuldig gemaakt. Hoewel hij met een even grote hardnekkigheid als Jozef naar de opperheerschappij heeft gestreefd, regeert hij het land als een wijs vorst, wiens beleid, hoe weinig merkbaar voor de jongere geslachten ook, de stempel draagt van hem, wiens naam door zijn laatste getrouwen, gelovig of niet, met schroomvallige ingetogenheid als die van een heilige wordt uitgesproken.

En Benjamin? Ik zei het reeds: mijn leven heb ik aan de opvoeding van mijn zoon gewijd. Het heeft mij verzoend met mijn lot en mij mettertijd geleerd in te zien, dat een betrekkelijk geluk op het stramijn van een groot verlies, waarvan de pijn door het verloop der jaren verzacht doch insgelijks gelouterd werd, misschien ook de naam 'geluk' verdient.

Zo ben ik de ouderdom tegemoet getreden, gelukkig op mijn manier, bewust van de beperktheid der menselijke mogelijkheden en bewust van het menselijk tekort, zonder welk tekort trouwens geen menselijkheid denkbaar is.

Mijn zoon heb ik voorgehouden, wat mij zelf door het bestaan geleerd werd. Het komt neer op zeer weinig, maar ook zeer veel: *Dat het leven en de eerbied voor de mens het belangrijkst zijn in de wereld, en dat niemand, wie hij ook zij, het recht kan inroepen boven dit leven en boven deze mens, hoe schamel ook of hoe verblind, een abstracte leer te stellen, die een van beiden niet ontzien zou.*

Voor het overige heb ik hem verteld, wie zijn moeder was en hoe wij elkander liefhadden, zonder hem de pijnlijke bijzonderheden te besparen.

En zo is het weer avond geworden, – een avond als op de dag, toen ik er een aanvang mee maakte deze herinneringen op schrift te stellen. In de windstille schemering vloeit traag en ongerimpeld de stroom voorbij onder een eerste ster die huiverend openbreekt.

Nu is het melancholische uur aangebroken van het afscheid, – afscheid van de bewogenheid, die mij onder het schrijven heeft vervuld, afscheid misschien van een mens die, ergens ver op de spiraal van de tijd, thans reeds wacht om kennis van Jozefs levenslot en van het mijne te nemen. Afscheid voor de tweede maal ten slotte van haar, die goed voor mij geweest is, zoals alleen een vrouw die liefheeft, goed voor een man kan zijn.

En zie. Ik denk slechts aan haar, en weer is mijn gemoed boordevol van geluk en weemoed tevens, zodat ik mij tot schreiens toe bewogen voel.

Bedaar, mijn dwaze, oude hart, bedaar.

Op het grind van het tuinpad hoor ik de vastberaden tred van mijn zoon Meses, wiens naam geen aanroeping van welke god ook inhoudt. Zo dadelijk zal hij mij omhelzen als iedere avond voor het slapengaan. Ik moet mij nu haasten en dit handschrift zorgvuldig opbergen. Later zal ik het hem toevertrouwen, later, opdat hij weten zou wat voor een man zijn beroemde oom Jozef was. Voorlopig is het nog te vroeg. Morgen begint het leven. Voor hèm natuurlijk bedoel ik...

In de Meulenhoff Editie verschenen:

Theodore Roszak *Opkomst van een tegencultuur*
Philip Roth *Portnoy's klacht*
– *Een braaf meisje*
Renate Rubinstein *Sta ik toevallig stil*
Arthur van Schendel *Een Hollands drama*
– *Het fregatschip Johanna Maria*
Tobias Schneebaum *Hou de rivier rechts*
Fjodor Sologoeb *Een kleine demon*
Michel Tournier *De elzenkoning*
John Updike *Bech: een boek*
Gore Vidal *Myra Breckinridge*
– *Twee zusters*
Jacq Firmin Vogelaar *Anatomie van een glasachtig lichaam*
– *Het heeft geen naam*
Kurt Vonnegut *Slachthuis vijf of de kinderkruistocht*
F. Weinreb *Collaboratie en verzet*
Joop Waasdorp *Het naakte leven*
Jan Wolkers *Kort Amerikaans*
– *Gesponnen suiker*
– *De hond met de blauwe tong*
– *Serpentina's petticoat*
– *Een roos van vlees*
– *Terug naar Oegstgeest*
– *Horrible tango*
– *Turks fruit*